W9-BWX-085

SÓLO UNA MIRADA

Harlan Coben

SÓLO UNA MIRADA

Traducción de Isabel Ferrer y Carlos Milla

Título original: *Just One Look*
Autor: Harlan Coben
Traducción: Isabel Ferrer y Carlos Milla

Pérez Galdós, 36 – 08012 Barcelona
rba-libros@rba.es / www.rbalibros.com

Primera edición: julio 2005
Segunda edición: septiembre 2005

REF. OAFI164 ISBN: 84-7871-398-0
DEPÓSITO LEGAL: B. 42.432-2005
Composición: Víctor Igual, S.L.
Impreso por Novagràfik, S.L. (Barcelona)

Este libro es para Jack Armstrong,
porque es de los buenos

Cariño, dame tus mejores recuerdos,
pero que no sean como la tinta clara.

Proverbio chino adaptado para la canción Pale Ink
de la Jimmy X Band, JAMES XAVIER FARMINGTON

Scott Duncan estaba sentado frente al asesino.

En la habitación sin ventanas, gris como una nube de tormenta, el ambiente era tenso y silencioso, atrapado en ese paréntesis en que empieza a sonar la música y ninguno de los dos desconocidos sabe bien cómo dar comienzo al baile. Scott asintió con la cabeza, sin comprometerse a nada. El asesino, engalanado con el uniforme carcelario de color naranja, se limitaba a mirarlo fijamente. Scott entrelazó las manos y las puso sobre la mesa metálica. El asesino —según su expediente, se llamaba Monte Scanlon, pero desde luego no era ése su verdadero nombre— quizás habría hecho lo mismo si no hubiese tenido las manos esposadas.

«¿Por qué estoy aquí?», se preguntó Scott una vez más.

Su especialidad era el procesamiento de políticos corruptos —lo que parecía una pujante industria artesanal en su estado natal de Nueva Jersey—, pero tres horas antes, Monte Scanlon, un verdugo en serie a todas luces, había roto por fin su silencio para plantear una petición.

¿Qué petición?

Una reunión privada con el ayudante de la fiscal Scott Duncan.

Eso era poco común por varias razones, entre ellas por estas dos: en primer lugar, un asesino no debería estar en posición de pedir nada; segundo, Scott no conocía ni había oído hablar siquiera de Monte Scanlon.

Scott rompió el silencio.
—¿Quería verme?
—Sí.
Scott asintió y esperó a que añadiera algo más. Scanlon no dijo nada.
—¿Y en qué puedo ayudarlo?
Monte Scanlon le sostuvo la mirada.
—¿Sabe por qué estoy aquí?
Scott miró alrededor. Además de Scanlon y él, había otras cuatro personas en la sala. Linda Morgan, la fiscal, se hallaba reclinada contra la pared del fondo intentando aparentar el despreocupado aspecto de Sinatra apoyado contra una farola. De pie detrás del preso, había dos fornidos celadores, casi idénticos, con brazos que parecían tocones de árbol y pechos como armarios antiguos. Scott ya conocía a esos dos bravucones; los había visto llevar a cabo su cometido en otras ocasiones con la serenidad de monitores de yoga. Pero ese día, aun con el preso esposado, incluso ellos tenían los nervios a flor de piel. Completaba el grupo el abogado de Scanlon, un hurón que apestaba a colonia barata. Todas las miradas permanecían fijas en Scott.
—Mató a gente —contestó Scott—. A mucha gente.
—Era lo que suele llamarse un sicario. Era... —Scanlon hizo una pausa—... un asesino a sueldo.
—En casos en los que yo no he intervenido.
—Cierto.
Scott había tenido una mañana bastante normal. Había estado redactando una citación para un directivo de una planta de eliminación de residuos acusado de sobornar al alcalde de un pueblo. Un caso de rutina. Un chanchullo más en el verde estado de Nueva Jersey. Y de eso hacía... ¿cuánto? ¿Una hora, una hora y media? Ahora estaba sentado a aquella mesa atornillada al suelo frente a un hombre que había asesinado —según el cálculo aproximado de Linda Morgan— a cien personas.
—¿Y por qué ha preguntado por mí?
Scanlon parecía un playboy envejecido que podía haber cortejado a una de las hermanas Gabor en los años cincuenta. Pequeño y demacrado, tenía el pelo cano peinado hacia atrás, los dientes amarillos por el tabaco, la piel reseca por el sol del mediodía y demasia-

das largas noches en demasiados clubes oscuros. Ninguno de los presentes en la sala conocía su verdadero nombre. Cuando lo detuvieron, su pasaporte lo identificaba como Monte Scanlon, de nacionalidad argentina, cincuenta y un años. Sólo la edad parecía correcta. Sus huellas dactilares no constaban en la base de datos del Centro Nacional de Información Criminal. Los programas de reconocimiento facial no habían dado el menor resultado.

—Tenemos que hablar a solas.

—Yo no llevo este caso —repitió Scott—. Ya le han asignado una fiscal.

—Esto no tiene nada que ver con ella.

—¿Y sí conmigo?

Scanlon se inclinó hacia delante.

—Lo que estoy a punto de contarle —dijo— va a cambiar su vida por completo.

Una parte de Scott quería agitar los dedos delante de la cara de Scanlon y decir: «Oooooh». Estaba acostumbrado a la mentalidad del criminal capturado: sus retorcidas maniobras, sus intentos de sacar ventaja, sus búsquedas de escapatoria, su exagerado sentido de la propia importancia. Linda Morgan, tal vez adivinando sus pensamientos, le lanzó una mirada de advertencia. Antes le había contado que Monte Scanlon había trabajado durante casi treinta años para varias familias estrechamente relacionadas. La ley RICO anhelaba su colaboración con la avidez de un hombre famélico ante un buffet libre. Desde su detención, Scanlon se había negado a hablar. Hasta esa mañana.

Así que allí estaba Scott.

—Su jefa... —dijo Scanlon, señalando a Linda Morgan con la barbilla—... espera que yo colabore.

—Van a ponerle la inyección —contestó Morgan, todavía intentando aparentar despreocupación—. Nada de lo que diga o haga cambiará eso.

Scanlon sonrió.

—Por favor. Usted teme perder lo que tengo que decir mucho más de lo que yo temo la muerte.

—Ya. Otro hombre duro que no teme la muerte. —Se apartó de la pared—. ¿Quiere saber una cosa, Monte? Son siempre los hombres duros los que se manchan los pantalones cuando los atan a la camilla.

De nuevo Scott reprimió el deseo de agitar los dedos, esta vez ante su jefa. Scanlon seguía sonriendo. No apartó la mirada de los ojos de Scott en ningún momento. A Scott no le gustó lo que vio. Sus ojos eran, como cabía esperar, negros, brillantes y crueles. Pero —aunque quizá sólo fueran imaginaciones suyas— creyó ver también otra cosa. Algo que iba más allá de la habitual ausencia de expresión. Parecía haber un ruego en esos ojos; Scott no podía desviar la mirada. Tal vez había en ellos arrepentimiento.

Incluso remordimientos de conciencia.

Scott alzó la vista hacia Linda y asintió. Ella frunció el entrecejo, pero Scanlon la había puesto en evidencia. Linda tocó en el hombro a uno de los guardias y les hizo señas para que salieran de la sala. Al levantarse de su asiento, el abogado de Scanlon habló por primera vez.

—No se podrá emplear nada de lo que diga contra él.

—Quédese con ellos —ordenó Scanlon—. Quiero estar seguro de que no nos escuchan.

El abogado cogió su maletín y siguió a Linda Morgan hacia la puerta. Pronto Scott y Scanlon estaban solos. En las películas, los asesinos son omnipotentes; en la vida real, no. No se libran de las esposas en medio de un centro penitenciario federal de alta seguridad. Los fornidos celadores, como Scott sabía, vigilarían desde detrás del espejo unidireccional. Aunque, por orden de Scanlon, apagarían el interfono, todos estarían mirando.

Scott se encogió de hombros en un gesto de interrogación.

—No soy el típico asesino a sueldo.

—Ya.

—Tengo reglas.

Scott esperó.

—Por ejemplo, sólo mato a hombres.

—Vaya —dijo Scott—. Es usted un príncipe.

Scanlon hizo caso omiso del sarcasmo.

—Ésa es mi primera regla. Sólo mato a hombres. No a mujeres.

—Bien, y dígame, ¿tiene la regla número dos algo que ver con no echar un polvo hasta la tercera cita?

—¿Cree que soy un monstruo?
Scott se encogió de hombros como si la respuesta fuera obvia.
—¿No respeta mis reglas?
—¿Qué reglas? Usted mata a gente. Inventa esas supuestas reglas porque necesita hacerse la ilusión de que es humano.
Scanlon pareció pensárselo.
—Es posible —admitió—, pero los hombres a los que he matado eran canallas. Me contrataban canallas para matar a canallas. No soy más que un arma.
—¿Un arma? —repitió Scott.
—Sí.
—Monte, a un arma no le importa a quién mata. A hombres, mujeres, abuelitas, niños. Un arma no distingue.
Scanlon sonrió.
—Tocado.
Scott se frotó las palmas de las manos en las perneras del pantalón.
—No me ha pedido que viniera aquí para una clase de ética. ¿Qué quiere?
—Usted está divorciado, ¿verdad, Scott?
No contestó.
—Sin hijos, una separación amistosa, tiene una buena relación con su ex.
—¿Qué quiere?
—Explicar.
—Explicar ¿qué?
Scanlon bajó la vista, pero sólo por un instante.
—Lo que le hice.
—Ni siquiera lo conozco —repuso Scott.
—Pero yo sí lo conozco a usted. Lo conozco desde hace mucho tiempo.
Scott dejó que se hiciera el silencio. Miró el espejo. Linda Morgan debía de estar detrás del vidrio, preguntándose de qué hablaban. Quería información. Scott se preguntó si habrían ocultado micrófonos en la sala. Probablemente. En cualquier caso, le convenía hacer hablar a Scanlon.
—Usted es Scott Duncan. Treinta y nueve años. Estudió en la

Facultad de Derecho de Columbia. Podría ganar mucho más dinero en el sector privado, pero eso le aburre. Hace seis meses que trabaja en la fiscalía. Sus padres se mudaron a Miami el año pasado. Tenía una hermana, pero murió en la universidad.

Scott se revolvió en su asiento. Scanlon lo observó.

—¿Ya ha acabado?

—¿Sabe cómo funciona mi negocio?

Cambio de tema. Scott esperó un momento. Scanlon pretendía crear una ilusión óptica, con la intención de desconcertarlo o alguna tontería semejante. Y Scott no iba a caer en la trampa. Nada de lo que había «revelado» acerca de la familia de Scott lo sorprendía. Para encontrar esa información bastaba con saber pulsar unas cuantas teclas y hacer un par de llamadas.

—Por qué no me lo cuenta —contestó Scott.

—Imaginemos que usted quiere que muera alguien —dijo Scanlon.

—De acuerdo.

—Se pondría en contacto con un amigo, que conoce a un amigo, que conoce a un amigo, que me llamaría a mí.

—¿Y a usted sólo lo conocería ese último amigo? —preguntó Scott.

—Algo así. Sólo tenía un intermediario, pero tomaba mis precauciones incluso con él. Nunca nos veíamos cara a cara. Usábamos nombres en clave. Los pagos siempre se ingresaban en cuentas extranjeras. Abría una cuenta para cada... llamémoslo transacción..., y la cerraba tras concluir la transacción. ¿Me sigue?

—No es tan complicado —dijo Scott.

—No, supongo que no. Pero, verá, últimamente nos comunicábamos por correo electrónico. Abría una cuenta de correo provisional en Hotmail o Yahoo o donde fuera, con nombres falsos. Imposible de rastrear. Pero aunque se pudiera, aunque llegara a averiguarse quién había enviado un mensaje, ¿adónde conducía? Todos se enviaban o leían en bibliotecas o lugares públicos. Estábamos totalmente a cubierto.

Scott se abstuvo de mencionar que, a pesar de esa total cobertura, había acabado con el culo en la cárcel.

—¿Y eso qué tiene que ver conmigo?

—A eso voy —contestó Scanlon, y Scott advirtió que iba animándose a medida que hablaba—. Antes, y cuando digo antes me refiero a hará unos ocho o diez años, lo hacíamos casi todo por teléfono público. Nunca veía el nombre escrito. Él simplemente me lo decía por teléfono.

Scanlon calló y se aseguró de que tenía toda la atención de Scott. Suavizó un poco el tono, ahora ya menos frío.

—Ahí está el quid de la cuestión, Scott. Se hacía por teléfono. Sólo oía el nombre por teléfono; no lo veía escrito.

Miró a Scott con expectación. Scott no tenía ni idea de qué intentaba decir, así que asintió:

—Ajá.

—¿Entiende por qué recalco que se hacía por teléfono?

—No.

—Porque una persona como yo, una persona con reglas, podría cometer un error por teléfono.

Scott pensó por un momento.

—Sigo sin entender.

—Nunca mato a mujeres. Ésa era la primera regla.

—Eso ha dicho.

—De modo que si usted quería cargarse a alguien que se llamaba Billy Smith, yo habría deducido que Billy era un hombre. Ya sabe, con i griega. Nunca pensaría que Billy era una mujer. Con «ie» al final. ¿Lo entiende?

Scott se quedó absolutamente inmóvil. Scanlon se dio cuenta. Dejó de sonreír. Hablaba en voz muy baja.

—Antes hemos hablado de su hermana, ¿no, Scott?

Scott no contestó.

—Se llamaba Geri, ¿verdad?

Silencio.

—¿Ve el problema, Scott? Geri es uno de esos nombres. Al oírlo por teléfono, uno supondría que se escribía Jerry. La cuestión es que hace quince años recibí una llamada. De ese intermediario del que le hablaba...

Scott movió la cabeza en un gesto de negación.

—Me dieron una dirección. Me dijeron la hora exacta a la que «Jerry» —Scanlon trazó con los dedos unas comillas imaginarias— estaría en casa.

—Se dictaminó que fue un accidente —dijo Scott, y le pareció oír muy lejos su propia voz.

—Eso mismo ocurre con la mayoría de los incendios provocados, si uno hace bien su trabajo.

—No le creo.

Pero Scott volvió a mirar aquellos ojos y sintió que se le tambaleaba el mundo. Las imágenes acudieron a raudales: la sonrisa contagiosa de Geri, el pelo despeinado, los aparatos en los dientes, la manera como le sacaba la lengua en las reuniones familiares. Se acordó de su primer novio de verdad (un papanatas llamado Brad), de cuando nadie la invitó a ir al baile del instituto, del discurso exaltado que pronunció cuando se presentó para el cargo de tesorera del consejo escolar, de su primer grupo de rock (era malísimo), de la carta de aceptación de la universidad.

Scott sintió que se le anegaban los ojos.

—Sólo tenía veintiún años.

Silencio.

—¿Por qué?

—A mí no me interesan los porqués. Sólo soy un asesino a sueldo...

—No, no me refiero a eso. —Scott alzó la mirada—. ¿Por qué me lo cuenta ahora?

Scott observó su reflejo en el espejo. Habló en voz muy baja.

—Tal vez tenga razón.

—¿En qué?

—En lo que ha dicho antes. —Se volvió hacia Scott—. Quizás, en definitiva, necesito hacerme la ilusión de que soy humano.

TRES MESES DESPUÉS

1

De pronto se producen desgarros. Asoman lágrimas en tu vida, profundas heridas de cuchillo que te atraviesan la carne. Tu vida es de una manera y de repente se hace trizas y se convierte en otra cosa. Se viene abajo como si la destripasen. Y también existen esos momentos en que tu vida simplemente se deshilacha. Alguien tira de una hebra suelta. Cede una costura. Al principio el cambio es lento, casi imperceptible.

Para Grace Lawson, empezó a deshilacharse en Photomat.

Se disponía a entrar en la tienda de revelado cuando oyó una voz vagamente familiar.

—¿Por qué no te compras una cámara digital, Grace?

Grace se volvió hacia la mujer.

—No se me dan bien los aparatos modernos.

—Vamos, pero si la tecnología digital es tan fácil como chasquear los dedos. —La mujer levantó la mano y chasqueó los dedos, por si Grace no conocía el significado de la palabra—. Y las cámaras digitales son muchísimo más prácticas que las convencionales. Sólo tienes que borrar las fotos que no quieres. Como los archivos del ordenador. Para nuestra tarjeta de Navidad..., bueno, Barry debió de sacar un millón de fotos a los niños; ya sabes, una porque Blake parpadeó, otra porque Kyle miraba hacia donde no debía, lo que fuera, pero es que cuando sacas tantas, pues al final, como dice Barry, seguro que una te saldrá bien, ¿no?

Grace asintió. Intentaba rescatar del fondo de la memoria el nombre de la mujer, pero no lo conseguía. La hija —¿era Blake?— iba a la misma clase que el hijo de Grace, que estaba en primero. O tal vez habían coincidido el año anterior en el parvulario. Era difícil llevar la cuenta. Grace mantuvo la sonrisa fija en el rostro. La mujer era amable, pero se confundía con las demás. Grace se preguntó, no por primera vez, si también ella se confundía con el resto, si su antigua gran individualidad se había integrado en el desagradable torbellino de la uniformidad suburbana.

La idea no era reconfortante.

La mujer siguió hablando de las maravillas de la era digital. A Grace empezó a dolerle la sonrisa fija. Miró el reloj, confiando en que la tecnomamá captase la indirecta. Las tres menos cuarto. Casi la hora de recoger a Max en la escuela. Emma tenía clase de natación, pero ese día la llevaba otra madre. «El rebaño a darse un baño», como había comentado jocosamente la madre en exceso jovial con una risita. Sí, muy graciosa.

—Tenemos que vernos —sugirió la mujer cuando ya se le acababa la cuerda—. Con Jack y Barry. Creo que se llevarían bien.

—Claro.

Grace aprovechó la pausa para despedirse con la mano, abrir la puerta y entrar en Photomat. La puerta de cristal se cerró con un chasquido y sonó una campanilla. Lo primero que le llegó fue el olor a productos químicos, parecido al del pegamento. Se preguntó cuáles serían los efectos a largo plazo de trabajar en semejante entorno y decidió que los efectos a corto plazo ya eran bastante molestos.

El chico que trabajaba detrás del mostrador —y en este caso el uso por parte de Grace de la palabra «trabajar» era más bien generoso— tenía una pelusilla blanca debajo de la barbilla, el pelo teñido de un color que habría intimidado a Crayola y suficientes *piercings* para hacer las veces de un instrumento de viento. Llevaba enroscado un par de auriculares. La música estaba tan alta que Grace la sintió en el pecho. Tenía tatuajes, muchos. En uno se leía PIEDRA, en otro AGUAFIESTAS. Grace pensó que debería llevar otro que rezara ZÁNGANO.

—¿Disculpe?

No alzó la vista.

—¿Disculpe? —dijo, levantando un poco la voz.

Tampoco contestó.

—¡Eh, tú, tío!

Eso sí que captó su atención. Soltó un gruñido y entrecerró los ojos, ofendido por la interrupción. Se quitó los auriculares a regañadientes.

—La papeleta.

—¿Cómo?

—La papeleta.

Ah. Grace le dio el resguardo. A continuación, El Pelusilla le preguntó cómo se llamaba. Eso recordó a Grace las líneas de atención al cliente, que te piden que marques tu número de teléfono y luego, en cuanto se pone una persona real, vuelven a preguntarte el mismo número. Como si la primera vez que lo solicitan fuese sólo para practicar.

El Pelusilla —a Grace empezaba a gustarle el apodo— hurgó en un fichero lleno de paquetes de fotos y por fin sacó uno. Arrancó la etiqueta y le dijo un precio desorbitado. Ella le dio un cupón de Val-Pak, que desenterró de su bolso tras una excavación equiparable a la búsqueda de los manuscritos del Mar Muerto, y vio cómo el precio se reducía a algo más razonable.

El chico le entregó las fotos. Grace le dio las gracias, pero él ya había vuelto a conectarse la música al cerebro. Ella se despidió con un gesto.

—No he venido por las fotos —dijo Grace—, sino por la amena conversación.

El Pelusilla bostezó y cogió su revista. El último número de *Modern Slacker*, «el Zángano Moderno».

Grace salió a la calle. Hacía fresco. El otoño había desplazado al verano con su ímpetu característico. Las hojas aún no habían empezado a caer, pero ya flotaba en el aire ese regusto a sidra. Los escaparates habían empezado a exhibir los adornos de Halloween. Emma, su hija de tercero, había convencido a Jack para que comprara un globo de dos metros y medio con Homer Simpson disfrazado de Frankenstein. Grace tenía que reconocer que era genial. A sus hijos les gustaban *Los Simpson*, lo que significaba que, pese a todos sus esfuerzos, quizá Jack y ella les estaban dando una buena educación.

Grace quería abrir el sobre allí mismo. Un carrete de fotos recién revelado siempre despertaba cierta emoción, esa expectación de cuando uno va a abrir un regalo, esa precipitación hacia el buzón a pesar de que nunca hay más que facturas, sensaciones que la fotografía digital, por práctica que fuese, nunca igualaría. Pero no tenía tiempo antes de la salida de la escuela.

Al subir por Heights Road al volante de su Saab, dio un pequeño rodeo para pasar por el mirador del pueblo. Desde allí se veían los edificios de Manhattan, sobre todo por la noche, extendidos como diamantes sobre terciopelo negro. La invadió la añoranza. Le encantaba Nueva York. Hasta cuatro años antes, esa maravillosa isla había sido su hogar. Tenían un *loft* en Charles Street, en el Village. Jack trabajaba en el equipo de investigación médica de un laboratorio farmacéutico. Ella pintaba en el taller de su casa al tiempo que se burlaba de sus homólogos de los suburbios, con sus cuatro por cuatro, sus pantalones de pana y sus conversaciones sobre niños. Ahora era ya uno de ellos.

Grace aparcó detrás de la escuela con las demás madres. Apagó el motor, cogió el sobre de Photomat y lo abrió. El carrete era del viaje anual a Chester para la cosecha de la manzana, que habían hecho la semana anterior. Jack no había parado de sacar fotos. Le gustaba ser el fotógrafo de la familia. Lo consideraba una obligación paterna y viril, eso de tomar fotos, como si fuera un sacrificio que todo padre debía realizar por su familia.

La primera imagen era de Emma, su hija de ocho años, y Max, su hijo de seis, en un carro lleno de paja, con los hombros encorvados, las mejillas sonrosadas por el viento. Grace se quedó mirándolos un momento. La asaltaron sentimientos de... sí, ternura maternal, primitiva y evolutiva a la vez. Eso era lo que ocurría con los niños. Ésas eran las pequeñas cosas que le llegaban al alma. Se acordó de que ese día hacía frío. El manzanar, lo sabía, estaría abarrotado de gente. Al principio no quería ir. Ahora, al ver la foto, se replanteó con asombro la idiotez de sus propias prioridades.

Las demás madres se agolpaban ante la valla de la escuela, parloteando y poniéndose de acuerdo a fin de que sus hijos se vieran para jugar. Era, por supuesto, la era moderna, el Estados Unidos posfeminista, y sin embargo, entre alrededor de ochenta personas que esperaban a sus niños, sólo había dos hombres. Grace sabía que uno era un padre que llevaba más de un año en el paro. Se le notaba en la mirada, el andar lento, el mal afeitado. El otro era un periodista que trabajaba en casa y siempre parecía demasiado interesado en hablar con las madres. Tal vez se sentía solo. U otra cosa.

Alguien llamó a la ventanilla del coche. Grace alzó la vista. Cora Lindley, su mejor amiga del pueblo, le hizo señas para que abriera la puerta. Grace obedeció. Cora se sentó a su lado.

—¿Cómo fue tu cita de anoche? —preguntó Grace.

—Un desastre.

—Lo siento.

—El síndrome de la quinta cita.

Cora era una mujer divorciada y, en medio de todas aquellas «señoras que quedan para comer» nerviosas y excesivamente protectoras, resultaba un poco demasiado sexy. Vestida con una blusa escotada de piel de leopardo, malla de Spandex y zapatillas de color rosa, no encajaba en absoluto con el torrente de pantalones caquis y jerséis holgados. Las demás madres la miraban con recelo. Los residentes adultos de los suburbios pueden parecerse mucho a los adolescentes.

—¿Y cuál es el síndrome de la quinta cita?

—Tú no tienes muchas citas, ¿eh?

—Pues no —contestó Grace—. Un marido y dos hijos me han cortado bastante el vuelo.

—Lástima. Verás, y no me preguntes por qué, pero en la quinta cita, los tíos siempre sacan el tema... ¿cómo decirlo con delicadeza?... del trío.

—Por favor, dime que no hablas en serio.

—Te hablo totalmente en serio. La quinta cita. Como muy tarde. El tío va y me pregunta, en plan puramente teórico, qué pienso de los tríos. Como si hablara de la paz en Oriente Medio.

—¿Y tú qué contestas?

—Que en general me lo paso bien, sobre todo cuando los dos hombres se morrean.

Grace se echó a reír y las dos salieron del coche. A Grace le dolía la pierna mala. Aunque después de más de una década ya no debería sentirse cohibida por eso, seguía molestándole que la vieran cojear. Se quedó junto al coche y miró cómo se alejaba Cora. Cuando sonó el timbre, los niños salieron corriendo como disparados por un cañón. Al igual que las demás madres, Grace sólo veía a los suyos. El resto de la manada, por poco benévolo que pudiera parecer, era puro paisaje.

Max apareció en el segundo éxodo. Cuando Grace vio a su hijo —con el cordón de una zapatilla desatado, la mochila de Yu-Gi-Oh! demasiado grande para él, el gorro de lana de los Rangers de Nueva York ladeado como la boina de un turista—, volvió a invadirla el sentimiento de ternura. Max bajó por la escalera, ajustándose la mochila sobre los hombros. Ella sonrió. Al verla, Max le devolvió la sonrisa.

Se subió al asiento trasero del Saab. Grace lo ató a la sillita y le preguntó cómo le había ido el día. Max contestó que no lo sabía. Ella le preguntó qué había hecho. Max contestó que no lo sabía. ¿Había aprendido algo de matemáticas, inglés, ciencias, arte? Cómo única respuesta, Max se encogió de hombros y dijo que no lo sabía. Grace asintió con la cabeza. Un caso típico de la epidemia conocida como el Alzheimer de la escuela primaria. ¿Acaso drogaban a los niños para que se olvidaran de todo o los obligaban a jurar que no hablarían? Misterios de la vida.

Hasta que llegó a casa y dio a Max su Go-GURT para merendar —imaginen un yogur en un tubo que se aprieta como un tubo de pasta de dientes—, Grace no pudo ver el resto de las fotos.

La luz del contestador parpadeaba. Un mensaje. Comprobó el identificador de llamadas y vio que era un número anónimo. Apretó el botón para escuchar el mensaje y se llevó una sorpresa. La voz pertenecía a un viejo... amigo, supuso. Describirlo como «conocido» era demasiado superficial. Quizá sería más preciso decir «figura paterna», pero en un sentido muy poco común.

«Hola, Grace. Soy Carl Vespa.»

No le hacía falta decir quién era. Habían pasado años, pero ella siempre reconocería su voz.

«¿Podrías llamarme cuando tengas un rato? Necesito hablar contigo.»

El contestador emitió otro pitido. Grace no se movió, pero sintió una antigua palpitación en el estómago. Vespa. Carl Vespa, pese a la amabilidad con que siempre la había tratado, no era de quienes se andaban con charlas ociosas. Se planteó si devolverle la llamada y al final decidió que de momento no lo haría.

Grace entró en la habitación que había convertido en su taller improvisado. Cuando pintaba bien —cuando estaba, como cualquier artista o atleta, «en vena»— veía el mundo como si estuviera a punto de plasmarlo en el lienzo. Miraba las calles, los árboles, la gente, e imaginaba el tipo de pincel que usaría, las pinceladas, la mezcla de colores, las distintas luces y los tonos de sombras. Su obra debía reflejar lo que ella quería, no la realidad. Eso era arte para ella. Todos vemos el mundo a través de nuestro propio prisma, por supuesto. El mejor arte retorcía la realidad para mostrar el mundo del artista, lo que ella veía o, más concretamente, lo que ella quería que los demás viesen. No siempre era una realidad más hermosa. A menudo era más provocadora, tal vez más fea, más apasionante y magnética. Grace buscaba una reacción. Uno puede disfrutar con una hermosa puesta de sol, pero Grace quería que el espectador se sumergiera en su puesta de sol, que temiera apartarse de ella, que temiera no apartarse de ella.

Grace había pagado un dólar de más y pedido un segundo juego de fotos. Metió los dedos en el sobre y las sacó. Las dos primeras eran las de Emma y Max en el carro de paja. Luego había una de Max con el brazo extendido para coger una manzana Gala. Luego la habitual mancha borrosa de carne, la foto en la que Jack había acercado la mano demasiado a la lente. Su tontorrón. Había varias más de Grace y los niños con diversas manzanas, árboles, cestos. Tenía los ojos húmedos, como siempre que miraba fotos de sus hijos.

Los padres de Grace habían muerto jóvenes. Su madre había fallecido a causa de un camión articulado que atravesó la mediana en la Carretera 46 de Totowa. Grace, que era hija única, tenía entonces once años. La policía no llamó a la puerta como en las películas. Su padre se enteró de lo sucedido por una llamada. Grace todavía se acordaba de cómo su padre, con su pantalón azul y chaleco de lana gris, contestó al teléfono con su voz musical, se quedó lívido y de pronto se desplomó y empezó a emitir sollozos primero ahogados y después quedos, como si no pudiese aspirar suficiente aire para expresar su dolor.

El padre de Grace la crió hasta que su corazón, debilitado por una fiebre reumática padecida en la infancia, falló cuando Grace cursaba su primer año de la universidad. Un tío de Los Ángeles se ofreció a acogerla, pero Grace ya era mayor de edad. Decidió quedarse allí y seguir sola.

Las muertes de sus padres fueron devastadoras, por supuesto, pero también infundieron a la vida de Grace una sensación de apremio. Los vivos quedaban imbuidos de un sentimiento de patetismo. Esas muertes realzaban lo trivial. Grace quería llenarse de recuerdos, saciarse de los momentos de la vida y —por morboso que parezca— asegurarse de que sus hijos tuvieran suficientes recuerdos de ella cuando ya no estuviera.

Fue entonces —cuando pensaba en sus padres, en lo mayores que se veían Emma y Max en comparación con la colección de fotos de la cosecha de manzanas del año anterior— cuando se topó con aquella foto extraña.

Grace frunció el entrecejo.

La foto estaba más o menos en la mitad de la pila. Tal vez más hacia el final. Era del mismo tamaño, y encajaba perfectamente con las demás, aunque el papel era más delgado. Más barato, pensó. Tal vez como una fotocopia de buena calidad.

Grace miró la siguiente foto. Para ésta, no había duplicado. Era raro. Una sola copia. Se quedó pensando. La foto debía de haberse traspapelado, procedente de otro carrete.

Porque esa foto no era de ella.

Era un error. Ésa era la explicación obvia. Si pensaba por un instante en la posible aptitud para el trabajo de, digamos, El Pelusilla... Sin duda era muy capaz de cometer un error, ¿no? De introducir la foto en el paquete que no debía.

Lo más probable era eso.

La foto de otra persona se había mezclado con las suyas.

O tal vez...

La foto parecía antigua: no en blanco y negro o en sepia. No, nada de eso. La instantánea era en color, pero los tonos parecían... como apagados: saturados, deslucidos por el sol, sin el brillo que cabía esperar en estos tiempos. La misma impresión daban las personas que aparecían en ella. La ropa, el pelo, el maquillaje: todo desfasado. De hacía quince, tal vez veinte años.

Grace la dejó en la mesa para observarla más detenidamente.

Las imágenes eran un poco borrosas. Había cuatro personas —no, un momento, asomaba otra en la esquina—, cinco personas. Dos hombres y tres mujeres, todos de unos veinte años; al menos los que se veían bien parecían aproximadamente de esa edad.

Estudiantes universitarios, pensó Grace.

Tenían los vaqueros, las sudaderas, el pelo despeinado, la actitud, la postura despreocupada de la independencia en ciernes. Parecía que les habían tomado la foto cuando no estaban del todo listos, mientras se preparaban para posar. Algunas cabezas estaban de lado y sólo se las veía de perfil. A una chica morena, justo en el borde de la foto, sólo se le veía de hecho la parte de atrás de la cabeza y una chaqueta vaquera. Junto a ella había otra chica, ésta con el cabello rojo intenso y los ojos muy separados.

Cerca del centro, una chica rubia tenía... Dios santo, ¿y eso qué era? Habían trazado una gran cruz sobre su rostro. Como si alguien la hubiera tachado.

¿Cómo había llegado esa foto...?

Mientras Grace seguía mirando, sintió una punzada en medio del pecho. No reconoció a ninguna de las tres mujeres. Los dos hombres se parecían bastante: misma estatura, mismo pelo, misma actitud. Al que estaba en el extremo izquierdo tampoco lo conocía.

Estaba segura, sin embargo, de que reconocía al otro hombre. O chico. No tenía edad suficiente para llamarlo hombre. ¿Tenía edad suficiente para alistarse en el ejército? Claro. ¿Tenía edad suficiente para llamarlo hombre? Estaba en medio, al lado de la rubia con el aspa en la cara...

Pero no podía ser. De entrada, tenía la cabeza vuelta. Una fina barba de adolescente le cubría buena parte de la cara...

¿Era su marido?

Grace se acercó más. Era, en el mejor de los casos, una foto de perfil. Ella no conoció a Jack tan joven. Su relación había empezado trece años antes en una playa de la Costa Azul, en el sur de Francia. Tras más de un año de operaciones y rehabilitación, Grace todavía no estaba del todo recuperada. Seguía con los dolores de cabeza y la pérdida de memoria. Cojeaba —como ahora— pero, agobiada por tanta publicidad y por la atención suscitada por aquella noche trágica, Grace había querido alejarse de todo durante un tiempo. Se matriculó en la Universidad de París para estudiar arte en serio. Fue en unas vacaciones, tumbada al sol en la Costa Azul, cuando conoció a Jack.

¿Seguro que era Jack?

Allí se le veía distinto, de eso no cabía duda. Tenía el pelo mucho más largo, y barba, aunque, a tan corta edad y con ese rostro de niño, todavía no le crecía demasiado poblada. Llevaba gafas. Pero había algo en la postura, la inclinación de la cabeza, la expresión.

Era su marido.

Miró rápidamente el resto de las fotos. Más carros, más manzanas, más brazos estirados. Vio una que le había sacado a Jack, la única vez que él le había dejado coger la cámara, con esa manía suya de controlarlo todo. Tenía los brazos tan estirados hacia arriba que se le había levantado la camisa y le quedaba el vientre al descubierto. Emma le había dicho: «¡Agh, qué asco!». Cosa que, por supuesto, indujo a Jack a levantarse más la camisa. Grace se rió. «¡A ver ese movimiento, cariño!», dijo entonces ella, y tomó la siguiente foto. Jack, para mayor tormento de Emma, obedeció y se contoneó.

—¿Mamá?

Grace se volvió.

—¿Qué pasa, Max?

—¿Puedo comer una barrita de cereales?

—Cojamos una para el coche —dijo ella, levantándose—. Tenemos que salir.

El Pelusilla no estaba en Photomat.

Max miró los marcos de fotos sobre distintos temas: «Feliz cumpleaños», «Te queremos, mamá», esas cosas. El hombre que estaba detrás del mostrador, deslumbrante con su corbata de poliéster, su protector del bolsillo para evitar las manchas de tinta de los bolígrafos y la camisa de manga corta lo bastante fina para transparentarse debajo la camiseta de cuello en pico, llevaba una placa que informaba a todo el mundo que él, Bruce, era el subdirector.

—¿En qué puedo ayudarla?

—Busco al joven que estaba aquí hace un par de horas —contestó Grace.

—Josh ya se ha ido. ¿Puedo hacer algo por usted?

—He recogido un carrete antes de las tres...

—¿Sí?

Grace no sabía cómo decirlo.

—Había una foto que no se correspondía.

—Sintiéndolo mucho, no la entiendo.

—Una de las fotos. No la hice yo.

El hombre señaló a Max.

—Veo que tiene hijos pequeños.

—¿Perdón?

El subdirector Bruce se reacomodó las gafas sobre el puente de la nariz.

—Sencillamente me he permitido observar que tiene hijos pequeños. O al menos, uno.

—¿Y eso qué tiene que ver?

—A veces un niño coge la cámara. Cuando el padre o la madre no mira. Saca una foto o dos. Y luego vuelve a dejar la cámara donde estaba.

—No, no es eso. Esta foto no tiene nada que ver con nosotros.

—Ya veo. Bueno, lamento las molestias. ¿Tiene todas las fotos que tomó?

—Creo que sí.

—¿No le falta ninguna?

—No lo he comprobado, pero creo que están todas.

El hombre abrió un cajón.

—Tenga, esto es un vale. El próximo carrete le saldrá gratis. Para fotos de siete por doce centímetros. Si las quiere de diez por quince, tendrá que pagar un pequeño recargo.

Grace hizo caso omiso de la mano tendida.

—El cartel en la puerta dice que revelan todas las fotos aquí mismo.

—Exacto. —Bruce dio unas palmadas a la gran máquina situada detrás de él—. Nos las hace la vieja Betsy.

—¿Mi carrete, pues, se reveló aquí?

—Claro.

Grace le dio el sobre de Photomat.

—¿Podría decirme quién reveló este carrete?

—Estoy seguro de que fue un error involuntario.

—No estoy diciendo eso. Sólo quiero saber quién reveló mi carrete.

Miró el sobre.

—¿Puedo preguntarle por qué quiere saberlo?

—¿Fue Josh?

—Sí, pero...

—¿Por qué se ha ido?

—¿Perdón?

—He recogido las fotos poco antes de las tres. Cierran a las seis. Y son casi las cinco.

—¿Y?

—Me extraña que un turno acabe entre las tres y las seis en una tienda que cierra a las seis.

El subdirector se enderezó un poco.

—A Josh le ha surgido una urgencia familiar.

—¿Qué clase de urgencia?

—Mire, señora... —consultó el sobre—... Lawson, lamento el error y las molestias. Estoy seguro de que una foto de otro carrete se traspapeló entre las suyas. No recuerdo que haya pasado nunca, pero nadie es perfecto. Ah, espere.

—¿Qué pasa?

—¿Me permite ver la fotografía en cuestión, por favor?

Grace temió que quisiera quedársela.

—No la he traído —mintió.

—¿De qué era la foto?

—Un grupo de gente.

El hombre asintió.

—Ya veo. ¿Y esa gente estaba desnuda?

—¿Cómo? No. ¿Por qué lo pregunta?

—Está alterada. He supuesto que la foto la había ofendido por algo.

—No, no es eso. Sólo necesito hablar con Josh. ¿Podría decirme su apellido o darme su número de teléfono?

—De ninguna manera. Pero estará aquí mañana a primera hora. Puede hablar con él entonces.

Grace decidió no protestar. Dio las gracias al hombre y se marchó. Tal vez era mejor así, pensó. Había ido hasta allí movida por un impulso. Debía tener eso en cuenta. Seguramente se había excedido en su reacción.

Jack volvería a casa al cabo de un par de horas. Se lo preguntaría entonces.

Le tocaba a Grace recoger a las niñas de la clase de natación. Eran cuatro, de ocho y nueve años, todas con una energía encantadora. Subieron al monovolumen, dos en el asiento de atrás y las otras dos en el de «atrás, atrás» de todo. Un remolino de risas y saludos acompañado del olor a pelo mojado, el suave aroma del cloro de la piscina y el chicle, el ruido de las mochilas al quitárselas, los chasquidos de los cinturones de seguridad al atárselos. Los niños no podían viajar delante —las nuevas normas de seguridad— pero a Grace, pese a la sensación de chófer o tal vez debido a ella, le gustaba llevar y traer a los niños. Éstas hablaban con entera libertad en el coche; el conductor adulto bien podría no estar atento. Pero un padre o una madre podía enterarse de muchas cosas. Podía enterarse de quién molaba, quién no, quién era popular, quién no lo era, qué profesor era realmente guay y cuál no lo era en absoluto. Podía, si escuchaba con suficiente atención, descifrar qué lugar ocupaba un hijo en la jerarquía.

Por otra parte, era de lo más entretenido.

Como Jack saldría otra vez tarde del trabajo, cuando llegaron a casa Grace preparó rápidamente la cena para Max y Emma —hamburguesas vegetarianas (supuestamente más sanas, y si se les echaba ketchup, los niños no notaban la diferencia), buñuelos de carne y mazorcas de maíz congeladas. De postre, Grace peló dos naranjas. Emma hizo los deberes: una carga demasiado pesada para una niña de ocho años, pensó Grace. En cuanto dispuso de un momento, Grace recorrió el pasillo y encendió el ordenador.

Aunque a Grace no le interesase la fotografía digital, entendía la necesidad e incluso las ventajas de los gráficos por ordenador y de Internet. Tenía su propia página, donde exponía su obra y explicaba cómo comprarla, cómo encargar un retrato. Al principio le había parecido demasiado mercantil pero, como le recordó Farley, su agente, Miguel Ángel pintaba por dinero y por encargo. Igual que Leonardo da Vinci, Rafael y casi todo gran artista que ha conocido el mundo. ¿Quién era ella para ponerse por encima?

Grace escaneó sus tres fotos preferidas de la cosecha de la manzana para guardarlas y, más por capricho que por otra cosa, decidió escanear también la extraña foto. A continuación, fue a bañar a los niños. Primero le tocó a Emma. Justo cuando su hija salía de la bañera, Grace oyó la llave en la puerta de atrás.

—Hola —saludó Jack en un susurro—. ¿Hay por aquí alguna mona cachonda esperando a su semental?

—Los niños —dijo ella—. Los niños están despiertos.

—Ah.

—¿Nos acompañas?

Jack subió los peldaños de la escalera de dos en dos. La casa tembló con su peso. Era un hombre grande, uno ochenta y cinco de estatura, noventa y cinco kilos de peso. A Grace le encantaba su corpulencia cuando dormía a su lado, el movimiento de su pecho al respirar, el olor viril, el suave vello, la manera en que su brazo la rodeaba por la noche, la sensación no sólo de intimidad sino también de seguridad. La hacía sentirse pequeña y protegida, y aunque tal vez no fuera políticamente correcto, le gustaba.

—Hola, papá —saludó Emma.

—¿Qué tal, gatita? ¿Cómo ha ido la escuela?

—Bien.

—¿Todavía te gusta ese tal Tony?

—¡Uf!

Satisfecho de la reacción, Jack besó a Grace en la mejilla. Max salió de su habitación, totalmente desnudo.

—¿Listo para el baño, muchachito? —preguntó Jack.

—Listo —contestó Max.

Chocaron las palmas. Jack cogió a Max en brazos mientras éste se desternillaba de risa. Grace ayudó a Emma a ponerse el pijama. Le llegaban las risas de la bañera. Jack cantaba con Max una canción sobre una niña llamada Jenny Jenkins que no sabía de qué color vestirse. Jack decía un color y Max tenía que responder con una rima. En ese momento la letra explicaba que Jenny Jenkins no podía vestirse de amarillo porque parecería un «chiquillo». Y al instante los dos volvieron a reírse a carcajadas. Repetían más o menos las mismas rimas cada noche. Y cada noche se morían de risa.

Jack secó a Max, le puso el pijama y lo acostó. Le leyó dos capítulos de *Charlie y la fábrica de chocolate*. Max, absorto, no se perdía una sola palabra. Emma ya tenía edad para leer sola. Tendida en su cama, devoraba el último cuento de los huérfanos Baudelaire de Lemony Snicket. Grace se quedaba a dibujar con ella media hora. Era su hora del día preferida: cuando trabajaba en silencio en la misma habitación que su hija.

Cuando Jack acabó, Max le rogó que le leyera otra página. Jack se mantuvo firme. Era tarde, dijo. Max desistió a regañadientes. Conversaron un poco más sobre la inminente visita de Charlie a la fábrica de Willy Wonka. Grace los escuchaba.

Roald Dahl, coincidían sus dos hombres, era el no va más.

Jack atenuó la luz —tenían un regulador de intensidad porque a Max no le gustaba la oscuridad absoluta— y luego fue a la habitación de Emma. Se agachó para darle un beso de buenas noches. Emma, que era una auténtica niña de su papá, tendió los brazos, lo cogió por el cuello y se negó a soltarlo. Jack se derretía con la táctica que empleaba Emma cada noche para demostrar su afecto y aplazar la hora de irse a dormir.

—¿Alguna novedad en el diario? —preguntó Jack.

Emma asintió. Tenía la mochila junto a la cama. Metió la mano y sacó su diario de la escuela. Pasó las páginas y se lo dio a su padre.

—Estamos haciendo poesía —dijo Emma—. Hoy he empezado una.

—Qué bien. ¿Quieres leerla?

Emma estaba radiante. Jack también. Se aclaró la garganta y empezó a recitar:

Pelotita, pelotita,
¿por qué eres tan redonda?
Y tanto como botas,
te quedas monda y lironda.
Pelotita, pelotita,
¿por qué sales tan lanzada?

Cuando te golpean con fuerza,
¿acabas muy mareada?

Grace observó la escena desde la puerta. Últimamente Jack llegaba muy tarde. En general a Grace no le importaba. Los momentos de tranquilidad escaseaban cada vez más. Necesitaba ese solaz. La soledad, precursora del aburrimiento, es propicia para el proceso creativo. En eso consistía la meditación artística: en aburrirse hasta tal punto que por fuerza tenía que surgir la inspiración, aunque sólo fuese para conservar la cordura. Un escritor amigo suyo le explicó una vez que la mejor cura para el bloqueo del escritor era leer una guía de teléfonos. Si uno se aburría lo suficiente, la Musa se vería obligada a abrirse paso incluso por las arterias más obstruidas.

Cuando Emma acabó, Jack se reclinó y exclamó:

—¡Vaya!

Emma puso la cara que acostumbraba cuando se enorgullecía de sí misma pero no quería que se le notara. Se mordió el labio inferior.

—Es el mejor poema que he oído en la vida —dijo Jack.

Emma se encogió de hombros y agachó la cabeza.

—Sólo son las dos primeras estrofas.

—Pues son las dos mejores estrofas que he oído en mi vida.

—Mañana escribiré uno sobre hockey.

—Por cierto...

Emma se irguió.

—¿Qué?

Jack sonrió.

—He comprado entradas para ver a los Rangers en el Garden este sábado.

Emma, perteneciente al grupo de seguidoras del equipo de hockey, rival del grupo que idolatraba al último conjunto musical de chicos, dio un grito de alegría y tendió las manos para abrazarlo otra vez. Jack puso los ojos en blanco y lo aceptó. Hablaron del último partido del equipo y de sus posibilidades de ganar a los Minnesota Wild. Poco después Jack se liberó de su abrazo. Le dijo a su hija que la quería. Ella le respondió que también lo quería. Jack se dirigió a la puerta.

—Tengo que comer algo —susurró a Grace.

—Hay sobras de pollo en la nevera.
—¿Por qué no te pones algo más cómodo?
—La esperanza es lo último que se pierde.
Jack enarcó una ceja.
—¿Sigues temiendo no ser suficiente mujer para mí?
—Ah, por cierto, tengo que contarte algo.
—¿Qué?
—Algo sobre la cita de Cora de anoche.
—¿Interesante?
—Enseguida bajo.
Jack enarcó la otra ceja y bajó silbando. Grace esperó a que la respiración de Emma fuera más profunda antes de seguirlo. Apagó la luz y se quedó mirando un momento. Ésa era función de Jack. Por las noches recorría los pasillos, insomne, vigilándolos en sus camas. A veces ella se despertaba en plena noche y se encontraba con el espacio a su lado vacío. Jack estaba junto a alguna de las puertas, con los ojos vidriosos. Ella se acercaba y él decía: «Los quiere uno tanto...». No necesitaba decir nada más. Ni siquiera necesitaba decir eso.
Jack no la oyó acercarse, y por alguna razón, una razón que Grace no desearía expresar con palabras, ella procuró no hacer ruido. Jack estaba de pie con la cabeza agachada, tenso, de espaldas a ella. Eso resultaba insólito. Por lo general, Jack era un hombre muy activo, en continuo movimiento. Al igual que Max, era incapaz de estar quieto. No paraba de moverse. Cuando se sentaba, le temblaba la pierna. Era pura energía.
Pero en ese momento mantenía la mirada fija en la encimera de la cocina —en la extraña fotografía concretamente—, inmóvil como una estatua.
—¿Jack?
Él se enderezó, sobresaltado.
—¿Y esto qué coño es?
Tenía el pelo, advirtió Grace, un poco más largo de lo debido.
—Dímelo tú.
Jack no contestó.
—Ése eres tú, ¿no? ¿El de la barba?
—¿Qué? No.

Ella lo miró. Él parpadeó y desvió la vista.

—Hoy he ido a recoger las fotos —explicó ella—. A Photomat.

Él no dijo nada. Ella se acercó.

—Esa foto estaba con las demás.

—Un momento. —Jack levantó la mirada repentinamente—. ¿Estaba con nuestras fotos?

—Sí.

—¿Qué fotos?

—Las que sacamos en el manzanar.

—Eso es absurdo.

Ella se encogió de hombros.

—¿Quiénes son las personas de la foto?

—¿Y yo qué sé?

—La rubia a tu lado —dijo Grace—. Con el aspa en la cara. ¿Quién es?

Sonó el móvil de Jack. Lo sacó como un pistolero que desenfunda su arma en un duelo. Murmuró un saludo, escuchó, tapó el micrófono con la mano y dijo: «Es Dan». El investigador con el que trabajaba en el Laboratorio Pentocol. Agachó la cabeza y se dirigió a la leonera.

Grace subió a su habitación. Empezó a prepararse para irse a la cama. Lo que había empezado como una ligera molestia se volvía más intenso, más persistente. Recordó los años que vivieron en Francia. Él nunca quiso hablar de su pasado. Tenía una familia rica y un fondo de fideicomiso, eso ella lo sabía, pero él no quería saber nada de ninguna de las dos cosas. Había una hermana, una abogada en Los Ángeles o San Diego. Su padre vivía pero era de edad muy avanzada. Grace deseaba saber más, pero Jack se negaba a dar más explicaciones, y ella, guiándose por una premonición, tampoco insistió.

Se enamoraron. Ella pintaba. Él trabajaba en un viñedo en Saint-Emilion, en Burdeos. Vivieron en Saint-Emilion hasta que Grace se quedó embarazada de Emma. Entonces algo despertó en ella el deseo de volver a casa, el deseo, por cursi que pudiera parecer, de criar a sus hijos en la tierra de los hombres libres y la patria de los valientes. Jack quería quedarse, pero Grace insistió. Ahora Grace se preguntaba por qué.

Pasó media hora. Grace se acostó y esperó. Al cabo de diez minutos, oyó el motor del coche. Grace miró por la ventana.

El monovolumen de Jack se alejaba.

A Jack le gustaba ir de compras por la noche, Grace lo sabía: ir al supermercado cuando había poca gente. De manera que no era raro que saliera así. Sólo que, claro, no le había avisado ni le había preguntado si necesitaba algo.

Grace intentó llamarlo al móvil, pero le salió el buzón de voz. Se sentó y esperó. Nada. Intentó leer. Las palabras pasaban ante ella en una nebulosa carente de significado. Al cabo de dos horas, Grace intentó llamar otra vez al móvil. De nuevo el buzón de voz. Fue a ver a los niños. Dormían profundamente, ajenos a todo, y mejor así.

Cuando ya no pudo más, Grace bajó. Buscó en el paquete de fotos.

La extraña fotografía había desaparecido.

2

La mayoría de la gente consultaba los anuncios personales de Internet en busca de una cita. Eric Wu buscaba víctimas.

Tenía siete cuentas distintas con siete personalidades falsas: unas de hombres, otras de mujeres. Procuraba mantenerse en contacto por correo electrónico con unas seis «citas potenciales» por cada cuenta. Tres de las cuentas eran para anuncios heterosexuales de cualquier edad. Dos eran para solteros mayores de cincuenta años. Una era para gays. La última página reclutaba a lesbianas que querían un compromiso serio.

En circunstancias normales, Wu flirteaba por Internet con hasta cuarenta o incluso cincuenta de estos desesperados. Iba conociéndolos poco a poco. La mayoría se mostraban cautos, pero eso no le importaba. Eric Wu era un hombre paciente. Al final le proporcionaban suficiente información para saber si debía seguir con la relación o dejarlos ir.

Al principio sólo trataba con mujeres. Partió de la teoría de que serían las víctimas más fáciles. Pero Eric Wu, que no obtenía la menor gratificación sexual con su trabajo, se dio cuenta de que estaba desaprovechando todo un mercado que no se preocuparía tanto por su seguridad en Internet. Un hombre, por ejemplo, no teme que lo violen. No teme que lo acosen. Un hombre es menos cauto, y eso lo vuelve más vulnerable.

Wu buscaba a solteros con pocos lazos. Si tenían hijos, no le servían. Si tenían familiares que vivían cerca, no le servían. Si tenían compañeros de habitación, trabajos importantes, demasiados amigos íntimos, lo mismo. Wu los quería solitarios, sí, pero también aislados, sin los numerosos lazos y vínculos que nos unen a algo situado por encima del individuo. Y en ese momento quería también a alguien que viviera cerca de la casa de los Lawson.

La víctima propicia fue Freddy Sykes.

Freddy Sykes trabajaba en una asesoría fiscal de Waldwick, Nueva Jersey. Contaba cuarenta y ocho años. Sus padres habían muerto. No tenía hermanos. Según sus flirteos en HombresBi.com, Freddy se había ocupado de su madre y no había tenido tiempo para una relación. Cuando ella murió dos años antes, Freddy heredó la casa en Ho-Ho-Kus, a apenas cinco kilómetros de la residencia de los Lawson. Su fotografía en Internet, una foto de carnet, sugería que Freddy tendía a obeso. Tenía el pelo negro como el betún, lacio, con la clásica raya al lado. La sonrisa parecía forzada, poco natural, como una mueca antes de una bofetada.

Freddy llevaba tres semanas flirteando por Internet con un tal Al Singer, un directivo jubilado de Exxon, de cincuenta y seis años, que tras veintidós de matrimonio había reconocido que le interesaba «experimentar». El personaje de Al Singer todavía quería a su mujer, pero ella no entendía su necesidad de estar con hombres y mujeres. A Al le interesaba viajar por Europa, comer bien y ver deportes por televisión. Para el personaje de Singer, Wu había usado una foto que había encontrado en un catálogo de la YMCA colgado en Internet. Su Al Singer era atlético pero no demasiado guapo. Un hombre demasiado atractivo podía despertar las sospechas de Freddy. Wu quería que se tragara la fantasía. Eso era lo más importante.

Los vecinos de Freddy Sykes eran casi todos familias jóvenes que no se fijaban en él. Su casa era igual a las demás de la manzana. Wu se quedó mirando cuando la puerta del garaje de Sykes se abrió electrónicamente. El garaje estaba adosado a la casa. Se podía entrar y salir del coche sin que lo vieran desde la calle. Perfecto.

Wu esperó diez minutos y después llamó al timbre.

—¿Quién es?

—Un paquete para el señor Sykes.

—¿De quién?

Freddy Sykes no había abierto la puerta. Eso era raro. Los hombres solían hacerlo. Eso también formaba parte de su vulnerabilidad, parte de la razón por la que eran una presa más fácil que las mujeres. Se sentían demasiado seguros de sí mismos. Wu vio la mirilla. Seguro que Sykes estaba escudriñando al coreano de veintiséis años con pantalones holgados y una constitución compacta, achaparrada. Quizá veía el pendiente de Wu y se lamentaba de cómo la juventud de hoy se mutilaba el cuerpo. O tal vez su complexión y el pendiente excitaban a Sykes. ¿Quién sabía?

—De Bombones Topfit —dijo Wu.

—No, me refiero a quién los envía.

Wu hizo ver que volvía a leer la nota.

—Un tal señor Singer.

Eso fue decisivo. Se oyó descorrerse el pestillo. Wu miró alrededor. Nadie. Freddy Sykes abrió la puerta con una sonrisa. Wu no vaciló. Formando una lanza con los dedos, se precipitó hacia la garganta de Sykes como un pájaro en busca de comida. Freddy se desplomó. Wu se movió a una velocidad que habría parecido imposible en un hombre de semejante corpulencia. Entró y cerró la puerta detrás de él.

Freddy Sykes, tumbado de espaldas, se llevó las manos al cuello. Intentó gritar, pero sólo consiguió emitir leves sonidos, como si graznase. Wu se agachó y lo puso boca abajo. Freddy forcejeó. Wu levantó la camisa a su víctima. Freddy pataleó. Con sus dedos expertos, Wu recorrió la columna hasta que encontró el lugar exacto entre la cuarta y la quinta vértebra. Freddy seguía pataleando. Empleando el índice y el pulgar como bayonetas, Wu clavó los dedos en el hueso, casi rasgando la piel.

Freddy se puso rígido.

Wu presionó un poco más y dislocó las facetas auriculares. Hundiendo los dedos cada vez más entre las dos vértebras, apretó con fuerza y tiró. En la columna de Freddy, algo se partió como una cuerda de guitarra.

Cesó el pataleo.

Cesó todo movimiento.

Pero Freddy Sykes estaba vivo. De eso se trataba. Eso era lo que Wu quería. Antes los mataba de inmediato, pero ahora sabía que no le convenía. Vivo, Freddy podía llamar a su jefe y decirle que se tomaba unos días de fiesta. Vivo, podía darle su contraseña si Wu quería sacar dinero del cajero. Vivo, podía responder a los mensajes si alguien llamaba.

Y vivo, Wu no tendría que preocuparse por el olor.

Wu amordazó a Freddy y lo dejó desnudo en la bañera. La presión en la columna había desplazado las facetas auriculares. Al dislocarse las vértebras, la médula espinal se había contusionado en lugar de partirse. Wu comprobó el resultado de su trabajo. Freddy no podía mover las piernas en absoluto. Quizá le respondiesen los deltoides, pero no las manos ni la parte inferior del brazo. Y lo más importante era que podía respirar.

A efectos prácticos, Freddy Sykes estaba paralizado.

Si tenía a Sykes en la bañera, le era más fácil limpiar la suciedad. Freddy tenía los ojos un poco demasiado abiertos. Wu ya había visto esa mirada: más allá del terror pero sin llegar a la muerte, un vacío situado en ese terrible vértice entre lo uno y lo otro.

Obviamente no era necesario atarlo.

Wu se quedó sentado a oscuras y esperó a que anocheciera. Cerró los ojos y dejó que su mente retrocediera en el tiempo. En Rangún había cárceles donde estudiaban las fracturas de la espina dorsal después de los ahorcamientos. Aprendían dónde debían poner el nudo, dónde aplicar la fuerza, cuáles eran los efectos de cada posible colocación. En Corea del Norte, en la cárcel de presos políticos que había sido el hogar de Wu desde los trece hasta los dieciocho años, llevaban esos experimentos un poco más lejos. A los enemigos del Estado los mataban de maneras creativas. Wu había eliminado a muchos sólo con sus manos. Se las había endurecido a fuerza de golpear piedras con los puños. Había estudiado la anatomía del cuerpo humano de una manera que envidiarían muchos estudiantes de medicina. Había hecho prácticas con seres humanos, perfeccionado las técnicas.

El punto exacto entre la cuarta y la quinta vértebra. Ésa era la clave. Un poco más arriba y la víctima quedaba paralizada por completo, lo que le provocaba la muerte en poco tiempo, ya que, además de brazos y piernas, perdían sus funciones también los órganos internos. Un poco más abajo y sólo afectaba a las piernas. Los brazos seguían moviéndose. Y si presionaba demasiado, se partía la columna por completo. Era un ejercicio de precisión. Consistía en encontrar la justa medida. Se reducía a una cuestión de práctica.

Wu encendió el ordenador de Freddy. Quería mantenerse en contacto con los demás solteros de su lista, porque nunca sabía cuándo necesitaría un lugar nuevo para vivir. Cuando acabó, se permitió dormir. Al cabo de tres horas despertó y fue a comprobar cómo seguía Freddy. Tenía los ojos más vidriosos, fijos en el techo, y parpadeaba con la mirada vacía.

Cuando el contacto de Wu lo llamó al móvil, eran casi las diez de la noche.

—¿Ya te has instalado? —le preguntó.

—Sí.

—Ha surgido una complicación.

Wu esperó.

—Tenemos que acelerar un poco las cosas. ¿Te supone algún problema?

—No.

—Hay que llevarlo ahora.

—¿Tienes algún sitio?

Wu escuchó, memorizando las señas.

—¿Alguna pregunta?

—No —contestó Wu.

—¿Eric?

Wu esperó.

—Gracias, tío.

Wu colgó. Encontró las llaves del coche y se marchó con el Honda de Freddy.

3

Grace no podía llamar aún a la policía. Tampoco podía dormir.

El ordenador continuaba encendido. El salvapantallas era una foto de la familia tomada el año anterior en Disneylandia. Los cuatro posaban con Goofy en Epcot Center. Jack llevaba puestas unas orejas de ratón. Sonreía de oreja a oreja. La sonrisa de ella era más remisa. Se había sentido tonta, y eso había servido de acicate a Jack. Grace tocó el ratón —el otro ratón, el ratón del ordenador— y su familia desapareció.

Marcó el icono nuevo y apareció la extraña foto de los cinco universitarios. La imagen estaba en Adobe Photoshop. Grace se quedó varios minutos escrutando esas caras jóvenes, buscando... no sabía qué, acaso una pista. Desplazó el cursor a cada rostro y amplió la imagen a un tamaño de diez por diez centímetros. Si las agrandaba más, las caras, ya de por sí borrosas, se volvían indescifrables. El papel de calidad ya estaba en la impresora a color de chorro de tinta, de modo que dio la orden de imprimir. Cogió una tijera y se puso manos a la obra.

Poco después tenía cinco retratos independientes, uno de cada persona de la instantánea. Volvió a examinarlos, esta vez fijándose más detenidamente en la rubia que aparecía al lado de Jack. Era guapa, con una tez fresca y natural, pelo largo y muy rubio. Miraba fijamente a Jack, y no era ni mucho menos una mirada de despreocupación. Grace sintió una punzada... ¿de qué? ¿Celos? A ella misma le causó extrañeza. ¿Quién era esa mujer? Obviamente una antigua novia, una novia a quien Jack nunca había mencionado. Pero ¿y qué? Grace tenía un pasado. Jack también. ¿Por qué la mirada de esa chica en una foto habría de molestarla?

¿Y ahora qué?

Tendría que esperar a Jack. Cuando volviera a casa, le exigiría respuestas.

Pero ¿respuestas a qué?

«Recapitulemos un momento», se dijo. ¿Qué estaba pasando? Una vieja fotografía, probablemente de Jack, había aparecido entre sus fotos. Era raro, desde luego. Incluso resultaba un tanto escalofriante, viendo a esa rubia con la cara tachada. Y Jack ya había salido hasta tarde otras veces sin llamar. ¿A qué venía, pues, tanto alboroto? Casi con toda seguridad se había disgustado por algo relacionado con la foto. Había apagado el móvil y debía de estar en un bar. O en casa de Dan. Todo eso no debía de ser más que una broma extraña.

«Sí, claro, Grace —pensó—. Una broma. Igual que lo del "rebaño a darse un baño".»

Sentada a solas en la habitación a oscuras salvo por el resplandor del monitor, Grace buscó más explicaciones lógicas a lo que sucedía. Dejó de hacerlo al caer en la cuenta de que sólo había conseguido asustarse más.

Grace marcó con el ratón la cara de la joven, la que miraba a su marido con anhelo, y la amplió para verla mejor. Miró el rostro fijamente, muy fijamente, y un cosquilleo de pavor le recorrió el cuero cabelludo. Grace no se movió. Se limitó a mirar la cara de la mujer. No sabía dónde, cuándo ni cómo, pero en ese momento tomó conciencia de algo con una certeza aplastante.

Grace ya había visto antes a esa joven.

4

Rocky Conwell se apostó junto a la residencia de los Lawson.

Intentó ponerse cómodo en su Toyota Celica de 1989, pero era imposible. Rocky era demasiado corpulento para aquella mierda de coche. Dio tal tirón a la maldita palanca del asiento que casi la arrancó, pero ya no podía echarlo más atrás. Tendría que conformarse. Se arrellanó lo más que pudo y dejó que se le cerrasen los ojos.

¡Dios, qué cansado estaba! Tenía dos empleos. El primero, el oficial para contentar al asistente social, era un turno de diez horas en la cadena de montaje de Budweiser. El segundo, sentado en ese coche, era totalmente extraoficial.

Rocky oyó un ruido y, sobresaltado, se enderezó. Cogió los prismáticos. Alguien había puesto en marcha el motor del monovolumen. Enfocó. Jack Lawson iba a salir. Bajó los prismáticos, arrancó y se dispuso a seguirlo.

Rocky tenía dos empleos porque necesitaba dinero desesperadamente. Lorraine, su ex, empezaba a dar señales de una posible reconciliación. Pero mostraba aún ciertas dudas. El dinero, como Rocky bien sabía, podía inclinar la balanza a su favor. Él quería a Lorraine. Deseaba volver a su lado a toda costa. Se sentía en deuda con ella por muchos buenos momentos. Y si para conseguirlo tenía que matarse a trabajar, pues bien, al fin y al cabo había sido él quien la había pifiado. Era un precio que estaba dispuesto a pagar.

Las cosas no siempre habían sido así para Rocky Conwell. Durante su etapa en el instituto de Westfield había llegado a jugar como defensa lateral de la selección del estado. La Universidad Estatal de Pensilvania —mediante Joe Paterno en persona— lo había reclutado y convertido en un brioso jugador de segunda línea. Con su metro noventa y cinco y sus ciento veinte kilos, y agresivo por naturaleza, Rocky había destacado durante cuatro años, llegando a situarse entre los diez mejores jugadores universitarios en dos ocasiones. Los Rams de San Luis lo contrataron en la octava ronda.

Durante un tiempo pareció que el mismísimo Dios había planeado su vida desde el principio. Rocky era su verdadero nombre, pues sus padres lo llamaron así cuando su madre, en verano de 1976, se puso de parto mientras veían la película *Rocky*. Si uno va a llamarse Rocky, más le vale ser grande y fuerte. Más le vale estar dispuesto a hacer ruido. Y allí estaba él, un jugador de fútbol incorporado a un equipo profesional y con ganas de jugar. Conoció a Lorraine —una mujer despampanante que no sólo podía detener el tráfico sino incluso hacerlo retroceder— durante su tercer curso de carrera. Se enamoraron perdidamente. La vida era maravillosa.

Hasta que dejó de serlo.

Rocky fue un excelente jugador universitario, pero existía una diferencia abismal entre el fútbol amateur y la liga profesional. A los técnicos que entrenaban a los novatos de los Rams les encantaba su empuje. Les encantaba su ética de trabajo. Les encantaba cómo se jugaba el físico en cada jugada. Pero no así su velocidad, y en el fútbol de hoy, con la vital importancia del pase y la cobertura, Rocky simplemente no daba la talla. O eso dijeron. Rocky no se dio por vencido. Empezó a tomar más esteroides. Aumentó de tamaño pero no lo suficiente para ocupar un puesto en la delantera. Consiguió seguir otra temporada jugando en los equipos especiales de los Rams. Al año siguiente se quedó en la calle.

Pero el sueño no murió. Rocky no lo permitió. Se dedicó a levantar pesas. Pasó a consumir esteroides en serio. Siempre había tomado algún tipo de suplemento anabólico. Lo hacen todos los atletas. Pero la desesperación lo había vuelto menos cauto. Dejó de atenerse a los ciclos y las dosis recomendados. Su única obsesión era conseguir más masa. Se le agrió el carácter, ya fuera por los fármacos o por la decepción, o más probablemente por la poderosa mezcla de ambas cosas.

Para llegar a fin de mes, Rocky empezó a trabajar para la Federación de Lucha Extrema. Muchos recuerdan sus encarnizados combates en los cuadriláteros. Durante un tiempo causaron furor en la televisión de pago: auténticas peleas sangrientas, sin limitación alguna. Rocky era grande y fuerte, con dotes naturales para la lucha. Tenía aguante y sabía agotar al adversario.

Con el tiempo, la violencia en el cuadrilátero acabó siendo excesiva para la sensibilidad del público. Algunos estados prohibieron la lucha extrema. Algunos púgiles empezaron a pelear en Japón, donde seguía siendo legal —Rocky supuso que allí debían de tener una sensibilidad distinta—, pero él no fue. Rocky creía que la Liga Nacional de Fútbol todavía estaba a su alcance. Sólo tenía que trabajar con mayor ahínco. Aumentar un poco más de volumen, estar un poco más fuerte, ser un poco más rápido.

El monovolumen de Jack Lawson tomó la Carretera 17. Rocky tenía instrucciones claras: seguir a Lawson; anotar adónde iba, con quién hablaba, todos sus pasos hasta el último detalle, pero nunca —nunca— hablar con él. Debía observarlo. Nada más.

Ningún problema. Dinero fácil.

Dos años atrás, Rocky se enzarzó en una pelea en un bar. Lo típico. Un tipo miró a Lorraine más de la cuenta. Rocky le preguntó qué miraba y el otro contestó: «Nada del otro mundo». En fin, lo de siempre. Sólo que Rocky iba muy acelerado por los esteroides. Hizo picadillo a aquel fulano —lo dejó realmente hecho puré— y lo trincaron por una denuncia de agresión. Pasó tres meses en la cárcel y ahora estaba en libertad condicional. Para Lorraine, eso fue la gota que colmó el vaso. Lo llamó perdedor y se marchó de casa.

Así que ahora Rocky intentaba compensarla.

Rocky había dejado los esteroides. Los sueños no se desvanecen fácilmente, pero esta vez tomó conciencia de que la Liga Nacional de Fútbol no iba a poder ser. Pero Rocky tenía talento para otras cosas. Podía ser entrenador. Sabía motivar. Un amigo suyo tenía un contacto en su antiguo instituto, el Westfield. Si Rocky conseguía que le limpiaran los antecedentes, lo nombrarían coordinador de la defensa del equipo preuniversitario. Lorraine quizás encontrase allí un empleo como orientadora vocacional. Entonces estarían bien encaminados.

Sólo necesitaban un poco de dinero para empezar.

Rocky, al volante del Celica, se mantenía a una distancia prudencial del monovolumen. No le preocupaba demasiado la discreción. Jack Lawson era un aficionado. No estaría pendiente de si lo seguían. Eso le había dicho su jefa.

Lawson cruzó la frontera de Nueva York y cogió la autopista hacia el norte. Eran las diez de la noche. Rocky se preguntó si no debía dejarlo ya, pero no, todavía no. De momento no tenía nada de qué informar. El hombre había salido a dar una vuelta. Rocky lo seguía. Ése era su trabajo.

Rocky sintió que se le acalambraba la pantorrilla. ¡Cómo deseaba que aquel trasto tuviese más espacio para las piernas!

Al cabo de media hora, Lawson se detuvo junto a Woodbury Commons, uno de esos enormes centros comerciales donde en principio todas las tiendas vendían restos de serie de grandes marcas. Estaban todas cerradas. El monovolumen se desvió por una carretera oscura. Rocky disminuyó la velocidad. Si lo seguía allí, Lawson lo vería sin duda.

Rocky encontró un lugar a la derecha, aparcó, apagó los faros y cogió los prismáticos.

Jack Lawson detuvo el monovolumen, y Rocky lo observó bajar. Había otro coche no muy lejos. Debía de ser la amiguita de Lawson. Un lugar extraño para una cita romántica, pero nunca se sabía. Jack miró a ambos lados y luego se dirigió hacia la zona boscosa. Maldición. Rocky tendría que seguirlo a pie.

Dejó los prismáticos y bajó del coche. Todavía estaba a setenta, ochenta metros de Lawson. Rocky no quería acercarse más. Se agachó y volvió a mirar con los prismáticos. Lawson dejó de caminar. Se volvió y...

Pero ¿qué ocurría?

Rocky dirigió los prismáticos hacia la derecha. Había un hombre a la izquierda de Lawson. Rocky lo miró más detenidamente. Llevaba un uniforme de faena de los excedentes del ejército. Era bajo y recio, como un cuadrado perfecto. Se notaba que hacía ejercicio, pensó Rocky. El hombre —parecía chino o algo así— estaba inmóvil, como una estatua.

Al menos lo estuvo durante unos segundos.

Suavemente, casi como si tocara a un amante, el chino tendió la mano y la apoyó en el hombro de Lawson. Por un momento Rocky pensó que había sorprendido a dos gays en una cita. Pero no era eso. No era eso en absoluto.

Jack Lawson se desplomó como un títere con los hilos cortados.

Rocky ahogó una exclamación. El chino miró el cuerpo caído. Se agachó y cogió a Lawson por... demonios, parecía que lo cogía por el cuello. Como si fuera un cachorro o algo así. Por el pescuezo.

«Maldita sea —pensó Rocky—. Más vale que intervenga.»

Sin el menor esfuerzo, el chino llevó a Lawson hacia el coche. Con una mano. Como si fuera un maletín o algo así. Rocky hizo ademán de coger el móvil.

Mierda, se lo había dejado en el coche.

«Vale, piensa, Rocky», se dijo. El coche del chino era un Honda Accord, con matrícula de Nueva Jersey. Rocky intentó memorizar el número. Vio al chino abrir el maletero. Metió a Lawson dentro como si fuera un fardo de ropa sucia.

«Joder, ¿y ahora qué?», se preguntó Rocky.

Las órdenes que había recibido eran categóricas: «no hables». ¿Cuántas veces lo había oído? «Hagas lo que hagas, sólo debes observar. No hables.»

No sabía qué hacer.

¿Debía limitarse a seguirlos?

No, imposible. Jack Lawson estaba en el maletero. En cualquier caso, Rocky no conocía a ese hombre. No sabía por qué tenía que seguirlo. Había supuesto que la razón por la que lo habían contratado para seguir a Lawson era la de siempre: su mujer sospechaba que tenía una aventura. Eso era una cosa. Seguirlo y probar la infidelidad. Pero ¿esto...?

Lawson había sido agredido. ¡Por amor de Dios, ese chino, esa masa de músculos, lo había metido en el maletero! ¿Podía Rocky quedarse de brazos cruzados, sin más?

No.

Al margen de lo que Rocky hubiera hecho en el pasado, al margen de en qué se hubiera convertido, no iba consentir algo así. ¿Y si perdía al chino? ¿Y si no había bastante aire en el maletero? ¿Y si Lawson estaba gravemente herido y agonizando?

Rocky tenía que hacer algo.

¿Debía llamar a la policía?

El chino cerró el maletero. Se dirigió hacia el asiento del conductor.

Demasiado tarde para llamar a nadie. Tenía que actuar de inmediato.

Rocky era al fin y al cabo un hombre de un metro noventa y cinco de estatura y ciento veinte kilos de peso, fuerte como un roble. Era un luchador profesional. No un boxeador de pacotilla. No un pseudoluchador que montaba el número en un cuadrilátero. Él era un luchador de verdad. No iba armado, pero sabía cuidarse.

Rocky echó a correr hacia el coche.

—¡Oiga! —gritó—. ¡Oiga! ¡Deténgase ahora mismo!

El chino —al acercarse, Rocky vio que parecía un crío— alzó la vista. No cambió de expresión. Simplemente se quedó mirando a Rocky mientras corría hacia él. No se movió. No intentó meterse en el coche para marcharse. Esperó con paciencia.

—¡Oiga!

El chino permaneció inmóvil.

Rocky se detuvo a un metro de él. Sus miradas se cruzaron. A Rocky no le gustó lo que vio. Había jugado al fútbol contra auténticos chiflados. Había peleado contra masoquistas dementes en los combates de lucha extrema. Había mirado a los ojos a verdaderos psicópatas: individuos que disfrutaban haciendo daño a la gente. Aquello era distinto. Aquello era como mirar a los ojos de... de algo que no estaba vivo. Tal vez una roca. Un objeto inanimado. Allí no había miedo, ni misericordia, ni razón.

—¿Puedo ayudarlo en algo? —preguntó el joven chino.

—He visto... Saque a ese hombre del maletero.

El chino asintió.

—Por supuesto.

El chino miró el maletero. Rocky también. Y en ese momento Eric Wu atacó.

Rocky no vio el golpe. Wu se agachó, giró la cintura para tomar impulso y hundió el puño en el riñón de Rocky. Éste había encajado muchos puñetazos. Lo habían golpeado en los riñones hombres el doble de grandes. Pero nunca así. El puño impactó en su cuerpo como un mazo.

Se le cortó la respiración pero permaneció de pie. Wu se acercó más y le clavó algo en el hígado, algo que parecía un espetón. El dolor estalló dentro de él.

Rocky abrió la boca, pero de su garganta no salió ningún grito. Cayó al suelo. Wu se agachó a su lado. Lo último que vio Rocky —lo último que vería en su vida— fue la cara de Eric Wu, tranquila y serena, cuando colocó las manos bajo la caja torácica de Rocky.

«Lorraine», pensó Rocky. Y luego nada más.

5

Grace contuvo un grito. Sobresaltada, se incorporó. La luz del pasillo seguía encendida. Una silueta se recortaba en el resplandor de la puerta. Pero no era Jack.

Despertó, aún con la respiración entrecortada. Un sueño. Lo sabía. Ya mientras soñaba tenía la vaga sensación de que era sólo un sueño. Había soñado eso mismo otras veces, muchas, pero no desde hacía tiempo. «Debe de ser por el aniversario que se avecina», pensó.

Intentó tranquilizarse. Eso no iba a ocurrir. El sueño siempre empezaba y acababa igual. Las variaciones se producían hacia la mitad.

En el sueño, Grace estaba otra vez en el Boston Garden, con el escenario justo enfrente. Tenía delante una barrera de acero, no muy alta, tal vez le llegaba a la cintura, algo que podía servir para sujetar la bicicleta con un candado. Se apoyó en ella.

Por los altavoces se oía *Pale Ink*, pero eso era imposible porque el concierto ni siquiera había empezado. *Pale Ink* era el gran éxito del grupo de Jimmy X, el single más vendido del año. Todavía se oye por la radio a todas horas. Lo escucharían en directo, no en una grabación durante el tiempo de espera. Pero si ese sueño era como una película, *Pale Ink* era, por así decirlo, la banda sonora.

¿Estaba Todd Woodcroft, el chico con el que salía, de pie a su lado? A veces imaginaba que lo cogía de la mano —aunque nunca fueron el tipo de pareja que se cogía de la mano— y luego, cuando todo se precipitaba, la invadía la angustiosa sensación de que su mano se le escapaba. En la realidad, Todd seguramente estaba al lado de ella; en el sueño, sólo a veces. Esta vez, no, no estaba allí. Aquella noche Todd salió ileso. Ella nunca lo culpó por lo que le había sucedido. Todd no habría podido hacer nada. Ni siquiera había ido a verla al hospital. Ella tampoco lo culpó por eso. Lo suyo no había sido más que un amor de juventud, no una relación entre dos almas gemelas, y por entonces ya había empezado a hacer aguas. ¿Quién necesitaba una escena a esas alturas? ¿Quién querría ir a ver a una chica ingresada en un hospital para romper con ella? Mejor para los dos, pensó, dejar que las cosas se apagaran solas.

En el sueño, Grace sabía que estaba a punto de ocurrir una tragedia, pero no hacía nada para evitarlo. Su yo del sueño no lanzaba una advertencia ni intentaba huir. A menudo se preguntaba por qué, pero ¿acaso los sueños no eran así? Uno no puede hacer nada aunque adivine lo que va a pasar, obedece a una especie de programación subconsciente. O tal vez la respuesta fuese más sencilla: no había tiempo. En el sueño, la tragedia se desencadenaba en cuestión de segundos. En la realidad, según los testigos, Grace y los demás habían pasado delante del escenario más de cuatro horas.

La multitud había pasado del entusiasmo inicial a la inquietud, luego al nerviosismo y por último a una manifiesta hostilidad. Jimmy X, cuyo verdadero nombre era James Xavier Farmington, el rockero guapísimo de maravillosa melena, tenía que subir al escenario a las ocho y media de la noche, aunque en realidad nadie lo esperaba antes de las nueve. Y estaban a punto de dar las doce. Al principio, la muchedumbre canturreaba el nombre de Jimmy. A esas alturas se había desatado un coro de abucheos. Mil seiscientas personas, incluidas las que, como Grace, habían tenido la suerte de encontrar entradas de primera fila en el foso de la orquesta, se levantaron como un solo hombre, exigiendo la actuación. Transcurrieron diez minutos más hasta que por fin los altavoces dieron una respuesta. La multitud, recuperando su anterior entusiasmo enfebrecido, enloqueció.

Pero la voz que habló por el sistema de megafonía no presentó al grupo. Con tono monocorde, anunció que la actuación volvía a retrasarse al menos una hora. Sin más explicación. Por un instante nadie se movió. Se hizo el silencio en el pabellón.

Ahí empezaba el sueño, en ese momento de calma antes de la devastación. Grace volvía a estar allí. ¿A qué edad? Entonces tenía veintiún años, pero en el sueño parecía mayor. Era una Grace distinta, paralela, una Grace casada con Jack y madre de Emma y Max, y sin embargo todavía estaba en ese concierto en su último año de universidad. Eso también era propio de los sueños, esa realidad doble, el yo paralelo que se superponía al real.

¿Todo eso, esos momentos del sueño, salía de su subconsciente o de lo que había leído después sobre la tragedia? Grace no lo sabía. Probablemente era una mezcla de las dos cosas, o a esa conclusión había llegado hacía tiempo. Los sueños reavivan los recuerdos, ¿no? Cuando estaba despierta, no se acordaba de esa noche en absoluto, ni siquiera de los días anteriores. Lo último que recordaba era haber estudiado para un examen final de ciencias políticas que había tenido cinco días antes. Eso era normal —le aseguraron los médicos—, por el tipo de traumatismo cerebral que había sufrido. Pero el subconsciente era un territorio extraño. Tal vez los sueños eran en realidad recuerdos, tal vez imaginaciones. Aunque más probablemente, como ocurre con la mayoría de los sueños e incluso con los recuerdos, eran una combinación de las dos cosas.

En cualquier caso, ya fuera por los recuerdos o por los artículos de la prensa, fue en ese momento cuando alguien disparó un tiro. Y luego otro. Y otro.

Ocurrió antes de que se instalasen detectores de metales en las entradas de los auditorios. Cualquiera podía ir armado. Durante un tiempo, se habló mucho sobre el posible origen de los disparos. Los obsesos de las conspiraciones seguían debatiendo al respecto, como si aquí, como en el asesinato de Kennedy, hubiese en el pabellón algún montículo de hierba donde apostarse un segundo asesino. En todo caso, la muchedumbre de jóvenes, ya exaltados, se desmandó por completo. Gritaron. Se dispersaron. Corrieron hacia las salidas.

Corrieron hacia el escenario.

Grace estaba en el peor lugar posible. La barrera le oprimió la cintura, se le hincó en el vientre. No podía zafarse. La multitud chilló y avanzó en masa. A su lado, un chico —después Grace se enteró de que tenía diecinueve años y se llamaba Ryan Vespa— no levantó las manos a tiempo, cayó sobre la barrera y se golpeó en un mal ángulo.

Grace vio —tampoco sabía si eso ocurría sólo en el sueño o también en la realidad— salir un chorro de sangre de la boca de Ryan Vespa. Al final, la barrera cedió. Se inclinó. Grace cayó al suelo. Intentó mantener el equilibrio, permanecer en pie, pero la ruidosa avalancha de seres humanos la derribó.

Esta parte era real, eso le constaba. Esta parte —el momento en que quedaba enterrada bajo una masa humana— no sólo la perseguía en sueños.

La desbandada siguió. La gente pasaba por encima de ella. Le pisoteaba los brazos y las piernas. Tropezaba y caía sobre ella como losas. El peso iba en aumento. La aplastaba. Docenas de cuerpos desesperados forcejeaban y se deslizaban tumultuosamente por encima de ella.

Los gritos llenaban el aire. Grace estaba debajo. Enterrada. Ya no había luz. Tenía demasiados cuerpos encima. Era imposible moverse. Imposible respirar. Se ahogaba. Como si la hubieran enterrado en cemento. Como si se hundiese en el agua arrastrada por un lastre.

Tenía demasiado peso encima. Parecía que una mano gigantesca le apretase la cabeza, le aplastase el cráneo como si fuera espuma de poliestireno.

No había escapatoria.

Y en ese momento, por suerte, acababa el sueño. Grace despertaba, todavía sin aliento.

En la realidad, Grace había despertado cuatro días después y casi no se acordaba de nada. Al principio pensó que era la mañana de su examen final de ciencias políticas. Los médicos se tomaron su tiempo para explicarle la situación. Había sufrido heridas muy graves. Para empezar, tenía una fractura de cráneo. Eso, suponían, explicaba los dolores de cabeza y la pérdida de memoria. No era un caso de amnesia, de memoria reprimida, ni siquiera un trastorno psicológico. Tenía una lesión en el cerebro, lo que no era raro tras producirse un traumatismo craneal de aquella magnitud con pérdida de conocimiento. Olvidar horas, incluso días, no era extraño. Grace también se había fracturado el fémur, la tibia y tres costillas. La rodilla se le había partido por la mitad. Se le había dislocado la cadera.

En medio de una nebulosa de analgésicos, supo por fin que había tenido «suerte». Dieciocho personas, de entre catorce y veintiséis años, habían muerto en la desbandada que los medios llamaron la Matanza de Boston.

La silueta que se recortaba en la puerta dijo:

—¿Mamá?

Era Emma.

—Hola, cariño.

—Estabas gritando.

—Estoy bien. A veces hasta las mamás tienen pesadillas.

Emma se quedó entre las sombras.

—¿Dónde está papá?

Grace miró el despertador. Eran casi las cinco menos cuarto de la mañana. ¿Cuánto había dormido? No más de diez, quince minutos.

—No tardará en llegar.

Emma no se movió.

—¿Estás bien? —preguntó Grace.

—¿Puedo dormir contigo?

«Se ve que ésta es la noche de las pesadillas», pensó Grace. Apartó la manta.

—Claro, cariño.

Emma se metió en la cama por el lado de Jack. Grace la volvió a tapar y la abrazó. Mantuvo la mirada fija en el despertador. A las siete en punto —justo cuando vio el reloj digital pasar de las 6:59— dejó que la invadiera el pánico.

Jack nunca había hecho algo así. Si hubiese sido una noche normal, si él hubiese subido y dicho que se iba de compras al supermercado, si antes de irse hubiese hecho en broma algún torpe comentario con doble sentido sobre melones y plátanos, algo gracioso y tonto, Grace ya habría avisado a la policía.

Pero la noche anterior no había sido normal. Ocurrió lo de la foto. Su reacción. Y no hubo un beso de despedida.

Emma se movió a su lado. Max entró frotándose los ojos pocos minutos después. Normalmente preparaba el desayuno Jack. Él era el más madrugador. Grace improvisó rápidamente la primera comida del día —cereales Cap'n Crunch con rodajas de plátano— y eludió las preguntas sobre la ausencia de su padre. Mientras estaban ocupados devorando el desayuno, Grace se escabulló a la leonera para intentar llamar a la oficina de Jack, pero nadie cogió el teléfono. Todavía era temprano.

Se puso un pantalón de chándal Adidas de Jack y los acompañó a la parada del autobús. Antes Emma siempre la abrazaba al despedirse, pero ya era demasiado mayor para eso. Se subió a toda prisa, antes de que Grace pudiera dejar caer alguno de esos estúpidos comentarios maternos, como que Emma era demasiado mayor para abrazos pero no para visitar la habitación de su madre cuando tenía miedo por la noche. Max todavía la abrazaba, pero muy deprisa y con poco entusiasmo. Los dos desaparecieron en el interior y la puerta del autobús se cerró como si los hubiese engullido.

Grace se protegió los ojos del sol con la mano y, como siempre, se quedó mirando el autobús hasta que giró por Bryden Road. Incluso ahora, incluso después de tanto tiempo, sentía aún deseos de subirse al coche y seguirlos sólo para asegurarse de que esa caja de lata amarilla de apariencia frágil llegaba a la escuela a salvo.

¿Qué le había pasado a Jack?

Se encaminó hacia la casa, pero de pronto, cambiando de idea, se dirigió al coche y partió. Grace alcanzó el autobús en Heights Road y lo siguió el resto del camino hasta la escuela Willard. Aparcó y vio bajar a los niños. Cuando aparecieron Emma y Max, cargando las mochilas, sintió el familiar cosquilleo. Se quedó esperando hasta que los dos recorrieron el sendero, subieron la escalera y desaparecieron por la puerta de la escuela.

Y entonces, por primera vez en mucho tiempo, Grace rompió a llorar.

Grace esperaba ver llegar a policías de paisano. Y esperaba a dos. Así era siempre en televisión. Uno, el veterano brusco; el otro, joven y guapo. La policía del pueblo había enviado a un agente uniformado, de los que ponían multas por exceso de velocidad, en el correspondiente coche.

Se había presentado como agente Daley. Desde luego era joven, muy joven, con una erupción de acné en la lustrosa cara de niño.

Tenía el físico musculoso de un asiduo del gimnasio. Las mangas cortas parecían torniquetes en torno a los grandes bíceps. El agente Daley hablaba con una paciencia irritante, con la voz monótona de un poli suburbano, como si aleccionara a una clase de primero sobre la seguridad vial en bicicleta.

Había llegado diez minutos después de que ella llamara al número de la policía para casos no urgentes. En circunstancias normales, le explicó la persona que la atendió, le habrían pedido que acudiera a la comisaría y rellenara un impreso. Pero casualmente el agente Daley estaba en la zona, así que pasaría por su casa. Por suerte para ella.

Daley sacó una hoja del tamaño de una carta y la puso en la mesita de centro. Abrió el bolígrafo pulsando el botón del extremo y se dispuso a formular preguntas.

—¿Cómo se llama el desaparecido?

—John Lawson. Pero todos lo llaman Jack.

El agente consultó la lista.

—¿Dirección y número de teléfono?

Grace se los dio.

—¿Lugar de nacimiento?

—Los Ángeles, California.

Preguntó por la estatura, el peso, el color de ojos y pelo, el sexo (sí, en serio). Preguntó si Jack tenía cicatrices, señales o tatuajes. Preguntó adónde podía haber ido.

—No lo sé —repuso Grace—. Por eso los he llamado.

El agente Daley asintió.

—Supongo que su marido es mayor de edad.

—¿Cómo?

—Que tiene más de dieciocho años.

—Sí.

—Eso complica las cosas.

—¿Por qué?

—Hemos recibido nuevas normas para rellenar los informes de desapariciones. Las han actualizado hará un par de semanas.

—No sé si lo entiendo.

El agente suspiró de manera teatral.

—Verá, para introducir a alguien en el ordenador, tiene que

cumplir ciertos criterios. —Daley sacó otro papel—. ¿Está su marido incapacitado?
—No.
—¿En peligro?
—¿A qué se refiere?
Daley leyó el papel.
—«Una persona mayor de edad desaparecida y acompañada de otra persona en circunstancias que inducen a pensar que su integridad física corre peligro.»
—No lo sé. Ya se lo he dicho. Se fue de aquí anoche...
—Eso significa que no —dedujo Daley. Volvió a consultar el papel—. Tres. Desaparición involuntaria. Como por secuestro o rapto.
—No lo sé.
—Ya. Cuatro. Víctima de una catástrofe. Como un incendio o un accidente de avión.
—No.
—Y la última categoría. ¿Es menor? Bueno, eso ya ha quedado claro. —Dejó el papel—. Ya está. No se puede introducir a la persona en el sistema si no pertenece a una de estas categorías.
—O sea, que si alguien desaparece, ¿ustedes no hacen nada?
—Yo no lo diría así, señora.
—¿Cómo lo diría?
—No tenemos ninguna prueba de actuación delictiva. Si nos llega alguna, empezaremos a investigar en el acto.
—¿Así que de momento no harán nada?
Daley dejó el bolígrafo. Se inclinó hacia delante y apoyó los antebrazos en los muslos. Respiró hondo.
—¿Puedo hablarle con franqueza, señora Lawson?
—Se lo ruego.
—En la mayoría de los casos, más aún, en el noventa y nueve por ciento de los casos, el marido simplemente anda correteando por ahí. Hay problemas conyugales. Hay una amante. El marido no quiere que lo descubran.
—No es éste el caso.
El agente asintió.
—Y en el noventa y nueve por ciento de los casos, eso es lo que dice la mujer.

El tono condescendiente del policía empezaba a irritar a Grace. Ese joven no le había inspirado confianza suficiente. Se había callado cosas, como si temiera que contar toda la verdad fuera una traición. Además, pensándolo bien, ¿cómo quedaría? «Bueno, verá, encontré una foto extraña de Photomat en medio de las mías del manzanar, en Chester, ¿sabe?, y mi marido dijo que no era él, y en realidad tampoco lo sé muy bien porque la foto es antigua y luego resulta que Jack se marchó de casa...»

—¿Señora Lawson?

—Sí.

—¿Entiende lo que estoy diciéndole?

—Creo que sí. Que soy una histérica. Mi marido se ha fugado y estoy intentando usar a la policía para obligarlo a volver. ¿Es eso más o menos?

Él seguía impertérrito.

—Debe entenderlo. No podemos iniciar una investigación hasta que tengamos pruebas de que se ha cometido un delito. Ésas son las reglas del CNIC. —Señaló el papel otra vez y añadió con tono muy serio—: Es el Centro Nacional de Información Criminal.

Grace casi puso los ojos en blanco.

—Aunque encontráramos a su marido, no le diríamos dónde está. Éste es un país libre. Él es mayor de edad. No podemos obligarlo a volver.

—Eso lo sé.

—Podríamos hacer unas cuantas llamadas, tal vez alguna que otra indagación discreta.

—Bien.

—Necesito saber el modelo del coche y el número de matrícula.

—Es un Ford Windstar.

—¿Color?

—Azul oscuro.

—¿Año?

No se acordaba.

—¿Matrícula?

—Empieza por M.

El agente Daley alzó la vista. Grace se sintió estúpida.

—Arriba tengo una copia del certificado —dijo—. Puedo ir a verlo.

—¿Tienen un tac para los peajes?
—Sí.
El agente Daley asintió y lo anotó. Grace subió y buscó la carpeta. Hizo una copia con el escáner y se la entregó al agente Daley. Él anotó algo. Preguntó un par de cosas más. Ella se ciñó a los hechos: Jack volvió a casa del trabajo, ayudó a acostar a los niños, salió, probablemente al supermercado..., y nada más.
Tras unos cinco minutos, Daley parecía satisfecho. Sonrió y le dijo que no se preocupara. Ella se quedó mirándolo.
—Nos pondremos en contacto con usted dentro de unas horas. Si para entonces no sabemos nada, hablaremos un poco más.
Se fue. Grace volvió a llamar a la oficina de Jack. Tampoco contestaron. Miró el reloj. Eran casi las diez. Photomat abriría pronto. Bien.
Tenía un par de preguntas para Josh *el Pelusilla*.

6

Charlaine Swain se puso su ropa interior nueva —un camisón corto con un tanga a juego de Regal Lace— y levantó el estor de su dormitorio.

Ocurría algo extraño.

Era martes. Eran las diez y media. Los hijos de Charlaine estaban en la escuela. Su marido Mike se hallaría ante su escritorio en la ciudad, con el teléfono sujeto entre el hombro y la oreja, enrollando y desenrollando las mangas de la camisa con los dedos, el cuello cada vez más apretado porque su ego le impedía reconocer que necesitaba una talla más.

Su vecino, el bicho raro llamado Freddy Sykes, debía de estar en casa a esa hora.

Charlaine echó una mirada al espejo. No lo hacía a menudo. No necesitaba recordarse que tenía más de cuarenta años. La imagen que le devolvió la mirada desde el espejo presentaba aún unos contornos bien proporcionados, supuso, gracias en parte sin duda a las asas del sostén; pero lo que en su día se había considerado curvilíneo y turgente se había debilitado y reblandecido. Aunque también era cierto que Charlaine hacía ejercicio. Iba a clase de yoga —siendo el yoga este año el sustituto del tae bo o el step— tres días por semana. Se mantenía en forma, luchando contra lo evidente y lo invencible, sin cejar siquiera al ver que se le escapaba de las manos.

¿Qué le había pasado?

«Olvídate del físico por un instante», se dijo. De joven, Charlaine Swain derrochaba energía. Disfrutaba de la vida. Era ambiciosa e iba a por todas. Lo decía todo el mundo. Siempre había una chispa en Charlaine, una electricidad en el aire cerca de ella, y eso en algún momento, por alguna razón, la vida —el simple hecho de vivir— se lo había apagado.

¿La culpa era de los niños? ¿De Mike? En otros tiempos él nunca se saciaba de ella, y al verla con un modelo como ése se le habría hecho la boca agua y habría abierto los ojos de par en par. Ahora él apenas si alzaba la vista cuando ella pasaba por su lado.

¿Eso cuándo había empezado?

No podía precisarlo. Sabía que el proceso había sido gradual, el cambio muy lento, apenas discernible, hasta convertirse lamentablemente en un hecho consumado. No había sido sólo culpa de él. Eso ella lo sabía. Su propio deseo había menguado, sobre todo durante los embarazos, la lactancia, el posterior agotamiento de la crianza. Era normal, suponía. Todo el mundo pasaba por eso. Aun así, lamentaba no haberse esforzado más antes de que los cambios pasajeros se consolidasen en forma de apatía crónica.

Los recuerdos, sin embargo, seguían allí. Mike antes la cortejaba. La sorprendía. La deseaba. Antes —y sí, esto puede parecer ordinario— arremetía contra su cuerpo. Ahora lo que quería era eficacia, algo mecánico y preciso: la oscuridad, un gruñido, un desahogo, dormir.

Cuando hablaban, era sobre los niños: los horarios de las clases, las horas de recogida, los deberes, las visitas al dentista, los partidos de la liga infantil, el programa de baloncesto, las citas con los amigos. Pero eso tampoco era sólo culpa de Mike. Cuando Charlaine tomaba un café con las mujeres del barrio —los encuentros de mamás en el Starbucks—, las conversaciones eran tan empalagosas, tan aburridas, tan circunscritas a los niños, que le entraban ganas de gritar.

Charlaine Swain se estaba asfixiando.

Su madre —la ociosa reina de las comidas en el club de campo— le dijo que así era la vida, que Charlaine tenía todo lo que podía desear una mujer, que sus expectativas simplemente no eran realistas. Lo más triste era que Charlaine se temía que su madre no andaba desencaminada.

Se miró el maquillaje. Se puso más lápiz de labios y colorete y luego se echó hacia atrás y se examinó. Sí, parecía una puta. Cogió un Percodan, el equivalente para las mamás de un aperitivo, y se lo tragó. A continuación se miró más atentamente en el espejo, incluso entrecerrando los ojos.

¿Seguía allí, en alguna parte, la Charlaine de antes?

Se acordó de una mujer que vivía a dos manzanas, una encantadora madre de dos hijos como Charlaine. Dos meses atrás, esa encantadora madre de dos hijos se acercó a las vías de ferrocarril de Glen Rock y se suicidó plantándose delante del tren de las once y diez de la mañana de la línea de Bergen en dirección sur. Una historia horrenda. Todo el mundo habló de ello durante semanas. ¿Cómo pudo esa mujer, esa encantadora madre de dos hijos, abandonarlos así? ¿Cómo pudo ser tan egoísta? Y sin embargo, mientras Charlaine la criticaba con sus compañeras de las zonas residenciales, sintió una pequeña punzada de celos. Para esa encantadora madre todo había acabado. Eso debía de representar cierto alivio.

¿Dónde estaba Freddy?

De hecho, Charlaine esperaba con impaciencia los encuentros de los martes a las diez, y tal vez eso fuera lo más triste. Su primera reacción al descubrir que Freddy la espiaba fue de asco y rabia. ¿Cuándo y cómo se convirtió eso en aceptación e incluso, que Dios la perdonase, en excitación? No, pensó. No era excitación. Era... algo. Sólo eso. Era una chispa. Era algo que podía sentir.

Esperó a ver levantarse el estor de Freddy.

No se levantó.

Era extraño. Pensándolo bien, Freddy Sykes nunca bajaba los estores. Los jardines traseros de ambas casas eran colindantes, de modo que sólo ellos se veían por las ventanas. Freddy nunca bajaba el estor de atrás. ¿Para qué?

Miró las demás ventanas. Todos los estores estaban bajados. ¡Qué curioso! Las cortinas de lo que suponía que era la leonera —nunca había pisado esa casa, claro— estaban corridas.

¿Se habría marchado Freddy de viaje?

Charlaine Swain vio su reflejo en la ventana y sintió una nueva oleada de vergüenza. Cogió una bata —el albornoz raído de su marido— y se la puso. Se preguntó si Mike tenía una amante, si otra mujer había consumido ese impulso sexual que antes era insaciable, o si simplemente ella había dejado de interesarle. Se preguntó qué era peor.

¿Dónde estaba Freddy?

¡Y qué degradante, qué patético, qué bajo había caído para que una cosa así significase tanto para ella! Se quedó mirando la casa.

Algo se movió.

Muy ligeramente. Una sombra se había deslizado por un estor. Sin duda era un movimiento. Tal vez, sólo tal vez, Freddy estaba espiando, aumentando, por así decirlo, su nivel de excitación. Podía ser eso, ¿no? Muchos mirones se excitaban con los aspectos furtivos de su acción, con el espionaje en sí. Tal vez él no quería que ella lo viera. Tal vez la estaba mirando en ese mismo momento, a escondidas.

¿Sería eso?

Se desató el albornoz, se descubrió los hombros y lo dejó caer. Olía a sudor de hombre y a los vestigios de la colonia que le había regalado a Mike hacía... ¿cuánto? ¿Ocho, nueve años? Charlaine sintió que le ardían los ojos por las lágrimas. Pero no apartó la mirada.

De pronto apareció otra cosa entre los estores. Algo... ¿azul?

Entornó los ojos. ¿Qué era?

Los prismáticos. ¿Dónde estaban? Mike tenía una caja llena de cachivaches en su armario. La encontró, buscó entre un revoltijo de cables y enchufes, y desenterró los Leica. Se acordó de cuando los compraron. Fue en un crucero por el Caribe. Habían hecho escala en una de las islas Vírgenes —no recordaba cuál— y la compra había sido espontánea. Por eso se acordaba de la compra de los prismáticos, por la espontaneidad de un acto tan trivial.

Charlaine se llevó los prismáticos a los ojos. Enfocaban automáticamente, así que no tuvo que ajustarlos. Tardó un poco en encontrar la rendija entre la ventana y el estor. Pero la mancha azul estaba allí. Vio el parpadeo y cerró los ojos. Tenía que haberlo adivinado.

La televisión. Freddy había encendido la televisión.

Estaba en casa.

Charlaine permaneció inmóvil. Ya no sabía cómo se sentía. Estaba otra vez embotada. Su hijo Clay cantaba una canción de la película *Shrek* de alguien que se dibujaba una P con los dedos en la frente. Perdedor. Eso era Freddy Sykes. Y ahora Freddy, ese bicho raro, ese perdedor con una P mayúscula en la frente, prefería ver la televisión a contemplar su cuerpo en ropa interior.

Pero allí seguía habiendo algo raro.

Todos esos estores bajados. ¿Por qué? Hacía ocho años que vivía junto a la casa de los Sykes. Ni siquiera cuando vivía la madre de Freddy bajaban nunca los estores, ni corrían las cortinas. Charlaine volvió a mirar por los prismáticos.

La televisión se apagó.

Bajó los prismáticos, esperando que sucediera algo. Freddy había perdido la noción del tiempo, pensó. El estor se levantaría en cualquier momento. Empezarían su ritual perverso.

Pero no fue eso lo que ocurrió.

Charlaine oyó el suave zumbido y supo enseguida qué era. La puerta eléctrica del garaje se estaba abriendo.

Se acercó a la ventana. Oyó arrancar un coche y luego salió el Honda destartalado de Freddy. El sol se reflejó en el parabrisas. El resplandor la obligó a entrecerrar los ojos. Se los protegió con la mano.

El coche avanzó y el resplandor disminuyó. En ese momento vio al conductor.

No era Freddy.

Algo, algo vil y primitivo, indujo a Charlaine a agacharse y esconderse. Obedeció al impulso. Se tiró al suelo y se arrastró hacia el albornoz. Se abrazó a la tela de felpa. El olor —esa combinación de Mike y colonia pasada— le resultó de pronto curiosamente reconfortante.

Charlaine se acercó a un lado de la ventana. Con la espalda contra la pared, miró.

El Honda Accord se había detenido. El conductor —el asiático al volante— miraba hacia su ventana.

De inmediato Charlaine se apretó más contra la pared. Se quedó quieta, conteniendo al aliento. Permaneció así hasta que oyó que el coche se ponía otra vez en marcha. Y entonces, por si acaso, siguió oculta otros diez minutos.

Cuando volvió a mirar, el coche ya no estaba.

La casa de al lado se hallaba en silencio.

7

A las diez y cuarto en punto, Grace llegó a Photomat.

Josh *el Pelusilla* no estaba allí. De hecho, no había nadie. En el escaparate de la tienda, un cartel, colgado probablemente la noche anterior, rezaba: CERRADO.

Consultó el horario impreso. Abrían a las diez. Esperó. A las diez y veinte, la primera clienta, una mujer agobiada de treinta y tantos años, vio el cartel de CERRADO, consultó el horario y probó la puerta. Lanzó un exagerado suspiro. Mirándola, Grace se encogió de hombros en un gesto de comprensión. La mujer se marchó molesta. Grace esperó.

A las diez y media, la tienda seguía sin abrir, y Grace supo que eso no era buena señal. Decidió volver a llamar a la oficina de Jack. Otra vez saltó el contestador de su extensión —se estremeció al oír la voz grabada y formal de Jack—, así que probó la extensión de Dan. Al fin y al cabo, los dos habían hablado la noche anterior. A lo mejor Dan podía proporcionarle alguna pista.

Marcó el número de su despacho.

—¿Diga?

—Hola, Dan, soy Grace.

—¿Qué tal? —saludó él, quizá con demasiado entusiasmo—. Estaba a punto de llamarte.

—¿Ah, sí?

—¿Dónde está Jack?

—No lo sé.

Dan vaciló.
—Cuando dices que no lo sabes...
—Anoche lo llamaste, ¿verdad?
—Sí.
—¿De qué hablasteis?
—Esta tarde tenemos una presentación. Sobre los estudios del Fenomitol.
—¿De algo más?
—¿Cómo que «de algo más»? ¿A qué te refieres?
—¿De qué más hablasteis?
—De nada. Quería preguntarle por una diapositiva de PowerPoint. ¿Por qué? ¿Qué pasa, Grace?
—Después de eso, salió.
—¿Y?
—No he vuelto a verlo.
—Un momento, cuando dices que no lo has visto...
—O sea, que no ha vuelto a casa, no ha llamado, no tengo ni idea de dónde está.
—Vaya, ¿y has llamado a la policía?
—Sí.
—¿Y?
—Y nada.
—Dios mío. Oye, voy para allá. Enseguida estoy allí.
—No —dijo ella—. Estoy bien.
—¿Seguro?
—Sí. Tengo cosas que hacer —dijo de manera poco convincente. Se pasó el teléfono al otro oído, sin saber muy bien cómo decirlo—. ¿Jack se ha comportado normalmente en los últimos tiempos?
—¿En el trabajo, quieres decir?
—En el trabajo, o en cualquier sitio.
—Sí, claro. Jack es Jack, ya lo conoces.
—¿No has notado ningún cambio?
—Los dos hemos andado muy estresados con los ensayos de este medicamento, si lo dices por eso. Pero nada fuera de lo habitual. Grace, ¿seguro que no debería acercarme?
Se oyó un pitido en el teléfono. Una llamada en espera.

—Tengo que colgar, Dan. Me llaman por la otra línea.

—Será Jack. Telefonéame si necesitas algo.

Colgó y miró el número en el identificador. No era Jack. O al menos no era su móvil. Era un número anónimo.

—¿Diga?

—Señora Lawson, soy el agente Daley. ¿Ha sabido algo de su marido?

—No.

—La hemos llamado a su casa.

—Ya, he salido.

Se produjo una pausa.

—¿Dónde está?

—En el centro.

—En el centro, ¿dónde?

—En la tienda de Photomat.

Una pausa más larga.

—No pretendo entrometerme, pero ¿no le parece un lugar extraño para ir si tan preocupada está por su marido?

—¿Agente Daley?

—¿Sí?

—Hay un invento nuevo. Se llama teléfono móvil. De hecho, usted está hablando conmigo por uno de esos aparatos.

—No quería...

—¿Ha averiguado algo sobre mi marido?

—Por eso la llamo. Mi capitán está aquí y le gustaría verla para hacerle unas preguntas de seguimiento.

—¿De seguimiento?

—Sí.

—¿Eso es normal?

—Claro. —Lo dijo como si fuera cualquier cosa menos eso.

—¿Ha encontrado algo?

—No, o sea, nada que pueda ser motivo de alarma.

—¿Y eso qué significa?

—Sólo que el capitán Perlmutter y yo necesitamos más información, señora Lawson.

Otra clienta de Photomat, una rubia con mechas recientes de aproximadamente la misma edad que Grace, se acercó a la tienda vacía. Ahuecó las manos en torno a los ojos y miró adentro. También ella frunció el entrecejo y se marchó malhumorada.

—¿Están los dos en la comisaría? —preguntó Grace.

—Sí.

—Pasaré por allí dentro de tres minutos.

—¿Cuánto tiempo hace que su marido y usted viven aquí? —preguntó el capitán Perlmutter.

Estaban apretujados en un despacho más propio del portero de la escuela que del capitán de policía del pueblo. La comisaría de Kasselton había sido trasladada a la antigua biblioteca, un edificio con historia y tradición pero con escasas comodidades. Al hacer la primera pregunta, el capitán Stu Perlmutter, sentado tras su escritorio, se reclinó en la butaca y cruzó las manos sobre la pulcra barriga. El agente Daley permanecía apoyado en el marco de la puerta, haciendo ver que estaba cómodo.

—Cuatro años —contestó Grace.

—¿Le gusta esto?

—Bastante.

—Bien. —Perlmutter le sonrió, como un profesor dando su aprobación a la respuesta—. Y tiene hijos, ¿no?

—Sí.

—¿De qué edad?

—Ocho y seis.

—Ocho y seis —repitió con una sonrisa nostálgica—. Son unas edades maravillosas. No son bebés, y todavía no son adolescentes.

Grace decidió tomárselo con paciencia.

—Señora Lawson, ¿su marido ya había desaparecido alguna vez?

—No.

—¿Tienen problemas conyugales?

—Ninguno.

Perlmutter la miró con escepticismo. No guiñó un ojo, pero casi.

—Les va todo de maravilla, ¿eh?

Grace guardó silencio.

—¿Cómo se conocieron su marido y usted?

—¿Perdón?
—He preguntado...
—¿Y eso qué tiene que ver?
—Sólo pretendo formarme una idea de la situación.
—¿De qué situación? ¿Ha averiguado algo o no?
—Por favor. —Perlmutter intentó esbozar lo que debía de considerar una sonrisa irresistible—. Simplemente necesito un poco de información. Los antecedentes, ¿entiende? ¿Dónde se conocieron Jack Lawson y usted?
—En Francia.
Lo anotó.
—Usted es artista, ¿no es así, señora Lawson?
—Sí.
—¿Estaba estudiando arte en el extranjero, pues?
—¿Capitán Perlmutter?
—Sí.
—No quiero ofenderlo, pero estas preguntas son muy extrañas.
Perlmutter dirigió una mirada a Daley. Se encogió de hombros para dar a entender que no albergaba malas intenciones.
—Tal vez tenga razón.
—¿Ha averiguado algo o no? —repitió Grace.
—Creo que el agente Daley ya le ha explicado que su marido es mayor de edad y que no estamos obligados a decirle nada, ¿no es así?
—Sí.
—Bien, pues no creemos que haya sido víctima de ninguna acción delictiva, si es eso lo que la preocupa.
—¿Por qué lo dice?
—No hay pruebas de ello.
—¿Eso significa que no han encontrado manchas de sangre ni nada por el estilo? —preguntó ella.
—Exacto. Pero, más que eso —Perlmutter volvió a mirar a Daley—, el hecho es que sí encontramos algo que... bueno, tal vez no deberíamos contarle.
Grace se reacomodó en la silla. Intentó por todos los medios mirarlo a los ojos, pero él la eludía.
—Le agradecería mucho que me dijera lo que saben.

—No es gran cosa —dijo Perlmutter.

Grace esperó.

—El agente Daley ha telefoneado a la oficina de su marido. No ha ido por allí, claro. Seguramente ya está usted enterada de eso. Tampoco ha llamado para avisar que estaba enfermo. Así que hemos decidido investigar un poco más. De manera extraoficial, por supuesto.

—Ya.

—Usted ha tenido la amabilidad de facilitarnos el número del tac de su coche. Lo hemos introducido en el ordenador. ¿A qué hora dijo que salió su marido anoche?

—A eso de las diez.

—¿Y pensó que tal vez había ido al supermercado?

—No lo sabía. No me dijo nada.

—¿Simplemente cogió y se largó?

—Sí.

—¿Y usted no le preguntó adónde iba?

—Yo estaba arriba. Oí el motor del coche.

—Bien, pues esto es lo que necesitamos saber. —Perlmutter apartó las manos de la barriga. La butaca crujió cuando se inclinó hacia delante—. Usted lo llamó al móvil. Casi enseguida. ¿No es así?

—Sí.

—Pues verá, ahí está el problema. ¿Por qué no le contestó? O sea, si quería hablar con usted...

Grace vio adónde quería ir a parar.

—¿Cree que su marido... esto... sufrió un accidente en cuanto salió? ¿O tal vez alguien lo secuestró minutos después de marcharse de casa?

Grace no lo había pensado.

—No lo sé.

—¿Alguna vez usa usted la autopista de Nueva York?

El cambio de tema la desconcertó.

—No mucho, pero sí, la he usado.

—¿Ha ido alguna vez a Woodbury Commons?

—¿El centro comercial de restos de serie?

—Sí.

—Sí, he estado allí.

—¿Cuánto tiempo cree que se tarda en llegar?

—Media hora. ¿Fue allí?

—Lo dudo, no a esa hora. Las tiendas están cerradas. Pero usó su tac en el peaje de esa salida a las diez y veintiséis. Eso lleva a la Carretera Diecisiete y... diablos, es la que yo tomo para ir a los Poconos. Si calculamos diez minutos más o menos, cabe suponer que su marido fue derecho allí en cuanto salió de casa. Y de allí, en fin, ¿quién sabe adónde fue? La Interestatal Ochenta está a cincuenta kilómetros. Desde allí uno se puede ir a California.

Grace permaneció inmóvil.

—Así que saque sus propias conclusiones, señora Lawson. Su marido se marcha de casa. Usted lo llama de inmediato. Él no contesta. Al cabo de más o menos media hora, según sabemos, viaja en coche por Nueva York. Si alguien lo hubiera atacado o si hubiera sufrido un accidente... bueno, es imposible que lo secuestrasen y luego empleasen su tac en un plazo tan breve de tiempo. ¿Entiende lo que quiero decir?

Grace le devolvió la mirada.

—Que soy una histérica abandonada por su marido.

—No es eso ni mucho menos. Sólo que... Bueno, ya no podemos seguir investigando. A no ser... —Se acercó un poco más—. Señora Lawson, ¿hay algo más que, a su juicio, podría servirnos de ayuda?

Grace procuró no mostrarse abochornada. Echó una ojeada detrás de ella. El agente Daley no se había movido. Tenía una copia de la foto extraña en su bolso. Se acordó de Josh *el Pelusilla* y de que la tienda no había abierto. Había llegado el momento de contarlo. En realidad, tenía que habérselo contado a Daley cuando fue a su casa.

—No sé si viene al caso —empezó a decir mientras cogía el bolso. Sacó una copia de la foto y se la entregó a Perlmutter.

El capitán cogió unas gafas de leer, las limpió con el faldón de la camisa y se las puso. Daley se acercó y se inclinó por encima de su hombro. Grace les explicó que había encontrado la foto entre las demás. Los dos policías la miraron como si hubiera sacado una navaja y hubiera empezado a afeitarse la cabeza.

Cuando Grace acabó, el capitán Perlmutter señaló la foto y preguntó:

—¿Y está segura de que ése es su marido?
—Eso creo.
—Pero ¿no está segura?
—Estoy bastante segura.
Él asintió como hace uno cuando cree estar hablando con un loco.
—¿Y las otras personas de la foto? ¿La joven con la cara tachada?
—No las conozco.
—Pero su marido... Dijo que no era él, ¿no?
—Sí.
—Así que si no es él..., bueno, esta foto sería intrascendente. Y si es él... —Perlmutter se quitó las gafas—. Pues le mintió. ¿No es así, señora Lawson?
Sonó el móvil. Grace lo cogió en el acto y miró el número.
Era Jack.
Por un momento no se movió. Grace quería disculparse, pero Perlmutter y Daley la observaban. Dadas las circunstancias, no podía pedir que la dejaran sola. Pulsó el botón para responder y se acercó el teléfono al oído.
—¿Jack?
—¿Qué tal?
Al oír su voz, debería haber sentido un profundo alivio. Pero no fue así.
—Te he llamado a casa. ¿Dónde estás? —preguntó Jack.
—¿Que dónde estoy *yo*?
—Oye, no puedo hablar mucho tiempo. Siento haberme marchado así.
Intentaba hablar con naturalidad, pero no lo conseguía.
—Necesito unos días —dijo él.
—Pero ¿qué dices?
—¿Dónde estás, Grace?
—En la comisaría.
—¿Has llamado a la policía?
Grace cruzó una mirada con Perlmutter. Él le hizo una seña como si dijera: «Deme el teléfono, señora. Ya me ocuparé yo».
—Oye, Grace, sólo te pido unos días. Yo... —Jack calló. Y a continuación dijo algo que aumentó su pavor—. Necesito espacio.

—Espacio —repitió ella.

—Sí, un poco de espacio. Eso es todo. Por favor, dile a la policía que me disculpe. Tengo que colgar. ¿De acuerdo? Volveré pronto.

—¿Jack?

No contestó.

—Te quiero —dijo Grace.

Pero se había cortado la comunicación.

8

Espacio. Jack dijo que necesitaba espacio. Y eso significaba que algo iba mal.

Poco importaba que «necesitar espacio» fuera una de esas expresiones New Age pobres, empalagosas y cursis, vacías de significado, y que «necesitar espacio» fuera un eufemismo espantoso para decir «estoy taaaan harto». Eso habría podido ser una pista, pero en este caso iba mucho más allá.

Grace ya estaba en su casa. Había murmurado unas disculpas a Perlmutter y Daley. Los dos hombres la miraron con cara de pena y le dijeron que esas cosas formaban parte de su trabajo y que lo sentían. Grace movió la cabeza en un solemne gesto de asentimiento y se dirigió a la puerta.

Con esa llamada, había averiguado algo crucial.

Jack tenía problemas.

Grace no había exagerado. La desaparición de Jack no se debía a que hubiera huido de ella o al miedo al compromiso. No había sido algo planeado ni esperado. Tampoco había ocurrido por casualidad. Ella había recogido la foto en la tienda. Jack la había visto y se había ido corriendo.

Y ahora estaba en grave peligro.

Le habría sido imposible explicárselo a la policía. Para empezar, no la habrían creído. Le habrían dicho que deliraba o que era de una ingenuidad rayana en la deficiencia mental. Tal vez no a la cara. Tal vez le habrían seguido la corriente, y eso habría sido, además de irritante, una pérdida de tiempo. Ya presuponían que Jack la había abandonado antes de la llamada. Su explicación no los habría hecho cambiar de opinión.

Y tal vez mejor así.

Grace intentó leer entre líneas. Jack mostró preocupación cuando supo que había intervenido la policía. Eso era evidente. Cuando ella dijo que estaba en la comisaría, el pesar en su voz fue real. No lo fingió.

Espacio.

Ésa era la principal pista. Si él simplemente le hubiese dicho que iba a pasar unos días fuera, porque necesitaba poner en orden sus ideas, o que se había fugado con una cabaretera que había conocido en el Satin Dolls, bueno, quizá no le hubiese creído, pero habría estado dentro de lo posible. Pero Jack no había dicho eso. Había dado razones específicas para su desaparición. Incluso se había repetido.

Jack necesitaba espacio.

Los códigos de parejas. Todas los tienen. La mayoría eran bastante absurdos. Por ejemplo, había una escena de una película de Billy Crystal, *El showman de los sábados* donde el cómico al que interpretaba Crystal —Grace no se acordaba del nombre, apenas se acordaba de la película— señalaba a un viejo con un peluquín espantoso y decía: «¿Eso es un peluquín? Yo sin ir más lejos creía que era su pelo auténtico». Así que ahora, cada vez que Jack y ella veían a un hombre que tal vez llevaba peluquín, uno se volvía hacia el otro y preguntaba: «¿Yo sin ir más lejos?». Y el otro coincidía o no. Grace y Jack empezaron a usar «Yo sin ir más lejos» para otras mejoras estéticas: operaciones de nariz, implantes de pecho, cualquier cosa.

El origen de «Necesito espacio» era un poco más subido de tono.

Pese al apuro en que se encontraba, Grace no pudo evitar sonrojarse al recordarlo. El sexo siempre había ido bien con Jack, pero en toda relación larga se producen altibajos. Esto sucedió dos años antes, en una época... bueno, una época de considerable auge. Un periodo de una mayor creatividad corpórea, por llamarlo de algún modo. De creatividad pública, para ser más concretos.

Habían echado un polvo rápido en el vestuario de una de esas peluquerías elegantes. Se habían magreado debajo de los abrigos en un palco privado durante un fastuoso musical de Broadway. Pero fue en medio de un encuentro especialmente atrevido en una cabina de teléfono roja al estilo inglés situada nada menos que en una tranquila calle de Allendale, en Nueva Jersey, cuando de pronto Jack dijo jadeando:

—Necesito espacio.

Grace lo miró.

—¿Cómo dices?

—Lo digo literalmente. ¡Apártate! ¡Se me está clavando el auricular del teléfono en el cuello!

Los dos se echaron a reír. Ahora Grace cerró los ojos, con una tenue sonrisa en los labios. Fue así como «Necesito espacio» se sumó a su lenguaje conyugal privado. Jack no había usado esa frase porque sí. Le estaba enviando un mensaje, advirtiéndole, comunicándole que estaba diciendo algo que no era verdad.

Bien, pero ¿qué había querido decir entonces?

Para empezar, Jack no podía hablar libremente. Alguien lo escuchaba. ¿Quién? ¿Había otra persona con él? ¿O se asustó porque ella estaba con la policía? Esperaba que fuera esto último, que estuviera solo y simplemente no quisiera que la policía interviniese.

Pero tras analizar las circunstancias, esa posibilidad le pareció poco probable.

Si Jack hubiese podido hablar con entera libertad, ¿por qué no había vuelto a llamarla? Sin duda sabía que ella se habría ido ya de la comisaría. Si hubiese estado bien, si hubiese estado solo, Jack habría vuelto a llamarla, sólo para explicarle qué ocurría. Y no lo había hecho.

Conclusión: Jack estaba con alguien y en un serio apuro.

¿Quería que ella reaccionara o que no se mantuviera al margen? De la misma manera que ella conocía a Jack —de la misma manera que sabía que él le había enviado una señal—, Jack imaginaría que Grace no se quedaría de brazos cruzados. Ella no era así. Eso Jack lo sabía. Ella intentaría encontrarlo.

Jack debía de contar con eso.

Pero todo eso no eran más que conjeturas, claro. Conocía bien a su marido —¿o tal vez no?—, y por tanto sus conjeturas no eran sólo fruto de su imaginación. Pero quizá sí lo fueran en parte y simplemente intentaba justificar su decisión de actuar.

Daba igual. En cualquier caso, estaba involucrada.

Grace pensó en lo que sabía. Jack había llegado en coche hasta la autopista de Nueva York. ¿A quién conocían por esa zona? ¿Por qué había ido hasta allí a esas horas de la noche?

No tenía ni idea.

Un momento.

Volvamos al principio: Jack llega a casa. Ve la foto. Ése fue el desencadenante. La foto. La ve en la encimera de la cocina. Ella le pregunta al respecto. Él recibe una llamada de Dan. Y se va a su despacho...

Alto ahí. El despacho.

Grace recorrió el pasillo a toda prisa. Describir como «despacho» aquel porche cerrado y reconvertido era mucho decir. El yeso presentaba grietas en distintos sitios. En invierno siempre había corrientes y en verano una ausencia sofocante de aire. Contenía fotos de los niños en marcos baratos y dos de sus cuadros en marcos caros. A ella ese despacho le parecía curiosamente impersonal. Nada allí reflejaba el pasado de su principal ocupante: ningún recuerdo, ninguna pelota firmada por los amigos, ninguna foto de cuatro personas en un campo de golf. Salvo los regalos de algún que otro laboratorio farmacéutico —bolígrafos, cuadernos, un sujetapapeles—, no había la menor pista acerca de quién era realmente Jack, aparte de marido, padre e investigador.

Pero tal vez no tenía por qué haber nada más.

Fisgoneando allí, Grace se sintió extraña. Se habían mantenido firmes, pensó, en su respeto por la intimidad del otro. Cada uno tenía una habitación propia que excluía al otro. A Grace siempre le había parecido bien. Incluso se había convencido de que era sano. Ahora se preguntaba si no había preferido mirar en otra dirección. Se preguntaba si había sido por el deseo de dejar intimidad a Jack —¡porque necesitaba espacio!— o por miedo a hurgar en un avispero.

El ordenador estaba encendido y conectado a Internet. La página por defecto de Jack era la web oficial de Grace Lawson. Grace se quedó mirando la silla un momento, la silla gris ergonómica de la tienda local de Staples, e imaginó a Jack sentado allí, encendiendo el ordenador cada mañana, con la cara de ella saludándolo. La página de inicio tenía una foto espléndida de Grace junto con varias muestras de su obra. Farley, su agente, había insistido recientemente en que incluyera la foto en todo el material de venta porque, como dijo, «eres una monada». Ella aceptó a regañadientes. En el arte siempre se había utilizado la imagen personal para promocionar la obra. En teatro y en cine, la importancia del aspecto físico era evidente. Incluso los escritores, con sus retratos retocados, los ojos oscuros y apasionados del último prodigio de la literatura, comerciaban con la imagen. Pero el mundo de Grace —la pintura— se había mantenido bastante inmune a esa presión, pasando por alto la belleza física del creador, tal vez porque el medio en sí tenía que ver con lo físico.

Pero eso ya no era así.

Un artista valora la importancia de lo estético, obviamente. La estética no sólo altera la percepción; altera la realidad. Un buen ejemplo: si Grace hubiese sido gorda o fea, los equipos de televisión no habrían estado tan pendientes de sus constantes vitales después de salir con vida de la Matanza de Boston. Si no hubiese sido físicamente atractiva, nunca la habrían adoptado como la «superviviente del pueblo», el «Ángel Aplastado» inocente, como la llamaron en el titular de un periódico. Cada vez que los medios daban el parte médico, difundían su imagen. La prensa —no, el país— exigía información continua sobre su estado. Las familias de las víctimas la visitaban en su habitación, le hacían compañía, buscaban en su cara la presencia fantasmal de sus propios hijos perdidos.

¿Habrían hecho lo mismo si ella no hubiese sido guapa?

Grace no quería especular. Pero como le había dicho un crítico de arte demasiado sincero: «No nos interesa una pintura que no atraiga estéticamente. ¿Por qué habría de ser distinto con una persona?».

Grace quería ser artista ya antes de la Matanza de Boston. Pero le faltaba algo: algo esquivo e imposible de explicar. Esa experiencia la ayudó a llevar su sensibilidad artística a un nivel superior. Sí, sabía que eso sonaba pretencioso. Antes desdeñaba las disquisiciones de las escuelas de arte al respecto: si el artista tiene que sufrir por su arte, si necesita una tragedia para dar textura a su obra. Siempre le había parecido un discurso vacuo, pero ahora entendía que tenía algo de cierto.

Sin cambiar de punto de vista de manera consciente, su obra desarrolló ese vago elemento intangible. Transmitía más emoción, más vida, más... convulsión. Su obra se volvió más oscura, furiosa, vívida. La gente a menudo se preguntaba si había pintado escenas de ese terrible día. La respuesta más simple era aludir a un único retrato —un rostro joven, tan lleno de esperanza que uno sabía que se truncaría—, pero si debía contestar con mayor sinceridad, lo cierto era que la Matanza de Boston teñía y coloreaba todo aquello que ella tocaba.

Grace se sentó ante el escritorio de Jack. Tenía el teléfono a la derecha. Tendió la mano cuando decidió hacer primero lo más sencillo: pulsar el botón de rellamada. El aparato —un modelo nuevo de Panasonic que Grace había comprado en un Radio Shack— incorporaba una pantalla LCD donde se mostraba el número marcado. El prefijo 212. Nueva York. Esperó. Al sonar por tercera vez, respondió una mujer y dijo:

—Burton y Crimstein, bufete de abogados.

Grace no supo qué hacer.

—¿Diga?

—Soy Grace Lawson.

—¿Con quién desea hablar?

Buena pregunta.

—¿Cuántos abogados trabajan en el bufete?

—No sabría decirle. ¿Quiere que le ponga con uno?

—Sí, por favor.

Se produjo una pausa. La voz adquirió ese tono de impaciencia de quien intenta ser atento.

—¿Con alguno en particular?

Grace miró la pantalla del teléfono. Había demasiados números. Ahora lo veía. Los números para las llamadas interurbanas solían ser de once cifras. Pero aquí había quince, incluido un asterisco. Se quedó pensando. Si Jack había hecho esa llamada, habría sido tarde por la noche. Las recepcionistas ya se habrían marchado. Jack debió de pulsar el asterisco y el número de la extensión.

—¿Señora?

—Póngame con la extensión cuatro seis tres —dijo, leyendo los números en la pantalla.

—Le paso.

El teléfono sonó tres veces.

—Línea de Sandra Koval.

—Con la señora Koval, por favor.

—¿De parte de quién?

—Me llamo Grace Lawson.

—¿Y cuál es el motivo de su llamada?

—Mi marido, Jack.

—Un momento, por favor.

Grace apretó el auricular. Al cabo de medio minuto, la voz volvió a hablar.

—Lo siento. La señora Koval está reunida.

—Es urgente.

—Lo siento...

—Sólo necesito que me conceda un minuto. Dígale que es muy importante.

Siguió un suspiro intencionadamente audible.

—Un momento, por favor.

La música de espera era una versión para hilo musical de *Smells Like Teen Spirit* de Nirvana. Resultaba curiosamente relajante.

—¿En qué puedo ayudarla? —preguntó una voz con profesional laconismo.

—¿Señora Koval?

—¿Sí?

—Soy Grace Lawson.

—¿Qué desea?

—Mi marido Jack Lawson llamó ayer a su despacho.

Ella no contestó.

—Ha desaparecido.

—¿Cómo?

—Mi marido ha desaparecido.

—Lo siento, pero no veo...

—¿Sabe usted dónde está, señora Koval?

—¿Y yo cómo quiere que lo sepa?

—Anoche hizo una llamada. Antes de desaparecer.

—¿Y?

—He pulsado el botón de rellamada y me ha salido su número.

—Señora Lawson, en este bufete trabajan más de doscientos abogados. Pudo haber llamado a cualquiera de ellos.

—No. Aquí consta su extensión, en la pantalla del aparato. La llamó a usted.

Silencio.

—¿Señora Koval?

—Estoy aquí.

—¿Por qué la llamó mi marido?

—No tengo nada más que decirle.

—¿Sabe dónde está?

—Señora Lawson, ¿conoce usted el compromiso de confidencialidad de un abogado con su cliente?

—Por supuesto.

Más silencio.

—¿Me está diciendo que mi marido la llamó para que lo asesorara?

—No puedo hablar de esto con usted. Adiós.

9

Grace no tardó en atar cabos.

Internet puede ser una herramienta maravillosa cuando se usa bien. Grace había tecleado las palabras «Sandra Koval» en Google, buscando por páginas web, grupos de noticias e imágenes. Consultó la página de Burton y Crimstein. Incluía biografías de todos sus abogados. Sandra Koval cursó sus primeros años de carrera en Northwestern y obtuvo el título de abogada en la Universidad de California, en Los Ángeles. Calculando a partir del año de licenciatura, Sandra Koval debía de rondar los cuarenta y dos años. Según la página, estaba casada con un tal Harold Koval. Tenían tres hijos.

Vivían en Los Ángeles.

Eso había sido la señal delatora.

Grace había investigado un poco más, en parte de la manera tradicional: por teléfono. Las piezas empezaron a encajar. El problema era que la imagen resultante no tenía sentido.

En coche, tardó menos de una hora en llegar a Manhattan. La recepción de Burton y Crimstein estaba en la quinta planta. La recepcionista y guardia de seguridad le sonrió con la boca cerrada.

—¿Sí?

—Soy Grace Lawson y quiero ver a Sandra Koval.

La recepcionista llamó por teléfono y habló en voz muy baja, apenas un susurro. Poco después dijo:

—La señora Koval la atenderá enseguida.

Grace se sorprendió. Iba preparada para lanzar amenazas o soportar una larga espera. Sabía qué aspecto tenía Koval —había visto una foto suya en la página de Burton y Crimstein—, así que incluso había aceptado la posibilidad de tener que abordarla cuando se marchase.

Al final, Grace había decidido arriesgarse e ir a Manhattan sin previo aviso. No sólo creía que necesitaba el factor sorpresa, sino que realmente quería enfrentarse con Sandra Koval cara a cara. Movida por la necesidad, o por la curiosidad, Grace tenía que ver a esa mujer con sus propios ojos.

Todavía era pronto. Emma iba a casa de una amiga después de la escuela y Max asistía a un «taller de enriquecimiento» extraescolar. No tenía que recoger a ninguno de los dos hasta pasadas varias horas.

La recepción de Burton y Crimstein era en parte el clásico entorno de abogados al estilo europeo —suntuosos muebles de caoba, una moqueta magnífica, sillas tapizadas, en suma la clase de decoración que anuncia el nivel de la minuta— y en parte una especie de réplica de la pared de famosos del restaurante Sardi. Adornaban las paredes numerosas fotografías, en su mayoría de Hester Crimstein, la famosa abogada de televisión. Crimstein tenía un programa en el canal especializado en temas judiciales al que sagazmente habían titulado *Crimstein sobre el crimen*. Las fotos mostraban a la señora Crimstein con diversos actores, políticos, clientes y distintas combinaciones de los tres.

Mientras Grace miraba una foto de Hester Crimstein de pie junto a una atractiva mujer de piel aceitunada, una voz dijo a sus espaldas:

—Es Esperanza Díaz, una luchadora profesional acusada falsamente de asesinato.

Grace se volvió.

—La Pequeña Pocahontas —dijo.

—¿Cómo?

Grace señaló la foto.

—Su nombre de luchadora. Era Pequeña Pocahontas.

—¿Y cómo lo sabe?

Grace se encogió de hombros.

—Soy un cúmulo de datos inútiles.

Grace se quedó mirando fijamente a Sandra Koval por un momento. Ésta se aclaró la garganta y consultó su reloj con un gesto ostensible.

—No tengo mucho tiempo. Acompáñeme, por favor.

Ninguna de las dos habló mientras recorrían el pasillo y entraban en una sala de reuniones. Había una mesa larga, unas veinte sillas y, en medio, uno de esos teléfonos de manos libres grises que se parecen sospechosamente a un pulpo. En un rincón, un aparador ofrecía diversos refrescos y agua mineral.

Sandra Koval mantuvo las distancias. Se cruzó de brazos e hizo un gesto que daba a entender: «¿Y bien?».

—La he investigado —dijo Grace.

—¿Quiere sentarse?

—No.

—¿Le importa si me siento yo?

—Usted misma.

—¿Quiere tomar algo?

—No.

Sandra Koval se sirvió una coca-cola light. Más que guapa, era lo que se llamaría una mujer atractiva. Su pelo encanecía de una manera que le sentaba bien. Tenía una figura esbelta, labios carnosos. Adoptaba la pose de quien se come el mundo, como quien insinúa a sus adversarios que se siente cómoda consigo misma y está más que dispuesta a entablar una batalla.

—¿Por qué no está en su despacho? —preguntó Grace.

—¿No le gusta esta sala?

—Es un poco grande.

Sandra Koval se encogió de hombros.

—Usted no tiene un despacho aquí, ¿verdad?

—Dígamelo usted.

—Cuando he llamado, me han contestado «Línea de Sandra Koval».

—Ya.

—Han dicho «línea». No despacho.

—¿Y eso tiene que significar algo?

—En sí mismo, no —contestó Grace—. Pero he consultado la

página web del bufete. Usted vive en Los Ángeles. Cerca de la oficina de Burton y Crimstein en la costa oeste.

—Cierto.

—Ésa es su base. Aquí está de visita. ¿Por qué?

—Por un caso que llevo —dijo la abogada—. Un hombre inocente acusado injustamente.

—¿No lo son todos?

—No —contestó despacio Sandra Koval—. No todos.

Grace se acercó más a ella.

—Tú no eres la abogada de Jack —dijo—. Eres su hermana.

Sandra Koval fijó la mirada en su coca-cola.

—He llamado a tu facultad de derecho. Han confirmado mi sospecha. Sandra Koval es tu nombre de casada. La mujer que se licenció allí era Sandra Lawson. Lo he comprobado en LawMar Securities, la empresa de tu abuelo. Sandra Koval figura como miembro del consejo de administración.

Sandra Koval sonrió sin alegría.

—Vaya, veo que eres una pequeña Sherlock.

—Así que, ¿dónde está? —preguntó Grace.

—¿Cuánto tiempo lleváis casados?

—Diez años.

—¿Y en todo ese tiempo cuántas veces ha hablado Jack de mí?

—Prácticamente nunca —admitió Grace.

Sandra Koval extendió las manos.

—Pues ahí tienes. ¿Por qué habría de saber dónde está?

—Porque te llamó.

—Eso es lo que tú dices.

—Pulsé el botón de rellamada.

—Ya, es lo que me has dicho por teléfono.

—¿Quieres decir que no te llamó?

—¿Cuándo se supone que tuvo lugar esa llamada?

—¿Se supone?

Sandra Koval se encogió de hombros.

—Siempre tiene que salir la abogada.

—Anoche —dijo Grace—. A eso de las diez.

—Pues ya tienes la respuesta. Yo no estaba aquí.

—¿Dónde estabas?

—En mi hotel.
—Pero Jack llamó a tu extensión.
—Si lo hubiese hecho, nadie habría descolgado. No a esa hora. Habría saltado el contestador.
—¿Hoy has escuchado los mensajes?
—Claro. Y no, no había ninguno de Jack.
Grace intentó asimilarlo.
—¿Cuándo fue la última vez que hablaste con Jack?
—Hace mucho tiempo.
—¿Cuánto?
Apartó la mirada.
—No hemos vuelto a hablar desde que se fue al extranjero.
—De eso hace quince años.
Sandra Koval bebió otro sorbo.
—¿Cómo es que sabía tu número de teléfono? —preguntó Grace.
No contestó.
—Vivís en el doscientos veintiuno de North End Avenue, Kasselton. Tenéis dos líneas de teléfono, una de voz y otra de fax. —Sandra repitió los dos números de memoria.
Las dos mujeres se miraron fijamente.
—Pero ¿nunca has llamado?
—Nunca.
El teléfono de manos libres chirrió.
—¿Sandra?
—Sí.
—Hester quiere verte en su despacho.
—Ahora voy. —Sandra Koval apartó la mirada—. Tengo que irme.
—¿Por qué intentó llamarte Jack?
—No lo sé.
—Tiene problemas.
—Eso dices tú.
—Ha desaparecido.
—No por primera vez, Grace.
Ahora la sala parecía más pequeña.
—¿Qué pasó entre Jack y tú?
—No soy yo quien debe contarlo.

—Y una mierda.
Sandra cambió de posición en la silla.
—¿Has dicho que ha desaparecido?
—Sí.
—¿Y Jack no te ha llamado?
—Pues de hecho, sí.
Eso la desconcertó.
—Y al llamar, ¿qué ha dicho?
—Que necesitaba espacio. Pero no quería decir eso. Era en clave.
Sandra hizo una mueca. Grace sacó la foto y la puso en la mesa. La sala pareció quedarse sin aire. Sandra Koval bajó la mirada y Grace advirtió que daba un respingo.
—¿Y esto qué coño es?
—¡Qué curioso! —exclamó Grace.
—¿Qué?
—Jack dijo exactamente lo mismo cuando la vio.
Sandra seguía mirando la foto.
—Es él, ¿no? —preguntó Grace—. ¿En medio, con barba?
—No lo sé.
—Claro que lo sabes. ¿Quién es la rubia que está a su lado?
Grace puso la foto ampliada de la joven en la mesa. Sandra Koval alzó la vista.
—¿De dónde las has sacado?
—De Photomat —se apresuró a responder Grace. A Sandra Koval se le ensombreció el rostro. No se lo creyó—. Es Jack, ¿sí o no?
—La verdad es que no lo sé. Nunca lo he visto con barba.
—¿Por qué te llamó justo después de ver esta foto?
—No lo sé, Grace.
—Mientes.
Sandra Koval se puso en pie con un esfuerzo.
—Tengo una reunión.
—¿Qué le ha pasado a Jack?
—¿Por qué estás tan segura de que no se ha fugado?
—Estamos casados. Tenemos dos hijos. Sandra, tienes una sobrina y un sobrino.
—También tenía un hermano —replicó ella—. Tal vez ninguna de las dos lo conozcamos bien.

—¿Lo quieres?
Sandra se quedó inmóvil, con los hombros encorvados.
—Déjalo estar, Grace.
—No puedo.
Meneando la cabeza, Sandra se dirigió hacia la puerta.
—Pienso encontrarlo —dijo Grace.
—No cuentes con ello.
Y salió.

10

«Vamos —pensó Charlaine—, no te metas donde no te llaman.»

Corrió las cortinas y volvió a ponerse los vaqueros y el jersey. Guardó el camisón en el fondo del cajón después de doblarlo parsimoniosamente, con mucho cuidado, sin saber muy bien por qué. Como si Freddy fuera a darse cuenta de que estaba arrugado.

Cogió una botella de agua con gas y la mezcló con un poco de zumo Twister de su hijo. Charlaine se sentó en un taburete junto a la encimera de mármol. Se quedó mirando el vaso. Trazó curvas con el dedo en la superficie empañada. Echó un vistazo a la nevera empotrada, el nuevo modelo 690 con puerta de acero inoxidable. No había nada en ella: ningún dibujo de los niños, ninguna foto de la familia, ni manchas de dedos, ni siquiera imanes. Cuando tenían la vieja Westinghouse amarilla, la puerta estaba cubierta de cosas. Había vitalidad y color. La cocina reformada, la que tanto había anhelado, ahora se le antojaba estéril, mortecina.

¿Quién era el asiático al volante del coche de Freddy?

No es que lo tuviese vigilado, pero desde luego Freddy recibía muy pocas visitas. De hecho, no recordaba haber visto nunca a nadie. Eso no significaba que no recibiera ninguna, claro. Ella no se pasaba todo el día atenta a lo que ocurría en la otra casa. No obstante, un barrio tenía su propia rutina. Unas determinadas vibraciones, por así decirlo. Un barrio era una entidad, un cuerpo, y cuando había algo fuera de lugar, se notaba.

El hielo de su bebida se fundía. Charlaine aún no había tomado siquiera un sorbo. Debía ir al supermercado. Las camisas de Mike estarían listas para recoger en la lavandería. Había quedado a comer con su amiga Myrna en el Baumgart's de Franklin Avenue. Clay tenía karate con el maestro Kim después de la escuela.

Pensó en la lista de tareas pendientes e intentó fijarse un orden. Todo trivialidades. ¿Le daría tiempo de ir al supermercado y volver a casa antes de comer? Seguramente no. Y los congelados no podían quedarse en el coche. Eso tendría que esperar.

Dejó de darle vueltas a eso. Ya estaba bien.

A esas horas Freddy ya debía de estar en el trabajo.

Siempre había sido así. Su perverso baile duraba desde las diez hasta las diez y media más o menos. A las once menos cuarto, Charlaine oía abrirse la puerta del garaje y veía salir el Honda Accord. Freddy trabajaba, como Charlaine sabía, en H&R Block. La oficina se hallaba en el mismo centro comercial que el Blockbuster donde ella alquilaba los DVD. Tenía el escritorio junto a la ventana. Ella evitaba pasar por delante, pero a veces, cuando aparcaba, veía a Freddy mirar por la ventana, abstraído, con un lápiz apoyado en los labios.

Charlaine encontró las páginas amarillas y buscó el número de teléfono. Un hombre que se identificó como el supervisor dijo que el señor Sykes no había llegado pero lo esperaban de un momento a otro. Ella fingió decepción.

—Me dijo que estaría a esta hora. ¿No suele llegar a las once?

El supervisor reconoció que sí.

—¿Y dónde está? Realmente necesito esas cifras.

El supervisor se disculpó y le aseguró que el señor Sykes la llamaría en cuanto llegara a la oficina. Charlaine colgó.

¿Y ahora qué?

Presentía aún que allí ocurría algo raro.

Pero ¿qué más daba? En todo caso, ¿qué significaba Freddy Sykes para ella? Nada. En cierto modo, menos que nada. Era un recordatorio de sus fracasos. Era un síntoma de lo patética que se había vuelto. No le debía nada. Además, ¿y si por curiosear acababan descubriéndola? ¿Si de algún modo la verdad salía a la luz?

Charlaine miró hacia la casa de Freddy. Si la verdad saliera a la luz...

Por alguna razón, eso ya no le preocupaba tanto.

Cogió su abrigo y se dirigió hacia la casa de Freddy.

11

Eric Wu había visto a la mujer en camisón junto a la ventana.

La noche anterior había sido larga para Wu. No había previsto intromisiones, y si bien el hombre corpulento —según el billetero se llamaba Rocky Conwell— no había representado ninguna amenaza, Wu ahora tenía que deshacerse del cadáver y de otro coche. Eso significaba volver a Central Valley, en Nueva York.

Lo primero era lo primero. Metió a Rocky Conwell en el maletero de su Toyota Celica. A Jack Lawson, a quien había dejado antes en el maletero del Honda Accord, lo pasó al del Ford Windstar. Tras esconder los cuerpos, Wu cambió las placas de las matrículas, se deshizo de los tacs y volvió a Ho-Ho-Kus al volante del Ford Windstar. Aparcó el monovolumen en el garaje de Freddy Sykes. Tuvo tiempo de sobra de coger un autobús de regreso a Central Valley. Allí registró el coche de Conwell. Tras eliminar toda posible seña de identidad, lo llevó al aparcamiento suburbano de la Carretera 17. Encontró una plaza apartada cerca de la valla. Un coche aparcado allí varios días seguidos, incluso semanas, no era nada fuera de lo normal. Al final, el olor llamaría la atención, pero eso no ocurriría de manera inmediata.

El aparcamiento estaba a sólo cinco kilómetros de la casa de Sykes en Ho-Ho-Kus. Wu volvió a pie. A primera hora de la mañana siguiente, se levantó y cogió el autobús de vuelta a Central Valley. Recogió el Honda Accord de Sykes. En el camino de vuelta, dio un pequeño rodeo para pasar por delante de la casa de los Lawson.

Había un coche de la policía estacionado en el camino de entrada.

Wu se quedó pensando. No le preocupaba demasiado, pero tal vez debía atajar de buen principio toda intervención policial. Sabía exactamente cómo hacerlo.

Volvió a casa de Freddy y encendió el televisor. A Wu le gustaba la televisión de horario diurno. Le encantaban los programas de entrevistas como *Springer* y *Ricki Lake*. Mucha gente los despreciaba, pero Wu no. Sólo una sociedad realmente genial, una sociedad libre, podía permitir que se emitiesen semejantes tonterías. Pero sobre todo era porque la estupidez hacía feliz a Wu. Las personas eran como ovejas. Cuanto más débiles, más fuerte se sentía él. ¿Qué podía haber más reconfortante y entretenido?

Durante la publicidad —el tema del programa, según un rótulo en el borde inferior de la pantalla, era: «¡Mamá no me deja ponerme un arete en el pecho!»—, Wu se levantó. Había llegado el momento de ocuparse del problema potencial con la policía.

Wu no tuvo que tocar siquiera a Jack Lawson. Le bastó con pronunciar una sola frase: «Sé que tienes dos hijos».

Lawson cooperó. Llamó al móvil de su mujer y le dijo que necesitaba espacio.

A las once menos cuarto —mientras veía pelearse a una madre y una hija en un escenario ante una multitud que coreaba «¡Jerry! ¡Jerry!»— recibió una llamada de un conocido de la cárcel.

—¿Todo bien?

Wu dijo que sí.

Luego sacó el Honda Accord del garaje. Mientras lo hacía, vio a la vecina de pie junto a la ventana. Llevaba un camisón corto. Wu no le habría dado mayor importancia a ese hecho —una mujer en prendas íntimas a las diez de la mañana— si no hubiese sido por que ella de repente se agachó...

Podría haber sido una reacción natural: una persona se pasea en ropa interior, olvidándose de correr la cortina, y de pronto ve a un desconocido. Mucha gente, quizá la mayoría, se apartaría o taparía. Así que tal vez no era nada.

Pero la mujer se había movido muy deprisa, como asustada. Más aún, no se había movido cuando salió el coche, sino sólo cuando vio a Wu. Si hubiese temido que la viesen, ¿no habría corrido la cortina o se habría agachado en cuanto oyó o vio el coche?

Wu caviló. De hecho, llevaba todo el día cavilando.

Cogió el móvil y pulsó el botón para marcar el número de la última llamada recibida.

—¿Algún problema? —preguntó una voz.

—No lo creo. —Wu dio media vuelta y se encaminó otra vez hacia la casa de Sykes—. Pero es posible que me retrase.

12

Grace no quería hacer la llamada.

Seguía en Nueva York. Estaba prohibido hablar por un móvil mientras se conducía a menos que fuese un manos libres, pero no era ése el motivo de sus dudas. Sujetando el volante con una mano, buscó a tientas con la otra por el suelo del coche. Encontró el auricular, consiguió desenredar el cable y se lo introdujo en el oído.

¿Se suponía que eso era más seguro que el móvil?

Encendió el teléfono. Aunque hacía años que Grace no llamaba a ese número, todavía lo tenía en su agenda. Para emergencias, suponía. Como ésa.

Descolgaron tras sonar una sola vez.

—Diga.

Ningún nombre. Ningún saludo. Ninguna identificación de empresa.

—Soy Grace Lawson.

—Un momento.

No tuvo que esperar mucho. Primero Grace oyó interferencias y luego:

—¿Grace?

—Hola, señor Vespa.

—Por favor, llámame Carl.

—Sí, Carl.

—¿Has oído mi mensaje? —preguntó él.

—Sí. —No le dijo a Carl Vespa que no era ésa la razón de su llamada. Se oía un eco en la línea. Preguntó—: ¿Dónde estás?

—En mi avión privado. Estamos a una hora de Stewart, más o menos.

Stewart era una base aérea militar y un aeropuerto civil situado aproximadamente a una hora y media de la casa de Grace.

Silencio.

—¿Ocurre algo, Grace?

—Me dijiste que te llamara si alguna vez necesitaba algo.

—Y ahora, después de quince años, ¿necesitas algo?

—Creo que sí.

—Bien. No habrías podido ser más oportuna. Quiero enseñarte algo.

—¿Qué es?

—Oye, ¿estás en casa?

—A punto de llegar.

—Te recogeré dentro de dos horas o dos horas y media. Hablaremos entonces, ¿de acuerdo? ¿Tienes a alguien que te cuide los niños?

—Encontraré a alguien.

—Si no, puedo dejar a mi ayudante en tu casa. Hasta luego.

Carl Vespa colgó. Grace siguió conduciendo. Se preguntó qué querría Carl Vespa ahora. Se preguntó si, para empezar, había hecho bien en llamar. Volvió a pulsar el primer número de las llamadas automáticas —el móvil de Jack—, pero siguió sin contestar.

A Grace se le ocurrió otra idea. Llamó a su amiga «antitríos», Cora.

—¿Verdad que saliste con un tío que se dedicaba al envío de spam por correo electrónico? —preguntó Grace.

—Pues sí —contestó Cora—. Un obseso que se llamaba... no te lo pierdas... Gus. No sabes lo que me costó quitármelo de encima. Tuve que usar mi propia versión de arma antibúnker.

—¿Y qué hiciste?

—Le dije a Gus que tenía el pito pequeño.

—Uf.

—Como te decía, el arma antibúnker. Es infalible, pero suele haber... esto... daños colaterales.

—Puede que necesite su ayuda.

—¿Cómo?

Grace no sabía cómo explicarlo. Decidió centrarse en la rubia de la cara tachada, la que estaba segura de haber visto antes.

—Encontré una foto... —empezó.

—Ya.

—Y sale una mujer, de unos veinte años.

—Ajá.

—Es una foto vieja. Tendrá unos quince o veinte años. La cuestión es que necesito averiguar quién es esa chica. He pensado que a lo mejor podría enviarla a través de un spam, preguntando si alguien puede identificar a la chica para un proyecto de investigación o algo así. Sé que la mayoría de la gente borra esos mensajes, pero si unos pocos lo ven... no sé, a lo mejor alguien contesta.

—Es una posibilidad entre mil.

—Sí, lo sé.

—Y además, hablando de obsesos que salen como setas, ya te puedes imaginar las respuestas.

—¿Se te ocurre alguna idea mejor?

—No, la verdad es que no. Podría dar resultado, supongo. Por cierto, ¿te has fijado en que no te he preguntado por qué necesitas averiguar la identidad de una mujer de una foto de hará quince o veinte años?

—Sí.

—Sólo quería que te constase.

—Me consta. Es una historia muy larga.

—¿Necesitas contársela a alguien?

—Es posible. También es posible que necesite que alguien se quede con los niños un par de horas.

—Estoy disponible y sola. —Pausa—. Diablos, tengo que dejar de decir eso.

—¿Dónde está Vickie? —Vickie era la hija de Cora.

—Esta noche duerme en la McMansión con mi ex y la cara de caballo de su mujer. O como yo prefiero decir, duerme en el búnker de Adolf y Eva.

Grace consiguió esbozar una sonrisa.

—Tengo el coche en el taller —dijo Cora—. ¿Puedes venir a buscarme de camino?

—Pasaré después de recoger a Max.

Grace fue a buscar a su hijo a la salida del taller de enriquecimiento Montessori. Max estaba al borde de las lágrimas porque había perdido varios cromos de Yu-Gi-Oh! en un juego tonto con un compañero de clase. Grace intentó animarlo, pero él no estaba de humor. Desistió. Lo ayudó a ponerse la chaqueta. Le faltaba el gorro. También un guante. Otra madre sonreía y silbaba mientras envolvía a su niño en una bufanda, un gorro y, cómo no, unos guantes de lana a juego de varios colores (todo tejido a mano, seguro). Miró a Grace y fingió una sonrisa comprensiva. Grace no conocía a esa mujer, pero le despertó una profunda antipatía.

Ser madre, pensó Grace, se parecía mucho a ser artista: una se sentía siempre insegura, falsa, sabía que las demás son mejores. Esas madres que prodigaban obsesivas atenciones a sus hijos, esas que realizaban sus monótonas tareas con una sonrisa de mujer perfecta en los labios y una paciencia sobrenatural, en fin, esas madres que siempre, *siempre*, tenían a mano el material adecuado para la actividad extraescolar ideal... eran, sospechaba Grace, mujeres profundamente trastornadas.

Cora esperaba en el camino de entrada de su casa, pintada de un rosa chicle. Todos los vecinos de la calle detestaban el color. Una en particular, una cursi llamada muy apropiadamente Missy, se dedicó durante una época a recoger firmas para exigirle a Cora que cambiase de color. Grace encontró a Missy *la Cursi* pasando la hoja en un partido de fútbol del primer curso, le pidió que se lo enseñara y lo rompió, tras lo cual se dio media vuelta y se fue.

El color tampoco entusiasmaba a Grace, pero las Missys de este mundo debían tomar buena nota: más les valía enmendarse.

Cora se acercó tambaleándose con sus tacones de aguja. Iba vestida con un poco más de recato —una sudadera encima de unos leotardos— pero en realidad daba igual. Algunas mujeres rezumaban sexo aunque se vistieran con un saco de arpillera. Cora era una de ellas. Cuando se movía, se formaban curvas nuevas incluso mientras desaparecían las anteriores. Cada frase pronunciada con su voz ronca, por inofensiva que fuera, parecía tener doble sentido. Cada movimiento de la cabeza parecía una invitación.

Cora entró en el coche y se volvió hacia Max.

—Hola, guapetón.

Max gruñó, sin alzar la vista.

—Igual que mi ex. —Cora se dio la vuelta—. ¿Tienes la foto?

—Sí.

—He llamado a Gus. Lo hará.

—¿Le has prometido algo a cambio?

—¿Te acuerdas de lo que te dije sobre el síndrome de la quinta cita? Bien pues... ¿estás libre el sábado por la noche?

Grace la miró fijamente.

—Es broma.

—Ya lo sabía.

—En fin, la cuestión es que Gus me ha dicho que escanees la foto y se la envíes por e-mail. Puede abrirte una cuenta con una dirección de correo electrónico anónima para que recibas las respuestas. Nadie sabrá quién eres. Lo acompañaremos de un texto muy escueto; sólo diremos que un periodista está escribiendo un artículo y necesita conocer el origen de la foto. ¿Te parece bien?

—Sí, gracias.

Llegaron a la casa. Max subió al primer piso y luego gritó:

—¿Puedo ver la tele?

Grace accedió. Como todos los padres, Grace imponía estrictas reglas respecto a la televisión, prohibiendo a sus hijos verla durante el día. Como todos los padres, sabía que las reglas estaban hechas para incumplirlas. Cora fue derecha al armario de la cocina y preparó café. Grace se preguntó qué fotografía podía enviar y decidió usar la ampliada de la derecha, la de la rubia con el aspa en la cara y la pelirroja a su izquierda. No incluyó la imagen de Jack (en el supuesto de que fuera realmente Jack). No quería involucrarlo todavía. Decidió que si había dos personas en la foto tenía más posibilidades de que las identificaran y su solicitud no parecería obra de un acosador demente.

Cora miró la foto original.

—¿Me permites que haga una observación?

—Sí.

—Esto es muy raro.

—Ese hombre —Grace lo señaló—, el de la barba, ¿a quién se parece?

Cora entornó los ojos.
—Supongo que podría ser Jack.
—¿Podría ser o es?
—Dímelo tú.
—Jack ha desaparecido.
—¿Cómo dices?
Grace contó a Cora lo sucedido. Cora escuchó, tamborileando en el mantel con una uña demasiado larga pintada con laca Rouge Noir de Chanel, un color muy semejante al de la sangre. Cuando Grace acabó, Cora dijo:
—Ya sabes, claro, que tengo una mala opinión de los hombres.
—Lo sé.
—Creo que la gran mayoría está dos pisos por debajo de las cagadas de perro.
—Eso también lo sé.
—Así que la respuesta evidente es que sí, es una foto de Jack. Que sí, esa rubita, la que lo mira como si fuera el Mesías, es un viejo amor. Que sí, Jack y María Magdalena tienen una aventura. Que alguien, tal vez su marido actual, quería que te enteraras y por eso te envió la foto. Y que se lió todo cuando Jack se dio cuenta de que lo habías descubierto.
—¿Y por eso se marchó?
—Exacto.
—Eso no tiene sentido, Cora.
—¿Tienes una teoría mejor?
—Estoy en ello.
—Menos mal —dijo Cora—, porque a mí tampoco me convence. Sólo hablo por hablar. La regla es la siguiente: los hombres son todos unos cerdos. Sin embargo, siempre he creído que Jack era la excepción que confirmaba la regla.
—Te quiero, lo sabes.
Cora asintió.
—Todo el mundo me quiere.
Grace oyó un ruido y miró por la ventana. Una limusina negra y reluciente se detuvo en el camino de entrada con la suavidad de una corista de la Motown. El chófer, un hombre con cara de rata y la complexión de un galgo, se apresuró a abrir la puerta trasera.

Había llegado Carl Vespa.

Pese a su supuesta vocación, Carl Vespa no se vestía de terciopelo al estilo de la familia Soprano, ni con trajes tan relucientes como si llevasen encima una capa de sellador. Prefería los pantalones caquis, los abrigos deportivos de Joseph Abboud y mocasines sin calcetines. Contaba unos sesenta y cinco años pero parecía diez años más joven. El pelo le rozaba los hombros, y era de un tono rubio canoso. Tenía el rostro tostado por el sol, de una suavidad cérea en la que parecía adivinarse el uso de algún cosmético inyectable, como el Botox. Tan notable era la intervención del dentista en su boca que daba la impresión de que sus incisivos hubiesen tomado hormonas del crecimiento.

Con un gesto, dio una orden al conductor con aspecto de galgo y se acercó a la casa solo. Grace abrió la puerta para recibirlo. Carl Vespa le dedicó una radiante sonrisa. Grace se la devolvió, alegrándose de verlo. Él la saludó con un beso en la mejilla. No cruzaron una sola palabra. No hacía falta. Él le cogió las dos manos y la miró. Ella vio que se le humedecían los ojos.

Max apareció a la derecha de su madre. Vespa le soltó las manos y retrocedió un paso.

—Max —dijo Grace—, éste es el señor Vespa.

—Hola, Max.

—¿Ese coche es tuyo?

—Sí.

Max miró el coche y luego a Vespa.

—¿Tiene una tele?

—Sí.

—¡Qué guay!

Cora se aclaró la garganta.

—Ah, y ésta es mi amiga Cora.

—Encantado —saludó Vespa.

Cora miró el coche y luego a Vespa.

—¿Eres soltero?

—Sí.

—¡Qué guay!

Grace repitió las instrucciones a Cora por sexta vez. Cora fingió escuchar. Grace le dio veinte dólares para que pidieran unas pizzas y ese pan con queso que a Max le gustaba tanto últimamente.

A Emma la llevaría a casa la madre de una compañera de clase al cabo de una hora.

Grace y Vespa se dirigieron a la limusina. El chófer con cara de rata ya tenía la puerta abierta y estaba esperando.

—Te presento a Cram —dijo Vespa, y señaló al conductor. Cuando Cram le estrechó la mano, Grace tuvo que contener un grito.

—Encantado —dijo Cram. Su sonrisa sugería imágenes de un documental de Discovery Channel sobre depredadores marinos. Grace entró en el coche y Carl Vespa la siguió.

Había vasos de Waterford y una licorera a juego medio llena de un líquido de color caramelo y aspecto caro. Tenía, efectivamente, un aparato de televisión. Encima del asiento de Grace estaban el DVD, un compact disc de carga múltiple, los mandos del climatizador y botones suficientes para confundir a un piloto de aviación. Todo ello —los vasos, la licorera, la electrónica— resultaba excesivo, pero tal vez eso era lo que se esperaba en una limusina.

—¿Adónde vamos? —preguntó Grace.

—Es un poco difícil de explicar. —Estaban sentados uno al lado del otro con la vista al frente—. Preferiría enseñártelo, si no te importa.

Carl Vespa había sido el primer padre afligido que apareció junto a su cama del hospital. Cuando Grace salió del coma, la primera cara que vio fue la suya. No tenía ni idea de quién era, de dónde estaba, ni de qué día era. Más de una semana se había borrado de su banco de memoria. Carl Vespa se pasó días y días sentado en la habitación del hospital, durmiendo en la silla a su lado. Se aseguró de que tuviera una buena vista, música relajante, suficiente medicación para el dolor, enfermeras privadas. Se aseguró de que, en cuanto Grace pudo comer, el personal del hospital no le diera la típica bazofia.

Él nunca le pidió que le contara los detalles de esa noche porque, la verdad, ella tampoco podía darlos. En los siguientes meses hablaron durante horas y horas. Él le contaba historias, la mayoría sobre sus fracasos como padre. Había recurrido a sus contactos para entrar en su habitación del hospital la primera noche. Había pagado a la empresa de seguridad —curiosamente, la empresa del hospital estaba controlada por el crimen organizado— y luego simplemente se había sentado a su lado.

Después otros padres lo imitaron. Era extraño. Querían estar cerca de ella. Sólo eso. Así se consolaban. Su hijo había muerto en presencia de Grace y era como si una pequeña parte de sus almas, su hijo o hija perdidos para siempre, de algún modo siguiera viviendo dentro de ella. No tenía sentido y, sin embargo, Grace creía entenderlo.

Esos padres desolados iban para hablar de sus hijos muertos, y Grace los escuchaba. Suponía que les debía al menos eso. Sabía que quizás esas relaciones no fueran sanas, pero le era imposible rechazarlas. La verdad era que Grace tampoco tenía familia. Había disfrutado, al menos durante un tiempo, de su atención. Ellos necesitaban una hija; ella necesitaba unos padres. No era tan sencillo —este síndrome de la proyección mutua—, pero Grace no sabía si podía explicarlo mejor.

La limusina avanzaba hacia el sur por la autopista de Garden State. Cram encendió la radio. Por los altavoces se oyó música clásica, al parecer un concierto de violín.

—Ya sabes, claro, que se acerca el aniversario.

—Sí —contestó ella, aunque había hecho todo lo posible para pasarlo por alto. Habían transcurrido quince años desde aquella terrible noche en el Boston Garden. Los periódicos habían publicado los típicos artículos de conmemoración titulados «¿Dónde están ahora?». Los padres y los supervivientes lo vivían de manera distinta. La mayoría participaba porque lo veía como una forma de mantener vivo el recuerdo de lo sucedido. Se publicaron artículos desgarradores sobre los Garrison, los Reed y los Weider. El guardia de seguridad, Gordon MacKenzie, a quien se atribuía el mérito de haber salvado muchas vidas porque abrió las salidas de emergencia cerradas con llave, en la actualidad era capitán de policía en Brookline, un barrio residencial de Boston. Hasta Carl Vespa había permitido que lo fotografiaran con su mujer, Sharon, los dos sentados en su jardín, todavía con el mismo aspecto que si los hubiesen vaciado por dentro.

Grace había seguido el camino contrario. Con su carrera artística en pleno auge, no quería dejar siquiera entrever que se aprovechaba de la tragedia. Había resultado herida, y nada más, y pretender otra cosa le habría recordado a esos actores acabados que de pronto salían de no se sabía dónde para derramar lágrimas de co-

codrilo cuando moría una estrella a la que detestaban. No quería saber nada. La atención debía centrarse en los muertos y en quienes éstos dejaron atrás.

—Ha solicitado otra vez la libertad condicional —dijo Vespa—. Me refiero a Wade Larue.

Grace lo sabía, claro.

La culpa de la desbandada de esa noche había recaído en Wade Larue, que actualmente residía en la Penitenciaría de Walden, situada en las afueras de Albany, en el estado de Nueva York. Fue él el autor de los disparos que sembraron el pánico. El argumento de la defensa fue muy interesante: adujo que Wade Larue no lo hizo —a pesar de los restos de pólvora hallados en sus manos, de que el arma le pertenecía, de que las balas coincidían con el arma, de los testigos que lo vieron disparar—, pero si lo hizo, estaba demasiado drogado para acordarse. Ah, y por si ninguna de estas razones resultaba convincente, Wade Larue tampoco podía adivinar que disparar un arma causaría la muerte de dieciocho personas y heridas a varias docenas más.

El caso suscitó polémica. La fiscalía lo acusó de dieciocho asesinatos, pero el jurado no lo vio así. El abogado de Larue acabó pactando para rebajarlo a dieciocho homicidios sin premeditación. Nadie se preocupó mucho por la sentencia. El único hijo de Carl Vespa había muerto esa noche. ¿Qué pasó cuando murió el hijo de Gotti en un accidente automovilístico? Nunca más se oyó hablar del hombre que conducía el otro coche, un cabeza de familia. Algo parecido, pensaba casi todo el mundo, sucedería a Wade Larue, sólo que esta vez lo más probable era que el público en general aplaudiera el desenlace.

Durante un tiempo mantuvieron a Wade Larue aislado en la Penitenciaría de Walden. Grace no siguió la historia de cerca, pero los padres —padres como Carl Vespa— continuaron llamando y escribiendo. Necesitaban verla de vez en cuando. Como superviviente, se había convertido en una especie de receptáculo, un receptáculo portador de los muertos. Aparte de la recuperación física, esa presión emocional —esa responsabilidad enorme, imposible— fue en gran medida la razón por la que Grace se fue al extranjero.

Al final, trasladaron a Larue a la zona común con los demás reclusos. Corrió el rumor de que sus compañeros de presidio le propinaron palizas y abusaron de él pero, por alguna razón, sobrevivió. Carl Vespa había renunciado a asestar el golpe. Tal vez fuese una señal de misericordia. O tal vez fuese todo lo contrario. Grace no lo sabía.

—Al final dejó de declararse totalmente inocente, ¿lo sabías? —dijo Vespa—. Reconoce haber disparado, pero afirma que enloqueció cuando se fue la luz.

Lo cual tenía sentido. Por su parte, Grace había visto a Larue una sola vez. La llamaron a declarar, aunque su testimonio no tenía nada que ver con la culpabilidad o inocencia del acusado —prácticamente no recordaba nada de la desbandada, y menos aún de quién había disparado—, y sí mucho que ver con encender las pasiones del jurado. Pero Grace no necesitaba vengarse. Para ella, Wade Larue estaba desquiciado por la droga y no era más que un colgado más digno de compasión que de odio.

—¿Crees que saldrá? —preguntó ella.

—Tiene una abogada nueva. Es muy buena.

—¿Y si consigue sacarlo?

Vespa sonrió.

—No te creas todo lo que lees sobre mí. —A continuación añadió—: Además, Wade Larue no es el único culpable de lo que pasó esa noche.

—¿A qué te refieres?

Vespa abrió la boca pero guardó silencio. Por fin respondió:

—Ya te lo he dicho. Prefiero enseñártelo.

Por algo en su tono, Grace decidió cambiar de tema.

—Has dicho que estabas soltero —observó Grace.

—¿Cómo?

—Le has dicho a mi amiga que estabas soltero.

Vespa agitó el dedo. No llevaba sortija.

—Sharon y yo nos divorciamos hace dos años.

—Lo siento.

—Hacía tiempo que las cosas no iban bien. —Se encogió de hombros y desvió la mirada—. ¿Cómo está tu familia?

—Bien.

—Noto cierta vacilación.

Ella se encogió ligeramente de hombros.

—Por teléfono me has dicho que necesitabas ayuda.

—Creo que sí.

—¿Y bien? ¿Qué pasa?

—Mi marido... —Se interrumpió—. Creo que mi marido tiene un problema.

Le contó la historia. Él, con la mirada fija al frente, eludía la mirada de Grace. De vez en cuando asentía, pero de una manera que parecía curiosamente fuera de contexto. No cambiaba de expresión, lo cual era raro. Carl Vespa solía estar más animado. Cuando Grace paró de hablar, él permaneció un rato callado.

—Esa foto... —dijo Vespa—, ¿la llevas encima?

—Sí. —Se la dio. Advirtió que a Carl le temblaba un poco la mano.

—¿Puedo quedármela? —preguntó él.

—Tengo copias.

Vespa seguía con la mirada fija en las imágenes.

—¿Te importa si te hago unas cuantas preguntas personales? —inquirió él.

—Supongo que no.

—¿Quieres a tu marido?

—Mucho.

—¿Y él te quiere a ti?

—Sí.

Carl Vespa sólo había visto a Jack una vez. Les había enviado un regalo de boda cuando se casaron. También enviaba regalos de cumpleaños a Emma y Max. Grace le escribía dándole las gracias y los donaba a la beneficencia. No le importaba relacionarse con él, pero no quería ver a sus hijos... ¿cómo decirlo?... mancillados por esa relación.

—Os conocisteis en París, ¿no?

—En realidad en el sur de Francia. ¿Por qué?

—¿Y cómo volvisteis a veros?

—¿Y eso qué importancia tiene?

Él vaciló un segundo de más.

—Supongo que intento averiguar hasta qué punto conoces a tu marido.

—Llevamos diez años casados.

—Lo entiendo. —Cambió de posición en el asiento—. Cuando os conocisteis, ¿estabas allí de vacaciones?

—No sé si lo llamaría exactamente vacaciones.

—Estabas estudiando. Pintabas.

—Sí.

—Y bueno, sobre todo huías.

Grace calló.

—¿Y Jack? —prosiguió Vespa—. ¿Por qué estaba allí?

—Por la misma razón, supongo.

—¿Huía?

—Sí.

—¿De qué?

—No lo sé.

—En ese caso, ¿puedo decir lo evidente?

Grace esperó.

—Aquello de lo que huía, fuera lo que fuese —Vespa señaló la foto—, lo ha alcanzado.

Grace había pensado lo mismo.

—Ha pasado mucho tiempo desde entonces.

—También desde la Matanza de Boston. Cuando huiste, ¿conseguiste dejarlo atrás?

Por el espejo retrovisor, Grace vio que Cram la miraba, en espera de una respuesta. Permaneció inmóvil.

—Nada se queda en el pasado, Grace. Lo sabes.

—Quiero a mi marido.

Él asintió.

—¿Me ayudarás? —preguntó Grace.

—Sabes que sí.

El coche salió de la autopista de Garden State. Más adelante, Grace vio una estructura enorme y anodina con una cruz encima. Parecía un hangar. Un cartel de neón anunciaba que todavía quedaban entradas para los «Conciertos con el Señor». Tocaba una orquesta llamada Rapture. Cram estacionó la limusina en un aparcamiento lo bastante grande como para concederle la categoría de estado.

—¿Qué hacemos aquí?

—Buscar a Dios —contestó Vespa—. O tal vez su contrario. Vamos adentro, quiero enseñarte algo.

13

«Esto es una locura», pensó Charlaine.

Avanzaba con paso firme hacia el jardín de Freddy Sykes, sin pensar ni sentir nada. Se le había pasado por la cabeza la idea de que acaso estuviera jugándosela por desesperación, por el ávido deseo de introducir cualquier clase de emoción en su vida. Pero ¿qué más daba? En realidad, si se paraba a pensar, ¿qué era lo peor que podía suceder? Por ejemplo, en el caso de que Mike se enterase. ¿La dejaría? ¿Sería eso tan terrible?

¿Quería que la descubriesen?

En fin, ya bastaba de tanto autoanálisis de aficionados. Tampoco pasaba nada si llamaba a la puerta de Freddy, en el papel de buena vecina. Dos años antes Mike había levantado una empalizada de un metro veinte de altura en el jardín trasero. Quería poner una más alta, pero las ordenanzas municipales sólo se lo permitían si tenía piscina.

Charlaine abrió la verja que separaba su jardín trasero del de Freddy. Curiosamente, era la primera vez que lo hacía. Nunca había abierto esa verja.

Al acercarse a la puerta trasera de Freddy, se dio cuenta de lo deteriorada que estaba la casa, con la pintura desconchada, el jardín abandonado. Las malas hierbas crecían en las grietas del sendero. Había césped seco por todas partes. Se volvió y miró su casa. Nunca la había visto desde allí. También parecía cansada.

Ya estaba ante la puerta trasera de Freddy.

Bien, ¿y ahora qué?

«Llama, idiota», se dijo.

Llamó. Primero golpeó con suavidad. Nada. Luego más fuerte. Y nada. Acercó el oído a la puerta. Como si eso sirviera de algo. Como si fuera a oír un grito ahogado o algo así.

Silencio.

Los estores seguían bajados, pero quedaban ángulos al descubierto. Se acercó a una abertura y miró. En el salón había un sofá de color verde lima tan desgastado que parecía derretirse. Ocupaba la esquina un sillón abatible de vinilo granate. El televisor parecía nuevo. En la pared colgaban cuadros viejos de payasos. El piano estaba cubierto de fotos en blanco y negro. Había una de una boda. Los padres de Freddy, supuso Charlaine. En otra aparecía un novio muy atractivo en uniforme militar. Y otra foto mostraba a ese mismo hombre con un bebé en brazos y una amplia sonrisa en el rostro. Luego el hombre —el soldado, el novio— ya no estaba. Las demás fotos eran de Freddy solo o con su madre.

La habitación estaba impecable; no, bien conservada, para ser más exactos. Detenida en el tiempo, intacta, sin usar. Había una colección de figurillas en una rinconera. Y más fotos. Toda una vida, pensó Charlaine. Freddy Sykes tenía una vida. Costaba imaginarlo, pero así era.

Charlaine rodeó la casa en dirección al garaje. Éste tenía una ventana en la parte de atrás. Una fina cortina de encaje falso colgaba de ella. Se puso de puntillas. Se sujetó al alféizar con los dedos. La madera estaba tan vieja que casi se rajó. La pintura se desprendió como caspa.

Miró dentro del garaje.

Había otro coche, o más exactamente monovolumen. Un Ford Windstar. Cuando uno vivía en un pueblo como aquél, conocía todos los modelos.

Freddy Sykes no tenía un Ford Windstar.

Tal vez pertenecía a su joven invitado asiático. Eso tendría sentido, ¿no?

No se quedó muy convencida.

¿Y ahora qué?

Charlaine, pensativa, bajó la vista. Se lo había estado planteando desde que decidió acercarse a la casa. Antes de abandonar la seguridad de su cocina ya sabía que no le abrirían la puerta. También sabía que espiar por las ventanas —¿espiar al espía?— no le serviría de nada.

La roca.

Estaba allí, en lo que antes había sido un huerto. Había visto a Freddy usarla una vez. En realidad no era una roca. Era uno de esos guardallaves, ya tan populares que seguramente los ladrones los buscaban antes de mirar debajo del felpudo.

Charlaine se agachó, cogió la roca y le dio la vuelta. Lo único que tenía que hacer era correr el panel y sacar la llave. Eso hizo. Tenía la llave en la palma de la mano, reluciente a la luz del sol.

Ésa era la línea. La línea más allá de la cual ya no había vuelta atrás.

Se dirigió hacia la puerta trasera.

14

Todavía con una sonrisa de depredador marino, Cram abrió la puerta y Grace salió de la limusina. Carl Vespa se apeó por su cuenta. El enorme cartel de neón mencionaba la afiliación a una iglesia que Grace no conocía. El lema, según varios letreros alrededor del edificio, parecía indicar que eso era la «casa de Dios». Si eso era verdad, Dios habría podido recurrir a un arquitecto más creativo. La estructura contenía todo el esplendor y el calor de una megatienda de autopista.

El interior era aún peor: tan chabacano que a su lado Graceland parecería sobrio. La moqueta de pared a pared era de un tono rojo brillante que solía reservarse para el carmín de las chicas de los centros comerciales. El papel de pared, más oscuro, más color sangre, tenía una textura aterciopelada y estaba adornado con centenares de estrellas y cruces. Sólo de verlo, a Grace le dio vueltas la cabeza. En la capilla principal o centro de culto —o, más bien, auditorio— había bancos en lugar de sillas. Parecían incómodos, aunque por otro lado, ¿acaso no se alentaba a la gente a estar de pie? El lado cínico de Grace sospechaba que la razón por la que se obligaba a los fieles a levantarse esporádicamente en los servicios religiosos no tenía nada que ver tanto con la devoción como con la necesidad de evitar que se durmiesen.

En cuanto entró en el auditorio, Grace sintió un cosquilleo en el corazón.

Estaban retirando el altar provisto de ruedas, de colores verde y dorado como el uniforme de la animadora de un equipo de fútbol.

Grace buscó predicadores con peluquines de mala calidad, pero no vio ninguno. La orquesta —Grace supuso que sería Rapture— montaba el equipo. Carl Vespa se detuvo delante de ella, con la mirada fija en el escenario.

—¿Ésta es tu iglesia? —preguntó Grace.

Una ligera sonrisa asomó a los labios de Vespa.

—No.

—¿No serás un fan de...esto... Rapture?

Vespa no contestó.

—Vamos a acercarnos al escenario.

Cram los precedió. Había guardias de seguridad, pero se apartaban como si Cram fuera tóxico.

—¿Qué hacemos aquí? —preguntó Grace.

Vespa siguió descendiendo por los peldaños. Cuando llegaron a lo que en un teatro se llamaría platea —¿cómo se llaman los mejores asientos de una iglesia?—, Grace levantó la vista y se hizo una idea de las dimensiones del lugar. Era un enorme teatro circular. El escenario estaba en el centro. Grace sintió un nudo en la garganta.

Aunque revestido de un halo religioso, no cabía duda.

Aquello parecía un concierto de rock.

Vespa le cogió la mano.

—No pasa nada.

Pero sí pasaba. Lo sabía. No había ido a ningún concierto ni acontecimiento deportivo en un «pabellón» desde hacía quince años. Antes le encantaba ir a conciertos. Recordaba haber visto a Bruce Springsteen y la E Street Band en el centro de convenciones de Asbury Park cuando iba al instituto. Una cosa que le extrañó, que percibió ya por aquel entonces, era que la línea que separaba un concierto de rock de un servicio religioso intenso no era tan gruesa. Hubo un momento, cuando Bruce tocó *Meeting Across the River* seguido de *Jungleland* —dos de las canciones favoritas de Grace—, en que ella, de pie, con los ojos cerrados y el rostro bañado en sudor, estaba claramente ida, absorta, temblando de gozo, el mismo gozo que había visto por televisión cuando una multitud se ponía en pie, temblorosa y con las manos en alto, en respuesta a las palabras de un telepredicador.

Le encantaba esa sensación. Y sabía que no quería volver a sentirla nunca más.

Grace apartó la mano de la de Carl Vespa. Él asintió como si lo entendiera.

—Vamos —dijo él con delicadeza.

Cojeando, Grace lo siguió. La cojera, tuvo la impresión, era más pronunciada. Le dolía la pierna. Era psicológico. Lo sabía. Los lugares reducidos no la aterrorizaban; los grandes auditorios enormes, sobre todo abarrotados de gente, sí. En ese momento, gracias a Aquel que Mora Aquí, la sala estaba casi vacía, pero su imaginación se echó a volar y proporcionó el alboroto que faltaba.

Un chirrido del sistema de megafonía la hizo volver a la realidad. Alguien estaba probando el sonido.

—¿De qué va esto? —preguntó a Vespa.

Vespa tenía el rostro inexpresivo. Se dirigió hacia la izquierda. Grace lo siguió. Encima del escenario, un cartel semejante a un marcador anunciaba que Rapture estaba en medio de una gira de tres semanas y que ellos, Rapture, eran: «Lo que Dios tiene en su MP3».

Los miembros de la orquesta salieron al escenario para probar el sonido. Se reunieron en el centro, mantuvieron una breve charla y empezaron a tocar. Grace se sorprendió. Sonaban bastante bien. Las letras eran almibaradas, con muchos cielos, alas extendidas, ascensiones y elevaciones. Eminem le decía a una novia potencial que «sentara el culo de borracha en esa p... cancha». Estas letras, a su manera, eran igual de chirriantes.

La cantante era una mujer. Tenía el pelo rubio platino, con flequillo, y cantaba mirando el cielo. Parecía tener catorce años. A su derecha había un guitarrista. Era más estilo heavy-metal, con rizos negros y un tatuaje de una cruz gigantesca en el bíceps derecho. Tocaba con fuerza, rasgando las cuerdas como si tuviese algo contra ellas.

En una breve pausa, Carl Vespa dijo:

—La canción es de Doug Bondy y Madison Seelinger.

Grace se encogió de hombros.

—Doug Bondy compuso la música. Madison Seelinger... es la cantante... escribió la letra.

—¿Y a mí eso por qué habría de importarme?

—Doug Bondy toca la batería.

Se acercaron a un lado del escenario para ver mejor. Empezaron a tocar otra vez. Grace y Vespa estaban junto a un altavoz.

Los oídos de Grace aceptaron el castigo, pero de hecho, en condiciones normales, habría disfrutado con el sonido. Doug Bondy, el batería, estaba casi oculto tras el despliegue de platillos y tambores. Grace se desplazó un poco hacia un lado. Desde allí lo veía mejor. Bondy tocaba con los ojos cerrados, el rostro en paz. Parecía de mayor edad que los demás miembros del grupo. Llevaba el pelo cortado al rape. Iba afeitado. Tenía unas gafas de sol como las de Elvis Costello.

Grace sintió que el cosquilleo se le extendía por el pecho.

—Quiero irme a casa —dijo.

—Es él, ¿verdad?

—Quiero irme a casa.

El batería, aún tocando, absorto en la música, de pronto se volvió y la vio. Sus miradas se cruzaron. Y ella lo supo. Él también.

Era Jimmy X.

Grace no esperó. Cojeando, se dirigió hacia la salida. La música la perseguía.

—¿Grace?

Era Vespa. No le hizo caso. Abandonó la iglesia por la salida de emergencia. Sintió el aire fresco en los pulmones. Aspiró, esperando a que se le pasara el mareo. Cram ya estaba fuera, como si supiera que ella saldría por allí. Le sonrió.

Carl Vespa se acercó por detrás.

—Es él, ¿verdad?

—¿Y qué pasa si lo es?

—¿Y qué pasa si...? —repitió Vespa, sorprendido—. No es inocente. Tiene tanta culpa...

—Quiero irme a casa.

Vespa calló como si ella lo hubiera abofeteado.

Había sido un error llamarlo. Ahora lo sabía. Ella había sobrevivido. Se había recuperado. Sí, quedaba la cojera. Quedaba el dolor. Quedaba alguna que otra pesadilla. Pero estaba bien. Lo había superado. Ellos, los padres, nunca lo superarían. Se dio cuenta ese primer día —por el desgarro en los ojos— y si bien todos habían seguido adelante, habían vivido sus vidas, habían recogido las piezas rotas, el desgarro nunca había desaparecido. Grace miró a Carl Vespa —a los ojos— y volvió a ver todo aquello.

—Por favor —le dijo—. Sólo quiero volver a casa.

15

Wu vio el guardallaves vacío.

La roca estaba en el sendero junto a la puerta trasera, vuelta del revés como un cangrejo moribundo. Habían corrido el panel. Wu vio que la llave ya no estaba. Se acordó de la primera vez que se había acercado a una casa profanada. Tenía seis años. La choza —de una habitación, sin agua corriente— era la suya. El Gobierno de Kim no se preocupaba por nimiedades como la llave. Habían derribado la puerta y se habían llevado a su madre a rastras. Wu la encontró al cabo de dos días. Colgada de un árbol. Nadie podía descolgarla, so pena de muerte. Al día siguiente la encontraron los pájaros.

Su madre había sido acusada falsamente de haber traicionado al Gran Líder, pero la culpabilidad o la inocencia era lo de menos. La usaron como escarmiento para los demás de todos modos: esto es lo que les ocurre a quienes nos desafían. O más bien, esto es lo que le ocurre a quienquiera que *creamos que puede* desafiarnos.

Nadie se hizo cargo del niño de seis años. Ningún orfanato lo acogió. No se convirtió en pupilo del Estado. Eric Wu huyó. Dormía en el bosque. Comía lo que encontraba en los cubos de basura. Sobrevivió. A los trece años, lo detuvieron por robo y lo encarcelaron. El jefe de los celadores, un hombre más malévolo que cualquiera de los reclusos, vio el potencial de Wu. Y así empezó.

Wu se quedó mirando el guardallaves vacío.

Había alguien en la casa.

Echó una mirada a la casa de al lado. Estaba seguro de que era la mujer que vivía allí. Le gustaba observar por la ventana. Debía de saber dónde escondía la llave Freddy Sykes.

Se planteó las distintas opciones. Tenía dos.

Una era simplemente marcharse de allí.

Jack Lawson estaba en el maletero. Wu tenía un vehículo. Podía irse, robar otro coche, emprender el viaje, instalarse en otro sitio.

Un problema: las huellas de Wu estaban en la casa, junto con Freddy Sykes gravemente herido, tal vez muerto. La mujer en camisón, si era ella, también podría identificarlo. Wu acababa de salir de la cárcel y estaba en libertad condicional. La fiscalía sospechaba que había cometido crímenes atroces, pero no pudo demostrarlo. Así que llegaron a un acuerdo a cambio de su testimonio. Wu había estado en un centro penitenciario de máxima seguridad de Walden, Nueva York. En comparación con lo que había vivido en su país, la cárcel parecía un hotel de cinco estrellas.

Pero eso no significaba que quisiera volver.

No, la primera opción no le convenía. Así que sólo le quedaba la segunda.

Wu abrió la puerta y entró sigilosamente.

Ya en la limusina, Grace y Carl Vespa permanecieron en silencio.

A Grace la asaltaba una y otra vez el recuerdo de la última vez que vio la cara de Jimmy X: quince años atrás, en el hospital. Lo habían obligado a ir a verla —una sesión fotográfica organizada por su representante para la prensa—, pero ni siquiera pudo mirarla, y menos hablar. Simplemente se quedó junto a su cama, con un ramo de flores en la mano y la cabeza gacha como un niño a la espera de que lo riñera la maestra. Ella no pronunció palabra. Al final, le dio las flores y se marchó.

Jimmy X dejó la música y desapareció. Corrió el rumor de que se fue a vivir a una isla privada cerca de Fiji. Ahora, quince años después, allí estaba, en Nueva Jersey, tocando la batería para un grupo de rock cristiano.

Cuando llegaron a su calle, Vespa dijo:

—Las cosas no han ido a mejor, ¿sabes?

Grace miró por la ventana.
—Jimmy X no disparó.
—Lo sé.
—Entonces, ¿qué quieres de él?
—Nunca ha pedido perdón.
—¿Y eso bastaría?
Vespa, tras pensar por un momento, contestó:
—Hubo un chico que sobrevivió. David Reed. ¿Te acuerdas de él?
—Sí.
—Estaba al lado de Ryan. Uno junto al otro. Pero cuando empezó la desbandada, alguien levantó a ese chico y lo subió al escenario.
—Lo sé.
—¿Te acuerdas de lo que dijeron sus padres?
Grace se acordaba pero no dijo nada.
—Que Jesús había cogido en brazos a su hijo. Que fue la voluntad de Dios. —La voz de Vespa no había cambiado, pero Grace percibió la rabia oculta con la intensidad de un alto horno—. ¿Te das cuenta? Los señores Reed rezaban y Dios los recompensó. Fue un milagro, dijeron. Dios veló por su hijo, repitieron una y otra vez. Como si Dios no hubiera querido ni pretendido salvar al mío.
Callaron. Grace quiso decirle que ese día murieron muchas personas buenas, muchas personas con padres buenos que rezaban, que Dios no discriminaba. Pero Vespa eso ya lo sabía. No le proporcionaría el menor consuelo.
Cuando se detuvieron en el camino de entrada, anochecía. Grace vio las siluetas de Cora y los niños por la ventana de la cocina.
—Quiero ayudarte a encontrar a tu marido —dijo Vespa.
—Ni siquiera sé qué puedes hacer.
—Te sorprendería —contestó él—. Ya tienes mi número de teléfono. Cualquier cosa que necesites, llámame. Sea la hora que sea, da igual. Puedes contar conmigo.
Cram abrió la puerta. Vespa la acompañó hasta la entrada.
—Me mantendré en contacto —dijo él.
—Gracias.
—También ordenaré a Cram que vigile tu casa.
Grace miró a Cram. Éste esbozó una especie de sonrisa.

—No hace falta.
—Hazlo por mí —rogó él.
—No, de verdad, no quiero. Por favor.
Vespa pensó en ello.
—¿Si cambias de idea...?
—Te lo diré.
Vespa se volvió para irse. Grace lo miró mientras regresaba al coche y se preguntó si hacía bien en tratar con el diablo. Cram abrió la puerta. La limusina pareció engullir a Vespa por entero. Cram saludó a Grace con la cabeza. Grace no se movió. Consideraba que tenía bastante buen criterio para juzgar a las personas, pero Carl Vespa la había hecho cambiar de parecer. Nunca vio ni intuyó la menor maldad en él. Pero sabía que estaba allí.
La maldad —la verdadera maldad— era así.

Cora puso agua a hervir para la pasta. Echó un tarro de salsa de tomate Prego en una cazuela y luego se inclinó junto a Grace para hablarle al oído.
—Voy a bajar el correo por si ha llegado alguna respuesta —susurró Cora.
Grace asintió. Estaba ayudando a Emma con las tareas y haciendo un esfuerzo sobrehumano para mostrarse interesada. Su hija llevaba un jersey de baloncesto de los Jason Kidd Nets. Decía que se llamaba Bob. Quería ser jockey. Grace no sabía qué pensar al respecto, pero suponía que era mejor que comprar revistas de adolescentes y suspirar por grupos musicales de chicos inofensivos.
La señora Lamb, la maestra joven pero cada día más envejecida de Emma, les estaba enseñando las tablas de multiplicar. Iban por la del seis. Grace la repasaba con Emma. Cuando llegaron a seis por siete, Emma hizo una larga pausa.
—Deberías sabértela de memoria —dijo Grace.
—¿Por qué? Puedo calcularla sola.
—No se trata de eso. Tienes que aprendértela de memoria para luego poder multiplicar números de varias cifras.
—La señora Lamb no ha dicho que tengamos que aprenderlas de memoria.

—Pues deberías.
—Pero la señora Lamb...
—Seis por siete.
Y así siguieron.

Max tenía que encontrar un objeto para poner en la «Caja Secreta». Había que poner algo en la caja —en este caso, un disco de hockey— e inventar tres pistas para que los compañeros del parvulario adivinaran qué era. Primera pista: el objeto era negro. Segunda pista: se usaba en un deporte. Tercera pista: hielo. Suficiente.

Al volver del ordenador, Cora movió la cabeza en un gesto de negación. Todavía nada. Cogió una botella de Lindemans, un chardonnay decente pero barato de procedencia australiana, y la descorchó. Grace llevó a los niños a la cama.

—¿Dónde está papá? —preguntó Max.

Emma, haciéndose eco del sentimiento expresado por su hermano, comentó:

—Ya he escrito la estrofa del hockey para mi poema.

Grace respondió con una vaguedad, algo sobre una urgencia en el trabajo. Los niños la miraron con suspicacia.

—Me encantaría oír el poema —dijo Grace.

Emma sacó su diario con desgana.

Palo de hockey, palo de hockey,
¿te gusta marcar?
Cuando golpeas el disco,
¿te entran ganas de brincar?

Emma alzó la vista. Grace exclamó «¡Guau!» y aplaudió, pero no se le daba tan bien mostrar entusiasmo como a Jack. Se despidió de los dos con un beso de buenas noches y bajó. La botella de vino estaba abierta. Cora y ella empezaron a beber. Echaba de menos a Jack. Hacía menos de veinticuatro horas que se había ido —se había ausentado por viajes de trabajo más largos muchas veces— y sin embargo tenía la sensación de que la casa se le caía encima. Era como si hubiese perdido algo de manera irreparable. La añoranza de él ya se había convertido en un dolor físico.

Grace y Cora bebieron un poco más. Grace pensó en sus hijos.

Pensó en una vida, toda una vida, sin Jack. Haríamos cualquier cosa para proteger a nuestros hijos del dolor. Perder a Jack sin duda destrozaría a Grace. Pero eso no era lo grave. Ella lo sobrellevaría. Su dolor, sin embargo, no sería nada en comparación con lo que significaría para esos dos niños que estaban allí arriba despiertos —lo sabía—, intuyendo que ocurría algo.

Grace miró las fotos que decoraban las paredes.

Cora se acercó a ella.

—Es un buen hombre.

—Ya.

—¿Estás bien?

—Demasiado vino —contestó Grace.

—Yo diría que no el suficiente, más bien. ¿Adónde te ha llevado ese mafioso?

—A ver a un grupo de rock cristiano.

—Una primera cita ideal.

—Es una larga historia.

—Soy toda oídos.

Pero Grace negó con la cabeza. No quería pensar en Jimmy X. Se le ocurrió una idea. Le dio vueltas y dejó que se asentara.

—¿Qué? —preguntó Cora.

—A lo mejor Jack hizo más de una llamada.

—¿Además de la que hizo a su hermana, quieres decir?

—Sí.

Cora asintió.

—¿Tienes cuenta abierta en Internet?

—Tenemos AOL.

—No, me refiero a la factura de teléfono.

—Todavía no.

—Pues qué mejor momento que éste. —Cora se puso en pie. Se tambaleó ligeramente al caminar. El vino las había hecho entrar en calor—. ¿Qué compañía usas para las llamadas interurbanas?

—Cascade.

Estaban otra vez delante del ordenador de Jack. Cora se sentó ante el escritorio, hizo crujir los nudillos y se puso manos a la obra. Encontró la página de Cascade. Grace le facilitó la información necesaria: dirección, número de la seguridad social, tarjeta de crédito.

Dieron una contraseña. Cascade envió un mensaje a la dirección de Jack para confirmar que acababa de solicitar la facturación en línea.

—Listo —dijo Cora.

—No lo entiendo.

—Ya hemos abierto una cuenta para facturación en línea. Acabo de pedirla. Ahora puedes ver y pagar la factura del teléfono por Internet.

Grace miró por encima del hombro de Cora.

—Ésa es la factura del mes pasado.

—Exacto.

—Pero no saldrán las llamadas de anoche.

—Mmm. Voy a pedirlas. También podemos telefonear a Cascade y preguntar.

—No atienden las veinticuatro horas al día. Inconvenientes de la tarifa con descuento. —Grace se acercó a la pantalla del ordenador—. A ver si llamó a su hermana antes de anoche.

Repasó la lista. Nada. Tampoco constaba ningún número desconocido. Ya no le resultaba extraño hacer eso, espiar al marido al que quería y en el que confiaba, cosa que, por supuesto, ya de por sí le resultaba extraña.

—¿Quién paga las facturas? —preguntó Cora.

—Casi todas Jack.

—¿La factura del teléfono la envían a casa?

—Sí.

—¿Y tú la miras?

—Claro.

Cora asintió.

—Jack tiene un móvil, ¿no?

—Sí.

—¿Y qué hay de esa factura?

—¿Qué pasa con ella?

—¿La miras?

—No, es de él.

Cora sonrió.

—¿Qué?

—Cuando mi ex me engañaba, usaba el móvil porque yo nunca miraba esas facturas.

—Jack no me engaña.

—Pero es posible que tenga secretos, ¿no?

—Podría ser —admitió Grace—. Bueno, sí, es probable.

—Así que, ¿dónde podría guardar las facturas de su móvil?

Grace buscó en el archivador. Guardaba las facturas de Cascade. Miró en la uve para Version Wireless. Nada.

—No están aquí.

Cora se frotó las manos.

—¡Uy, qué sospechoso! —Estaba embalada—. Pues imaginemos que ellos hacen lo que nosotras hacemos.

—¿Y qué hacemos exactamente?

—Supongamos que Jack te esconde algo. Lo más probable es que rompa las facturas en cuanto le llegan, ¿no?

Grace meneó la cabeza.

—Esto es muy raro.

—Pero ¿tengo razón?

—Sí, vale, si Jack tiene secretos conmigo...

—Todo el mundo tiene secretos. Vamos, tú ya lo sabes. ¿Me estás diciendo que todo esto te sorprende?

En circunstancias normales, semejante verdad habría hecho vacilar a Grace, pero no había tiempo para esa clase de licencias.

—Bien, pues supongamos que Jack realmente rompió las facturas del móvil —dijo Grace—. ¿Cómo vamos a conseguirlas?

—Igual que las que acabo de conseguir ahora. Abrimos otra cuenta por Internet, esta vez con Version Wireless. —Cora empezó a teclear.

—¿Cora?

—Dime.

—¿Puedo preguntarte una cosa?

—Adelante.

—¿Cómo sabes hacer todo esto?

—Por experiencia práctica. —Paró de teclear y miró a Grace—. ¿Cómo te crees que me enteré de lo de Adolf y Eva?

—¿Los espiaste?

—Ajá. Compré un libro llamado *Espionaje para idiotas* o algo así. Está todo ahí. Quería asegurarme de que tenía todos los datos antes de enfrentarme a ese patético personaje.

—¿Y qué dijo cuando se lo echaste en cara?

—Que lo sentía. Que no volvería a hacerlo. Que renunciaría a Ivana la de los Implantes y no volvería a verla.

Grace observó teclear a su amiga.

—Lo quieres mucho, ¿verdad?

—Más que a la propia vida. —Sin dejar de teclear, Cora añadió—: ¿Y si abrimos otra botella de vino?

—Sólo si esta noche no conducimos.

—¿Quieres que me quede aquí a dormir?

—No deberíamos conducir, Cora.

—Trato hecho.

Cuando Grace se puso en pie, sintió que la cabeza le daba vueltas por el vino. Fue a la cocina. Cora a menudo bebía demasiado, pero esa noche Grace se alegraba de poder acompañarla. Abrió otra botella de Lindemans. Como el vino estaba a temperatura ambiente, echó abundante hielo en los vasos. Una torpe solución, sí, pero a las dos les gustaba frío.

Cuando Grace volvió al despacho, la impresora estaba en marcha. Le pasó a Cora un vaso y se sentó. Se quedó mirando el vino y movió la cabeza en un gesto de pesar.

—¿Qué?

—Por fin he conocido a la hermana de Jack.

—¿Y?

—O sea, date cuenta. Sandra Koval. Antes ni siquiera sabía cómo se llamaba.

—¿Nunca le has preguntado a Jack por ella?

—En realidad no.

—¿Por qué no?

Grace bebió un sorbo.

—No sabría explicarlo.

—Inténtalo.

Alzó la vista y se lo pensó.

—Me pareció que era lo más sano. Ya me entiendes, respetar la intimidad del otro respecto a algunas cosas. Yo huía de algo. Él nunca me presionó por ello.

—¿Y tú tampoco lo presionaste a él?

—Fue más que eso.

—¿Qué?
Grace reflexionó.
—Yo nunca entré en todo ese rollo de «no hay secretos entre nosotros». Jack tenía una familia rica y no quería saber nada de ella. Se habían peleado. Eso era lo único que yo sabía.
—¿De qué eran ricos?
—¿A qué te refieres?
—¿A qué se dedican?
—Es una sociedad de cartera o algo así, una empresa que fundó el abuelo de Jack. Tienen fondos fiduciarios, opciones y acciones con derecho a voto, cosas por el estilo. No son Onassis, pero no les va mal, supongo. Jack no quiere saber nada. No vota. Se niega a tocar el dinero. Llegó a un acuerdo para que el fideicomiso pase a la siguiente generación.
—¿Para que lo hereden Emma y Max?
—Sí.
—¿Y eso qué te parece?
Grace se encogió de hombros.
—¿Sabes de qué me estoy dando cuenta? —dijo.
—Soy toda oídos.
—¿Sabes por qué nunca presioné a Jack? No tenía nada que ver con el respeto a la intimidad.
—Entonces, ¿qué era?
—Lo quería. Lo quería más que a cualquier hombre de cuantos había conocido...
—Intuyo que aquí viene un «pero».
Grace sintió las lágrimas asomar a sus ojos.
—Pero me parecía todo tan frágil. ¿Entiendes lo que quiero decir? Cuando estaba con él... esto te parecerá estúpido, pero con Jack fui feliz como no lo había sido desde que... no sé, desde que murió mi padre.
—Has sufrido mucho —dijo Cora.
Grace no contestó.
—Te daba miedo perderlo. No querías exponerte a más dolor.
—¿Y por eso elegí la ignorancia?
—Oye, se supone que en la ignorancia está la felicidad, ¿no?
—¿Y tú te lo crees?

Cora se encogió de hombros.

—Si yo nunca hubiese espiado a Adolf, lo más probable es que él hubiera tenido su aventurilla y luego se le hubiese pasado. Quizás ahora viviría con el hombre al que quiero.

—Todavía puedes volver con él.

—Imposible.

—¿Por qué?

Cora reflexionó.

—Necesito la ignorancia, supongo. —Cogió el vaso y bebió un largo trago.

La impresora se detuvo. Grace cogió las hojas y las examinó. Conocía la mayoría de los números. De hecho, los conocía casi todos.

Pero uno enseguida le llamó la atención.

—¿De dónde es el prefijo seis cero tres? —preguntó Grace.

—Ni idea. ¿Qué llamada es?

Grace se la enseñó en la pantalla. Cora la señaló con el cursor.

—¿Qué haces? —preguntó Grace.

—Si haces clic en el número con el ratón, sale el nombre de la persona a quien llamó.

—¿En serio?

—Oye, ¿en qué siglo vives? Ahora las películas ya son sonoras.

—¿O sea que sólo tienes que marcar el vínculo?

—Y te lo dice todo. A menos que el número no figure en la guía.

Cora apretó el botón izquierdo del ratón. Salió un rótulo en el que se leía:

NÚMERO NO REGISTRADO

—Vaya, no está en la guía.

Grace miró el reloj.

—Sólo son las nueve y media —dijo—. No es demasiado tarde para llamar.

—Según las reglas del juego del marido desaparecido, no, no es demasiado tarde para llamar.

Grace descolgó el auricular y marcó el número. Un pitido agudo, no muy distinto del sonido de los altavoces en el concierto de

Rapture, le atravesó el tímpano. A continuación: «El número al que ha llamado —la voz grabada recitó el número— ha sido desconectado. No disponemos de más información».

Grace frunció el entrecejo.

—¿Qué?

—¿Cuándo fue la última vez que Jack llamó a ese número?

Cora lo miró.

—Hace tres semanas. Habló dieciocho minutos.

—Está desconectado.

—Mmm, el prefijo es el seis cero tres —observó Cora, pasando a otra página web. Tecleó «prefijo seis cero tres» y pulsó la tecla intro. La respuesta llegó de inmediato—. Es de New Hampshire. Espera, vamos a ver qué sale en Google.

—¿Qué quieres buscar? ¿New Hampshire?

—El número de teléfono.

—¿Para qué?

—El número no sale en la guía, ¿no?

—No.

—Espera, voy a enseñarte algo. Esto no funciona siempre, pero mira. —Cora tecleó el número de teléfono de Grace en el buscador—. Buscará esa secuencia de números en toda la red, no sólo en las guías. Eso no nos sirve porque, como has dicho, el número no sale en la guía. Pero...

Cora pulsó la tecla intro. Apareció un resultado. Era la página de un premio de arte concedido por la Universidad de Brandeis, donde estudió Grace. Cora hizo clic en el vínculo. Salieron el nombre y el número de teléfono de Grace—. ¿Has estado en el jurado de un premio de pintura?

Grace asintió.

—Era para una beca de arte.

—Pues ahí estás. Tu nombre, tu dirección y tu número de teléfono junto con los demás miembros del jurado. Debiste de darles tus datos.

Grace cabeceó.

—Ya puedes tirar tus cintas de ocho pistas y bienvenida a la Era de la Información —dijo Cora—. Y ahora que sé cómo te llamas, puedo hacer un millón de búsquedas distintas. Saldrá la página de tu galería. Tu universidad. Lo que sea. Ahora probemos con este número del seis cero tres...

Los dedos de Cora empezaron a volar otra vez. Pulsó la tecla intro.

—Un momento. Tenemos algo. —Miró la pantalla con los ojos entornados—. Bob Dodd.

—¿Bob?

—Sí. No Robert. Bob. —Cora miró a Grace—. ¿Te suena ese nombre?

—No.

—La dirección es un apartado de correos de Fitzwilliam, en New Hampshire. ¿Has estado allí?

—No.

—¿Y Jack?

—No lo creo. O sea, fue a la universidad en Vermont, así que es posible que haya visitado New Hampshire, pero nunca hemos ido juntos.

Se oyó un ruido arriba. Max lloraba dormido.

—Ve —dijo Cora—. Entretanto, veré qué encuentro sobre nuestro amigo el señor Dodd.

Mientras se dirigía hacia el dormitorio de su hijo, Grace sintió otra punzada en el pecho: Jack era el centinela nocturno de la casa. Él era quien se ocupaba de las pesadillas y de llevar vasos de agua por la noche. Él era quien sostenía la frente de los niños a las tres de la mañana cuando se despertaban para vomitar. De día, Grace se ocupaba de quitar mocos, comprobar la temperatura, calentar el caldo de pollo, obligarlos a tomar el jarabe Robitussin. El turno de noche le tocaba a Jack.

Cuando llegó a la habitación, Max sollozaba. El llanto ahora era suave, más bien un gimoteo, y eso por alguna razón daba más pena que un alarido. Grace lo abrazó. Le temblaba todo el cuerpo. Ella lo meció y le habló con ternura. Le susurró que su mamá estaba allí, que no pasaba nada, que no corría ningún peligro.

Max tardó en serenarse. Grace lo llevó al cuarto de baño. Aunque Max apenas tenía seis años, orinaba como un hombre; es decir, nunca acertaba al apuntar al váter. Se balanceó, durmiéndose de pie. Cuando acabó, Grace lo ayudó a subirse el pantalón del pijama de *Buscando a Nemo*. Lo acostó y le preguntó si quería hablarle de su sueño. Él negó con la cabeza y volvió a dormirse.

Grace se quedó mirando el movimiento de su pequeño pecho. ¡Cómo se parecía a su padre!

Al cabo de un rato bajó. No se oía nada. Cora ya no tecleaba. Grace entró en el despacho. La silla estaba vacía. Cora se hallaba en un rincón con el vaso de vino en la mano.

—¿Cora?

—Ya sé por qué el teléfono de Bob Dodd está desconectado.

Se percibía tensión en su voz, un tono que Grace nunca había oído. Esperó a que su amiga continuase, pero ésta parecía encogerse en el rincón.

—¿Qué ha pasado? —preguntó Grace.

Cora bebió un sorbo rápido.

—Según un artículo del *New Hampshire Post*, Bob Dodd está muerto. Lo asesinaron hace dos semanas.

16

Eric Wu entró en la casa de Sykes.

La casa estaba a oscuras. Wu había dejado todas las luces apagadas. El intruso —la persona que había sacado la llave de la roca— no las había encendido. Eso extrañó a Wu.

Había supuesto que el intruso era la mujer fisgona en camisón. ¿Sería tan lista como para saber que no debía encender las luces?

Se detuvo. Pero si uno tomaba la precaución de no encender las luces, ¿no habría tenido también la cautela de no dejar el guardallaves a la vista?

Algo no encajaba.

Wu se agachó y dio unos pasos hasta situarse detrás del sillón abatible. Se detuvo y escuchó. Nada. Si había alguien en la casa, él lo oiría moverse. Esperó un poco más.

Nada.

Wu se quedó pensando. ¿Y si la intrusa había entrado y salido ya?

Lo dudaba. Una persona capaz de arriesgarse a entrar con una llave escondida daría una vuelta por la casa. Lo más probable era que hubiera encontrado a Freddy Sykes en el cuarto de baño de arriba. Habría llamado para pedir ayuda. O si se hubiese ido, si no hubiese encontrado nada extraño, habría dejado la llave en la roca. Y no había ocurrido nada de eso.

Así pues, ¿cuál era la conclusión más lógica?

La intrusa seguía en la casa. Sin moverse. Escondida.

Wu avanzó sigilosamente. Había tres salidas. Se aseguró de que todas las puertas estaban cerradas con llave. Dos puertas tenían pestillo. Los corrió con cuidado. Cogió las sillas del comedor y las colocó delante de las tres salidas. Quería que algo, cualquier cosa, obstaculizara o al menos retrasara una huida fácil.

Quería atrapar a su adversaria.

La escalera estaba enmoquetada. Así le sería más fácil subir en silencio. Wu quería mirar en el cuarto de baño, para ver si Freddy Sykes seguía en la bañera. Pensó en el guardallaves a la vista de todos. En aquella situación, nada tenía sentido. Cuanto más lo pensaba, más lentos eran sus pasos.

Wu volvió a repasarlo todo: «Empecemos por el principio. Una persona que sabe dónde esconde Sykes la llave, abre la puerta. Entra en la casa. Y luego ¿qué? Si encuentra a Sykes, se marcha. Deja la llave en la roca y esconde la roca».

Pero eso no había ocurrido así.

¿Qué conclusión podía sacar Wu, pues?

La única posibilidad que se le ocurría —a menos que se le escapara algún detalle— era que la intrusa acabara de encontrar a Sykes cuando Wu entró en la casa. No tuvo tiempo de pedir ayuda. Sólo tuvo tiempo de esconderse.

Pero eso tampoco cuadraba. ¿Acaso la intrusa no habría encendido una luz? A lo mejor lo había hecho. A lo mejor había encendido alguna luz, pero de pronto, al ver llegar a Wu, la apagó y se escondió en el lugar donde se encontraba en ese momento.

En el cuarto de baño con Sykes.

Wu estaba ya en la habitación de matrimonio. Vio la rendija bajo la puerta del cuarto de baño. La luz seguía apagada. No subestimes a tu enemigo, se recordó a sí mismo. Últimamente había cometido varios errores. Demasiados. Primero, Rocky Conwell. Wu había sido lo bastante descuidado para permitir que lo siguiera. Ése había sido el primer error. El segundo fue dejarse ver por la vecina. Muy descuidado.

Y ahora esto.

No era fácil ser crítico con uno mismo, pero Wu intentó distanciarse y hacerlo. No era infalible. Sólo un tonto podía pensar eso. Tal vez había perdido facultades durante el tiempo que había pasado en la cárcel. Daba igual. Ahora Wu tenía que estar atento. Tenía que concentrarse.

Había más fotos en la habitación de Sykes. Había sido la habitación de la madre de Freddy durante cincuenta años. Wu lo sabía por sus conversaciones en línea. El padre de Sykes había muerto en la guerra de Corea cuando Sykes era un niño de corta edad. La madre nunca lo había superado. La gente reacciona de maneras distintas ante la muerte de un ser querido. La señora Sykes había decidido vivir con su fantasma en lugar de con los vivos. Se pasó el resto de su vida en el mismo dormitorio —incluso en la misma cama— que había compartido con su marido soldado. Dormía de su lado, le contó Freddy. Nunca permitió que nadie, ni siquiera cuando Freddy, de pequeño, tenía una pesadilla, tocara el lado de la cama donde había yacido su amado.

Wu tenía la mano en el pomo de la puerta.

El cuarto de baño era reducido. Intentó adivinar el ángulo desde el que podían atacarle. En realidad no había ninguno. Wu tenía una pistola en su talego. Se preguntó si debía cogerla. Si la intrusa estaba armada, podía representar un problema.

¿Se sentía demasiado seguro de sí mismo? Tal vez. Pero Wu no creía necesitar un arma.

Giró el pomo y empujó con fuerza.

Freddy Sykes seguía en la bañera. Tenía la mordaza en la boca y los ojos cerrados. Wu se preguntó si estaba muerto. Probablemente. No había nadie más. Tampoco era posible esconderse. Nadie había acudido en ayuda de Freddy.

Wu se acercó a la ventana. Miró hacia la casa, la casa de al lado.

La mujer —la que antes llevaba un camisón— estaba allí.

En su casa. De pie junto a la ventana.

Mirándolo fijamente.

Fue entonces cuando oyó cerrarse la puerta del coche. No sonó ninguna sirena, pero, al volverse hacia el camino de entrada, Wu vio las luces rojas del coche patrulla.

Era la policía.

Charlaine Swain no estaba loca.

Veía películas. Leía libros. Muchos. Así se evadía, había pensado. Se entretenía. Una manera de sobrellevar el aburrimiento de cada día. Pero, curiosamente, tal vez esas películas y esos libros le enseñaron algo. ¿Cuántas veces había gritado a la valiente heroína —a la belleza cándida, delgada como una escoba, de cabello negro como el azabache— que no entrara en la maldita casa?

Demasiadas. Así que ahora que le había tocado a ella... no, ni hablar. Charlaine Swain no iba a cometer el mismo error.

Se había quedado de pie ante la puerta trasera de Freddy mirando el guardallaves. Por su aprendizaje cinematográfico y literario, sabía que no debía entrar, pero tampoco podía quedarse al margen. Allí sucedía algo raro. Había un hombre en apuros. No podía desentenderse sin más.

Así que se le ocurrió una idea.

En realidad era muy sencillo. Sacó la llave de la roca. Ahora la tenía en el bolsillo. Dejó el guardallaves a la vista, no porque quisiera que lo viese el asiático, sino porque ésa sería su excusa para llamar a la policía.

En cuanto el asiático entró en casa de Freddy, Charlaine marcó el 911.

—Alguien ha entrado en la casa del vecino —dijo. La prueba decisiva: el guardallaves estaba tirado en medio del sendero.

Y ahora acababa de llegar la policía.

Un coche patrulla había doblado la esquina de su manzana. Llevaba la sirena apagada. El coche no llegó a todo gas; simplemente iba un poco por encima del límite de velocidad. Charlaine se atrevió a echar otro vistazo a la casa de Freddy.

El asiático la observaba.

17

Grace se quedó mirando el titular.

—¿Lo asesinaron?

Cora asintió.

—¿Cómo?

—Bob Dodd recibió un tiro en la cabeza delante de su mujer. Al estilo del hampa, dicen, sea lo que sea eso.

—¿Detuvieron al autor del disparo?

—No.

—¿Cuándo fue?

—¿Cuándo lo asesinaron?

—Sí, ¿cuándo?

—Cuatro días después de llamarlo Jack.

Cora volvió al ordenador. Grace pensó en la fecha.

—No pudo ser Jack.

—Ya.

—Sería imposible. Jack no ha salido del estado desde hace más de un mes.

—Eso dices tú.

—¿Qué insinúas?

—Nada, Grace. Estoy de tu lado, ¿vale? Tampoco yo creo que Jack haya matado a nadie, pero seamos realistas.

—¿O sea?

—O sea, déjate de tonterías como eso de «no ha salido del estado». New Hampshire no es California. En coche te plantas allí en cuatro horas, y en avión, en una.

Grace se frotó los ojos.

—Y otra cosa —prosiguió Cora—. Ya sé por qué sale como Bob en lugar de Robert.

—¿Por qué?

—Es periodista. Es el nombre con el que firma. Bob Dodd. Google da ciento veintiséis resultados con su nombre en los últimos tres años para el *New Hampshire Post*. En la necrológica lo describían como... a ver dónde estaba... «un periodista de investigación obstinado, famoso por sus revelaciones polémicas»; como si la mafia de New Hampshire se lo hubiera cargado para cerrarle la boca.

—¿Y no crees que haya sido eso?

—¿Quién sabe? Pero, después de echar una ojeada a sus artículos, tengo la impresión de que Bob Dodd era más bien uno de esos periodistas defensores de los desvalidos, ya sabes: encontraba a técnicos de lavavajillas que timan a viejas, fotógrafos de bodas que se esfuman con la paga y señal, cosas así.

—Quizás alguien se cabreó con él.

—Sí, es posible —respondió Cora con voz monótona—. Pero ¿crees que es casualidad que Jack llamase a ese tío antes de morir?

—No, eso no ha sido casualidad. —Grace intentaba asimilar lo que oía—. Espera.

—¿Qué?

—Esa foto. Había cinco personas. Dos mujeres, tres hombres. Es una posibilidad entre mil...

Cora ya estaba tecleando.

—Pero ¿a lo mejor Bob Dodd es una de ellas?

—Hay buscadores de imágenes, ¿no? —preguntó Grace.

—Estoy en ello.

Los dedos volaron, el cursor señaló, el ratón se desplazó. Salieron dos páginas, con un total de doce imágenes para Bob Dodd. La primera mostraba a un cazador llamado igual que vivía en Wisconsin. En la segunda página —el decimoprimer resultado—, encontraron una foto de una mesa tomada en una función benéfica en Bristol, New Hampshire.

Bob Dodd, un periodista del *New Hampshire Post*, era el primero de la izquierda.

No tuvieron que examinarla con detenimiento. Bob Dodd era afroamericano. Todas las personas de la foto misteriosa eran blancas.

Grace frunció el entrecejo.

—De todos modos tiene que haber una relación.

—Déjame ver si encuentro su currículum. A lo mejor fueron a la universidad juntos o algo así.

Alguien llamó a la puerta suavemente. Grace y Cora se miraron.

—Es tarde —dijo Cora.

Volvieron a llamar, otra vez con delicadeza. Había un timbre. Quien fuera había preferido no usarlo. Debía de saber que Grace tenía hijos. Grace se levantó y Cora la siguió. Al llegar a la puerta, encendió la luz exterior y miró por la ventana junto a la puerta. Tendría que haberse sorprendido más, pero tal vez, pensó, estaba curada de espanto.

—¿Quién es? —preguntó Cora.

—El hombre que cambió mi vida —contestó Grace en un susurro.

Abrió la puerta. Jimmy X estaba en la entrada con la vista baja.

Wu tuvo que sonreír.

Esa mujer. En cuanto Wu vio las luces de la sirena, lo entendió todo. El ingenio de esa mujer era admirable e irritante a la vez.

Pero no había tiempo para eso.

¿Qué hacer...?

Jack Lawson estaba atado en el maletero. En ese momento Wu comprendió que debía haber huido en cuanto vio el guardallaves. Otro error. ¿Cuántos más podía permitirse?

Minimizar los daños. Ése era ahora el objetivo. Era imposible prevenirlo todo; o sea, todos los daños. De ésta saldría sin duda perjudicado. Tendría un coste para él. Sus huellas dactilares estaban en la casa. La vecina debía de haber dado a la policía una descripción. Encontrarían a Sykes, vivo o muerto. Tampoco podía hacer nada para evitarlo.

Conclusión: si lo cogían, lo meterían en la cárcel durante mucho tiempo.

El coche de la policía se detuvo en el camino de entrada.

Wu pasó a la táctica de supervivencia. Corrió escalera abajo. Por la ventana vio detenerse el coche patrulla. Ya era de noche, pero la calle estaba bien iluminada. Salió un hombre negro y alto. Se puso la gorra de policía. Llevaba la pistola en la funda.

Eso era buena señal.

En cuanto el policía negro apenas había llegado al camino, Wu abrió la puerta con una sonrisa de oreja a oreja.

—¿En qué puedo ayudarlo, agente?

El policía no sacó el arma. Wu ya contaba con eso. Aquello era un barrio de familias que entraba en el amplio espectro conocido en Estados Unidos como «zonas residenciales». Un agente de la policía de Ho-Ho-Kus debía de responder a varios centenares de posibles allanamientos de morada a lo largo de su carrera. La mayoría, si no todos, eran falsas alarmas.

—Hemos recibido una llamada acerca de un posible robo —dijo el agente.

Wu frunció el entrecejo, simulando desconcierto. Avanzó un paso pero mantuvo las distancias. «Todavía no —pensó—. No te muestres amenazador.» Los movimientos de Wu eran intencionadamente parcos, para marcar un ritmo lento.

—Ah, ya sé. Me he olvidado la llave. Alguien ha debido de verme entrar por detrás.

—¿Vive usted aquí, señor...?

—Chang —dijo Wu—. Sí. Ah, pero no es mi casa, si se refiere a eso. Es de mi colega, Frederick Sykes.

Wu se arriesgó a dar otro paso.

—Ya veo. ¿Y ese señor Sykes está...?

—Arriba.

—¿Podría verlo, por favor?

—Claro, pase. —Wu le dio la espalda al agente y, volviéndose hacia la escalera, gritó—: ¿Freddy? Freddy, ponte algo. Ha venido la policía.

Wu no tuvo que darse la vuelta. Sabía que el negro alto se acercaba por detrás. Sólo estaba a cinco metros. Wu entró en la casa.

Sostuvo la puerta abierta y dirigió al agente lo que consideró una sonrisa afeminada. El agente —según la placa se llamaba Richardson— caminaba hacia la puerta.

Cuando sólo estaba a un metro, Wu atacó.

El agente Richardson había vacilado, tal vez porque intuyó algo, pero era demasiado tarde. El golpe, asestado con la palma de la mano, impactó de pleno en su vientre. Richardson se dobló como una silla plegable. Wu se acercó más. Pretendía incapacitarlo. No quería matar.

Un policía herido genera calor. Un policía muerto sube la temperatura diez veces más.

El policía estaba doblado por la cintura. Wu le golpeó las piernas por detrás. Richardson cayó de rodillas. Wu empleó una técnica de presión en un punto. Hundió los nudillos de los dedos índices a ambos lados de la cabeza de Richardson, introduciéndolos en la cavidad del oído por debajo del cartílago, una zona llamada Calentador Triple 17. Hay que saber encontrar el ángulo adecuado. Si se aprieta demasiado, se puede matar a alguien. Se requiere mucha precisión.

Richardson puso los ojos en blanco. Wu lo soltó. Richardson se desplomó como un títere con los hilos cortados.

El desmayo no duraría. Wu cogió las esposas prendidas del cinturón y le sujetó la muñeca al poste de la barandilla de la escalera. Le arrancó la radio del hombro.

Wu se acordó de la vecina. Estaría vigilando.

Con toda seguridad volvería a llamar a la policía. Consideró la opción, pero no tenía tiempo. Si intentaba atacarla, ella lo vería y cerraría la puerta con llave. Tardaría demasiado. Lo mejor que podía hacer era aprovechar el factor tiempo y sorpresa. Corrió al garaje y entró en el monovolumen de Jack Lawson. Comprobó la carga en el maletero.

Allí seguía Jack Lawson.

Wu se acomodó en el asiento del conductor. Tenía un plan.

Charlaine tuvo una premonición en cuanto vio al policía salir del coche.

Para empezar, iba solo. Había supuesto que acudirían dos, una pareja, influida también por la tele: *Starsky y Hutch, Adam-12,* Briscoe y Green. En ese momento comprendió que había cometido un error. Al llamar por teléfono, se había mostrado demasiado tranquila. Debería haber dicho que había visto algo amenazador, algo terrible, para que se presentasen más alertas, más preparados. En lugar de eso, había causado la impresión de ser una vecina fisgona, una chiflada que no tenía nada mejor que hacer que llamar a la policía por cualquier nimiedad.

El lenguaje corporal del policía no era el que correspondía. Caminó con parsimonia hacia la puerta, relajado y tranquilo, sin la menor preocupación. Charlaine no veía la puerta principal desde donde estaba, sólo el camino de entrada. Cuando el agente desapareció, Charlaine sintió un nudo en el estómago.

Pensó lanzarle un grito de advertencia. El problema era —aunque parezca extraño— las nuevas ventanas Pella que habían instalado el año anterior. Se abrían verticalmente mediante una manivela. Para cuando hubiera corrido los dos pestillos y accionado la manivela, bueno, ya habría perdido de vista al agente. Y de hecho, ¿qué podía gritar? ¿Qué clase de advertencia? En definitiva, ¿qué sabía ella?

Así que esperó.

Mike estaba en casa, abajo, en la leonera, viendo un partido de los Yankees en YES Network. La noche dividida. Ya nunca veían la televisión juntos. Él la sacaba de quicio con tanto zapping. No les gustaban los mismos programas. Pero en realidad Charlaine no creía que ése fuera el problema. Podía ver cualquier cosa. Aun así, Mike ocupaba la leonera y ella el dormitorio. Los dos veían la televisión solos, a oscuras. Tampoco sabía cuándo había empezado eso.

Los niños habían salido —el hermano de Mike los había llevado al cine—, pero cuando estaban, se encerraban en sus habitaciones. Charlaine intentaba limitar el tiempo de navegación por Internet, pero era imposible. Cuando era joven, los amigos se pasaban horas hablando por teléfono. Ahora cruzaban mensajes por Messenger y hacían quién sabía qué por Internet.

En eso se había convertido su familia: en cuatro entidades separadas y a oscuras, que se relacionaban sólo cuando era necesario.

Vio la luz encenderse en el garaje de Sykes. Tras la ventana, la que tenía la cortina de encaje fino, Charlaine percibió una sombra. Movimiento. En el garaje. ¿Por qué? El agente de policía no tenía por qué estar allí. Cogió el teléfono y marcó el 911 al tiempo que se encaminaba hacia la escalera.

—He llamado hace un rato —dijo a la telefonista del 911.

—¿Sí?

—Porque habían entrado a robar en la casa de mi vecino.

—Ya ha ido un agente.

—Sí, lo sé. Lo he visto llegar.

Silencio. Se sintió estúpida.

—Creo que es posible que haya sucedido algo.

—¿Qué ha visto?

—Creo que es posible que lo hayan atacado. A su agente. Por favor, envíe a alguien rápido.

Colgó. Cuantas más explicaciones diera, más tontas parecerían.

Se oyó el chirrido familiar. Charlaine sabía qué era. La puerta eléctrica del garaje de Freddy. Ese hombre le había hecho algo al policía. Y ahora iba a huir.

Fue entonces cuando Charlaine decidió actuar de una manera realmente absurda.

Volvió a pensar en esas heroínas delgadas como escobas, esas descerebradas, y se preguntó si alguna de ellas, siquiera la más idiota, había cometido alguna vez semejante estupidez. Lo dudaba. Sabía que cuando volviera la vista atrás y recordara la elección que estaba a punto de hacer —eso suponiendo que sobreviviese—, se reiría y tal vez, sólo tal vez, respetaría un poco más a las protagonistas que entran en una casa a oscuras en bragas y sostén.

La cuestión era ésta: el asiático se disponía a huir. Había agredido a Freddy. Había agredido al agente, de eso no le cabía duda. Para cuando llegara la policía, él ya se habría largado. No lo encontrarían. Sería demasiado tarde.

Y si se escapaba, ¿qué pasaría luego?

La había visto. Charlaine estaba segura. Junto a la ventana. Y con toda probabilidad había deducido que quien había avisado a la policía era ella. Freddy podía estar muerto. Y el policía también. ¿Quién era el único testigo que quedaba?

Charlaine.

Volvería a por ella, ¿no? Y si no volvía, aun cuando la dejase en paz... bueno, como mínimo ella viviría con ese miedo. Estaría intranquila por las noches. De día lo buscaría entre la multitud. Quizás él simplemente desearía vengarse. Quizás iría a por Mike o los niños...

No lo permitiría. Tenía que impedirlo.

¿Cómo?

Querer evitar su fuga estaba muy bien, pero debía ser realista. ¿Qué podía hacer? En la casa no había una pistola. Charlaine no podía salir corriendo, saltar por detrás de él e intentar arañarle los ojos. No, tenía que obrar con más inteligencia.

Tenía que seguirlo.

A primera vista parecía ridículo, pero era la solución lógica: si ese hombre se escapaba, ella sería presa del miedo. Un terror puro, no adulterado, probablemente interminable hasta que lo cogieran, lo que tal vez no ocurriría nunca. Charlaine le había visto la cara a ese hombre. Le había visto los ojos. No podría vivir con eso.

Si analizaba las alternativas, «ir tras sus pasos» —como decían en televisión— tenía sentido. Lo seguiría con su coche. Mantendría las distancias. Llevaría el móvil. Podría informar a la policía de su paradero. El plan no requería tener que seguirlo mucho tiempo, sólo hasta que la policía la relevara. En ese momento, si no actuaba, sabía qué sucedería: llegaría la policía y el asiático ya no estaría en la casa.

No le quedaba otra opción.

Cuanto más lo pensaba, menos descabellado le parecía. Estaría en un coche en movimiento. Conduciría tranquilamente detrás de él. Permanecería en contacto con una telefonista del 911 por el móvil.

¿Acaso no era eso más seguro que dejarlo escapar?

Bajó corriendo por la escalera.

—¿Charlaine?

Era Mike. Estaba allí, en la cocina, comiendo galletas de mantequilla de cacahuete junto al fregadero. Charlaine se detuvo un momento. Mike le escrutó el rostro como sólo él podía hacerlo, como sólo él había hecho. Charlaine se acordó de sus tiempos en Vanderbilt, cuando se enamoraron. La manera en que él la miraba entonces, la manera en que la miró ahora. En aquella época era más delgado y apuesto. Pero la mirada, los ojos, eran los mismos.

—¿Qué pasa? —preguntó Mike.

—Tengo... —Calló, recobró el aliento—. Tengo que ir a un sitio.

Esos ojos. Perspicaces. Charlaine se acordó de cuando lo conoció, un día soleado en el Centennial Park de Nashville. ¿Qué distancia habían recorrido? Mike todavía veía dentro de ella. Todavía veía en ella como nadie lo había hecho. Por un momento Charlaine fue incapaz de moverse. Pensó que iba a echarse a llorar. Mike tiró las galletas al fregadero y se dirigió hacia ella.

—Conduzco yo —dijo Mike.

18

Grace y el famoso rockero conocido por el nombre de Jimmy X se hallaban solos en la habitación empleada como leonera y sala de juegos. La Game Boy de Max estaba boca abajo. Tenía rota la tapa posterior, de modo que ahora las dos pilas estaban sujetas con celo. El cartucho del juego, abandonado junto a ella como si lo hubiera escupido, se llamaba Super Mario Five, que, desde la limitada perspectiva de Grace, parecía exactamente igual a las otras cuatro versiones de Super Mario.

Cora los había dejado solos y reanudado su papel de ciberdetective. Jimmy aún no había despegado los labios. Allí sentado, con los antebrazos apoyados en los muslos y la cabeza gacha, recordó a Grace la primera vez que lo vio en su habitación del hospital no mucho después de recuperar el conocimiento.

Jimmy quería que ella hablara primero. Grace se dio cuenta. Pero no tenía nada que decirle.

—Lamento venir tan tarde —dijo él por fin.

—Creía que esta noche actuabas.

—Ya hemos acabado.

—¡Qué pronto! —comentó ella.

—Los conciertos suelen acabar a las nueve. A los promotores les gusta así.

—¿Cómo sabías dónde vivo?

Jimmy se encogió de hombros.

—Supongo que siempre lo he sabido.

—¿Eso qué significa?

Él no contestó, y Grace no insistió. La habitación se sumió en un profundo silencio durante varios segundos.

—No sé muy bien por dónde empezar —dijo Jimmy. Luego, tras una breve pausa, añadió—: Aún cojeas.

—Vas por buen camino —dijo ella.

Él intentó sonreír.

—Sí, cojeo.

—¿Por...?

—Sí.

—Lo siento.

—Salí bien librada.

A Jimmy se le ensombreció el rostro. Volvió a agachar la cabeza, que al final se había atrevido a levantar, como si hubiera aprendido la lección.

Jimmy conservaba los mismos pómulos. Los famosos rizos rubios habían desaparecido, y si era por genética o por obra de la cuchilla, Grace no lo sabía. Era mayor, claro. Había dejado atrás la juventud, y Grace se preguntó si podía decirse lo mismo de ella.

—Esa noche lo perdí todo —dijo él. De pronto se interrumpió y meneó la cabeza—. No quería decir eso. No he venido para dar lástima.

Grace permaneció callada.

—¿Te acuerdas de cuando fui a verte en el hospital?

Ella asintió.

—Había leído todos los artículos de los periódicos. Todos los artículos de las revistas. Había visto todos los noticiarios. Puedo hablarte de todos los chicos que murieron esa noche. De cada uno de ellos. Conozco sus rostros. Cierro los ojos y todavía los veo.

—¿Jimmy?

Él volvió a alzar la vista.

—No deberías decirme esto. Esos chicos tenían familias.

—Lo sé.

—No soy yo quien puede absolverte.

—¿Crees que he venido para eso?

Grace no contestó.

—Es sólo que... —Jimmy cabeceó—. No sé por qué he venido,

¿vale? Esta noche te he visto. En la iglesia. Y me he dado cuenta de que me has reconocido. —Ladeó la cabeza—. Por cierto, ¿cómo me has encontrado?

—No he sido yo.

—¿El hombre con el que estabas?

—Carl Vespa.

—Dios mío. —Cerró los ojos—. El padre de Ryan.

—Sí.

—¿Te ha llevado él?

—Sí.

—¿Qué quiere?

Grace pensó por un momento.

—No creo que lo sepa.

Esta vez fue Jimmy quien calló.

—Cree que quiere una disculpa —añadió ella.

—¿Lo cree?

—En realidad lo que quiere es recuperar a su hijo.

El aire parecía sofocante. Ella cambió de posición en la silla. El color había abandonado el rostro de Jimmy.

—Lo intenté, ¿sabes? Intenté pedir perdón. En eso, Vespa tiene razón. Se lo debo a esa gente. Es lo mínimo. Y no me refiero a ese estúpido montaje de la foto que me saqué contigo en el hospital. La quería mi representante. Yo estaba tan colocado que le seguí la corriente. Apenas podía tenerme en pie. —La miró. Tenía los mismos ojos intensos que lo habían convertido en unos de los preferidos de la MTV—. ¿Te acuerdas de Tommy Garrison?

Grace se acordaba. Había muerto en la desbandada. Sus padres se llamaban Ed y Selma.

—Su foto me conmovió. Bueno, en realidad, todas me conmovieron. Esas vidas, todas a punto de empezar... —Se calló otra vez, respiró hondo y volvió a intentarlo—. Pero Tommy... se parecía a mi hermano pequeño. No podía quitármelo de la cabeza. Así que fui a su casa. Quería pedir perdón a sus padres... —Se interrumpió.

—¿Qué pasó?

—Fui. Nos sentamos a la mesa de la cocina. Recuerdo que apoyé los codos en la mesa y se tambaleó. El suelo era de linóleo, y estaba medio levantado. El papel de la pared, horrible, de flores amarillas, se desprendía. Tommy era su único hijo. Vi sus vidas, sus rostros vacíos... No pude soportarlo.

Ella no dijo nada.

—Fue entonces cuando huí.

—¿Jimmy?

Él la miró.

—¿Dónde has estado?

—En muchos sitios.

—¿Por qué?

—¿Cómo que por qué?

—¿Por qué lo dejaste todo?

Él se encogió de hombros.

—Tampoco había gran cosa. El negocio de la música, bueno, no voy a hablar de eso ahora, pero digamos que todavía no había ganado mucho dinero. Yo era nuevo. Se tarda un tiempo en ganar dinero de verdad. Y no me importaba. Lo único que quería era salir de allí.

—¿Y adónde fuiste?

—Primero a Alaska. Aunque te parezca mentira, trabajé limpiando pescado. Durante un año más o menos. Después me dediqué a viajar, toqué con un par de bandas en bares. En Seattle encontré un grupo de viejos hippies. Antes se dedicaban a falsificar carnets para los miembros de Weather Underground, cosas así. Me proporcionaron documentación nueva. Lo más cerca que estuve de aquí fue cuando toqué un tiempo con un grupo telonero en un casino de Atlantic City. El Tropicana. Me teñí el pelo. Seguí con la batería. Nadie me reconoció, y si alguien me reconoció, le dio igual.

—¿Eras feliz?

—¿Quieres que te diga la verdad? No. Quería volver. Quería reparar el daño y seguir con mi vida. Pero cuanto más tiempo pasaba fuera, más me costaba y más lo deseaba. Era un círculo vicioso. Y entonces conocí a Madison.

—¿La cantante de Rapture?

—Sí. Madison. ¿Verdad que es un nombre increíble? Ahora es muy popular. ¿Te acuerdas de la película *Un, dos, tres... Splash*, con Tom Hanks y cómo se llama?

—Daryl Hannah —dijo Grace mecánicamente.

—Eso, la sirena rubia. ¿Te acuerdas de la escena en que Tom Hanks le busca un nombre y dice varios como Jennifer o Stephanie y mientras caminan por Madison Avenue él menciona de pasada el nombre de la calle y ella dice que quiere llamarse así?, y es un gag de la película, eso de que una mujer se llame Madison. Ahora es un nombre de lo más corriente.

Grace se abstuvo de hacer comentario alguno.

—Total, que es de un pueblo agrícola de Minnesota. Se escapó de su casa y se fue a la Gran Manzana a los quince años, hasta que acabó colgada de las drogas y sin techo en Atlantic City. Fue a parar a un refugio para adolescentes fugados y al final encontró a Jesús. Ya conoces el rollo, cambió una adicción por otra, y entonces empezó a cantar. Tiene la voz como un ángel de Janis Joplin.

—¿Sabe quién eres?

—No. Como Shania y Mutt Lange, ella cantando y él en la sombra, ¿sabes? Eso quería yo. Me gusta trabajar con ella. Me gusta la música, pero no quería llamar la atención. Al menos, es lo que me digo a mí mismo. Madison es muy tímida. Se niega a actuar si yo no salgo al escenario con ella. Ya se le pasará, pero de momento me ha parecido que la batería es un disfraz bastante eficaz.

Se encogió de hombros e intentó sonreír. Conservaba un atisbo del carisma del guaperas.

—Supongo que en eso me equivoqué.

Permanecieron un momento en silencio.

—Sigo sin entenderlo —dijo Grace.

Él la miró.

—Antes te he dicho que no soy yo quien puede absolverte. Lo he dicho en serio. Pero la verdad es que tú no disparaste la pistola esa noche.

Jimmy no se movió.

—Los Who. Cuando hubo esa desbandada en Cincinnati, lo superaron. Y los Rolling Stones, cuando el Ángel del Infierno mató a un tío en su concierto. Siguen tocando. Entiendo que quieras desaparecer por un tiempo, un año o dos...

Jimmy desvió la mirada hacia la derecha.

—Debería irme.

Se puso en pie.

—¿Piensas desaparecer otra vez? —preguntó ella.

Él vaciló y luego se metió la mano en el bolsillo. Sacó una tarjeta y se la dio. Sólo había diez dígitos.

—No tengo una dirección ni nada, sólo un número de móvil.

Se volvió y se dirigió hacia la puerta. Grace no lo siguió. En circunstancias normales, lo habría presionado, pero al final su visita fue un aparte, un aparte no muy importante tal y como estaban las cosas. Su pasado ejercía una atracción especial, nada más. Sobre todo ahora.

—Cuídate, Grace.

—Tú también, Jimmy.

Se quedó sentada en la leonera, sintiendo que el cansancio empezaba a pesarle en los hombros, y se preguntó dónde estaría Jack en esos momentos.

En efecto, condujo Mike. El asiático les llevaba un minuto de ventaja, pero lo bueno de su intrincada urbanización llena de calles sin salida, casas unifamiliares y jardines frondosos —esa maravillosa y serpenteante zona residencial— era que en realidad sólo había una vía de entrada y salida.

En esa parte de Ho-Ho-Kus, todas las calles conducían a Hollywood Avenue.

Charlaine puso al corriente a Mike lo más rápido que pudo. Se lo contó casi todo, cómo había mirado por la ventana, había visto al hombre y se había olido algo raro. Mike no la interrumpió. Su historia tenía lagunas considerables. Por ejemplo, para empezar, omitió el motivo por el que estaba mirando por la ventana. Mike debió de notar esas lagunas, pero en ese momento las pasó por alto.

Charlaine observó su perfil y se retrotrajo al día en que se conocieron. Ella estaba en primero en la Universidad de Vanderbilt. Había un parque en Nashville, no lejos del campus, con una reproducción del Partenón de Atenas. Construido originariamente en 1897 para la Exposición Internacional, se consideraba que la estructura era la imitación más realista del mundo de las famosas ruinas de la Acrópolis. Si alguien quería ver cómo era el Partenón en su momento de máximo esplendor, iba a Nashville, Tennessee.

Estaba ella allí sentada un cálido día de otoño, con sólo dieciocho años, contemplando el edificio, imaginando cómo debía de ser la vida en la Antigua Grecia, cuando una voz dijo:

—No sirve, ¿verdad?

Se volvió. Mike tenía las manos en los bolsillos. Estaba guapísimo.

—¿Perdón?

Él se acercó un paso, con un asomo de sonrisa en los labios, moviéndose con una seguridad que a ella le gustó. Mike señaló la enorme estructura con la cabeza.

—Es una réplica exacta, ¿no? La miras, y eso es lo que veían los grandes filósofos como Platón y Sócrates, y sólo se me ocurre pensar —se interrumpió y encogió de hombros—: ¿No hay nada más?

Ella le sonrió. Vio que él abría los ojos y supo que la sonrisa había surtido efecto.

—No deja nada a la imaginación —dijo ella.

Mike ladeó la cabeza.

—¿A qué te refieres?

—Ves las ruinas del auténtico Partenón e intentas imaginar cómo fue. Pero la realidad, que es esto, nunca estará a la altura de lo que evoca la mente.

Mike movió la cabeza en un lento gesto de asentimiento mientras lo pensaba.

—¿No te parece? —preguntó ella.

—Yo tenía otra teoría —dijo Mike.

—Me gustaría oírla.

Se acercó más y se agachó.

—No hay fantasmas.

Ahora fue ella quien ladeó la cabeza.

—Necesitas la historia. Necesitas a la gente en sandalias paseándose por ahí. Necesitas los años, la sangre, las muertes, el sudor de... ¿cuánto?... cuatrocientos años antes de Cristo. Sócrates nunca rezó ahí dentro. Platón no discutió junto a sus puertas. Las reproducciones no tienen fantasmas. Son cuerpos sin alma.

La joven Charlaine volvió a sonreír.

—¿Eso se lo dices a todas?

—De hecho, es nuevo. Lo estoy probando. ¿Funciona?

Ella levantó la mano, con la palma hacia abajo, y la movió hacia un lado y hacia el otro.

—Más o menos.

Desde ese día Charlaine no había vuelto a estar con otro hombre. Durante años volvieron al Partenón falso para celebrar su aniversario. Ese había sido el primer año que no iban.

—Allí está —dijo Mike.

El Ford Windstar se dirigía hacia el oeste por Hollywood Avenue para coger la Carretera 17. Charlaine hablaba otra vez con una telefonista del 911. Por fin la tomaba en serio.

—Hemos perdido el contacto por radio con el agente en el lugar de los hechos —dijo.

—Va a tomar la Carretera Diecisiete dirección sur por la salida de Hollywood Avenue —informó Charlaine—. Conduce un Ford Windstar.

—¿Matrícula?

—No la veo.

—Tenemos agentes acudiendo a los dos sitios. Ya pueden abandonar la persecución.

Charlaine apartó el teléfono.

—¿Mike?

—De acuerdo.

Charlaine se reclinó en el asiento y pensó en su propia casa, en los fantasmas, en los cuerpos sin alma.

Eric Wu no se sorprendía fácilmente.

Cuando vio que lo seguían la mujer de la casa y ese hombre que supuso que era su marido... Desde luego nunca lo habría previsto. Se preguntó cómo afrontarlo.

Esa mujer.

Ella le había tendido la trampa. Lo estaba siguiendo. Había llamado a la policía. Habían enviado a un agente. Wu sabía que volvería a llamar.

Sin embargo, había contado con poner suficiente distancia entre él y la casa de Sykes antes de que la policía respondiera a su llamada. Cuando se trataba de rastrear vehículos, la policía distaba mucho de ser omnipotente. Bastaba con ver lo sucedido con el francotirador de Washington unos años atrás. Tenían centenares de agentes. Tenían controles de carretera. Y durante un tiempo vergonzosamente largo fueron incapaces de encontrar a los dos aficionados.

Si Wu lograba alejarse unos cuantos kilómetros, estaría a salvo.

Pero ahora tenía un problema.

Esa mujer otra vez.

Esa mujer y su marido lo seguían. Comunicarían a la policía hacia dónde iba, en qué carretera estaba, qué dirección tomaba. No conseguiría poner distancia suficiente entre él y las autoridades.

Conclusión: Wu tenía que detenerlos.

Vio el cartel del centro comercial Paramus Park y tomó la salida que pasaba por encima de la autopista. La mujer y su marido lo siguieron. Era ya entrada la noche. Las tiendas estaban cerradas, el aparcamiento vacío. Wu entró. La mujer y su marido mantuvieron la distancia.

Eso estaba bien.

Porque había llegado el momento de desafiarlos.

Wu tenía una pistola, una Walther PPK. No le gustaba usarla. No porque se anduviera con remilgos. Simplemente prefería utilizar las manos. Con la pistola se defendía; con las manos era un experto. Las controlaba perfectamente. Formaban parte de él. Con una pistola había que confiar en la mecánica, en una fuente exterior. Eso a Wu no le gustaba.

Pero entendía la necesidad.

Detuvo el coche. Comprobó que la pistola estaba cargada. No había echado el seguro del coche. Abrió, salió del vehículo y apuntó.

—¿Qué coño está haciendo? —preguntó Mike.

Charlaine vio el Ford Windstar entrar en el aparcamiento del centro comercial. No había más coches. El aparcamiento estaba bien iluminado, bañado por el resplandor fluorescente de los centros comerciales. Vio más adelante establecimientos de Sears, Office Depot, Sports Authority.

El Ford Windstar se detuvo.

—No te acerques —dijo ella.

—Estamos en un coche cerrado, con el seguro puesto —dijo Mike—. ¿Qué puede hacernos?

El asiático se movía con desenvoltura y agilidad, y sin embargo también lo hacía con calma, como si hubiera planeado con cuidado cada movimiento de antemano. Era una combinación extraña, esa manera de moverse, casi inhumana. Pero en ese momento se hallaba junto al coche, totalmente inmóvil. Levantó un brazo, sólo el brazo, el resto permaneció tan quieto que parecía una ilusión óptica.

Y de repente estalló el parabrisas.

El ruido fue súbito y ensordecedor. Charlaine gritó. Algo le salpicó la cara, algo húmedo y pegajoso. En el aire flotaba un olor metálico. Charlaine se agachó instintivamente. Los cristales del parabrisas le llovieron sobre la cabeza. Algo cayó sobre ella, empujándola hacia abajo.

Era Mike.

Volvió a gritar. El grito se mezcló con otra detonación. Tenía que moverse, tenía que salir de allí, tenía que sacarlo de allí. Mike no se movía. Lo apartó de un empujón y se arriesgó a levantar la cabeza.

Otra bala le pasó rozando.

No tenía ni idea de dónde había impactado. Volvió a agachar la cabeza. Oyó otra vez sus propios gritos. Transcurrieron unos segundos. Por fin Charlaine se atrevió a mirar.

El hombre caminaba hacia ella.

«¿Y ahora qué? Escapa. Huye», fue lo único que acudió a su mente.

¿Cómo?

Puso la marcha atrás. Mike seguía pisando el freno. Se inclinó y alargó el brazo para cogerle el tobillo inerte y apartar el pie del freno. Todavía encajonada en el espacio reservado a las piernas, Charlaine consiguió apretar el acelerador con la palma de la mano. Empujó con todas sus fuerzas. El coche retrocedió bruscamente. Charlaine no podía moverse. No tenía ni idea de hacia dónde iba.

Pero se movían.

Siguió apretando el pedal a fondo con la mano. El coche pasó por encima de algo, tal vez un bordillo. Con la sacudida se golpeó la cabeza contra el volante. Volvieron a chocar con algo. Ella no cejó. Ahora el camino se había vuelto más liso. Pero sólo por un momento. Charlaine oyó bocinazos, chirridos de frenos y el espantoso zumbido de coches que perdían el control.

Se produjo un impacto, un terrible sonido agudo y, pocos segundos después, oscuridad.

19

El agente Daley había palidecido.

Perlmutter se enderezó.

—¿Qué pasa?

Daley miraba fijamente el papel que sostenía en la mano como si temiera que se le escapara.

—Aquí hay algo que no encaja, capitán.

Cuando el capitán Perlmutter empezó a trabajar en la policía, aborrecía el turno de noche. El silencio y la soledad podían con él. Se había criado en el seno de una familia numerosa, con siete hermanos, y le gustaba esa vida. Su mujer, Marion, y él planeaban tener una familia numerosa. Él ya lo tenía todo previsto: las barbacoas, los fines de semana entrenando a alguno de los niños, las conferencias en la escuela, las películas familiares los viernes por la noche, las noches de verano en el porche delantero. Es decir, la vida que había conocido en Brooklyn durante la infancia, pero en una casa más grande, con un toque suburbano.

Su abuela desgranaba citas en yídish sin cesar. La favorita de Stu Perlmutter era la siguiente: «El hombre propone y Dios dispone». Marion, la única mujer a la que había querido, murió de una embolia fulminante a los treinta y un años. Estaba en la cocina, preparando un bocadillo para Sammy —su hijo, su único hijo—, cuando ocurrió. Murió antes de llegar al suelo de linóleo.

En gran medida, la vida de Perlmutter se acabó ese día. Hizo cuanto pudo para criar a Sammy, pero la verdad es que nunca estuvo realmente por la labor. Quería al niño y disfrutaba con su trabajo, pero había vivido para Marion. Esa comisaría, su empleo allí, se había convertido en su consuelo. Su casa, la presencia de Sammy, le recordaban a Marion y todo aquello que nunca tendrían. Allí, a solas, casi podía olvidar.

De eso hacía mucho tiempo. Ahora Sammy iba a la universidad. Se había convertido en un buen chico, pese a la falta de atención de su padre. Debía de haber alguna razón para eso, pero Perlmutter no sabía cuál era.

Perlmutter invitó a Daley a sentarse con un gesto.

—¿Y bien? ¿Qué pasa?

—Esa mujer. Grace Lawson.

—Ah —dijo Perlmutter.

—¿Ah?

—Yo también estaba pensando en ella.

—¿Hay algo en el caso que le preocupa, capitán?

—Sí.

—Creía que era sólo una impresión mía.

Perlmutter se retrepó en la silla.

—¿Sabes quién es?

—¿La señora Lawson?

—Sí.

—Es una artista —contestó Daley.

—Más que eso. ¿Te has fijado en la cojera?

—Sí.

—Grace Lawson es su nombre de casada. Pero antes se llamaba Grace Sharpe, su apellido de soltera, supongo.

Daley lo miró con cara de incomprensión.

—¿Has oído hablar alguna vez de la Matanza de Boston?

—¿Se refiere al alboroto en aquel concierto de rock?

—Fue más bien una desbandada, pero sí. Murió mucha gente.

—¿Ella estaba allí?

Perlmutter asintió.

—Y resultó herida de gravedad. Estuvo un tiempo en coma. La prensa le dedicó mucha atención.

—¿Hace mucho de eso?

—Unos quince, dieciséis años.

—Pero ¿usted se acuerda?

—Fue una noticia de primera línea. Y yo era un gran admirador del grupo de Jimmy X.

Daley se mostró sorprendido.

—¿Usted?

—Oye, que yo no he sido siempre un vejestorio.

—He oído el CD. Era francamente bueno. Por la radio siguen poniendo *Pale Ink* a todas horas.

—Una de las mejores canciones de la historia.

A Marion le gustaba el grupo de Jimmy X. Perlmutter se acordó de que escuchaba continuamente *Pale Ink* en un viejo walkman a todo volumen, con los ojos cerrados, moviendo los labios mientras cantaba en silencio. Parpadeó para ahuyentar la imagen.

—¿Y qué fue de ellos?

—La matanza acabó con el grupo. Se separaron. Jimmy X, ya no me acuerdo de su verdadero nombre, era el que daba la cara y componía las canciones. Lo dejó todo de la noche a la mañana. —Perlmutter señaló el papel que sostenía Daley—. ¿Y eso qué es?

—Es de lo que quería hablarle.

—¿Tiene algo que ver con el caso Lawson?

—No lo sé. —A continuación añadió—: Sí, es posible.

Perlmutter cruzó las manos detrás de la cabeza.

—Habla.

—DiBartola ha recibido una denuncia a primera hora de la noche —explicó Daley—. Otro caso de un marido desaparecido.

—¿Alguna similitud con el de Lawson?

—No. O sea, no al principio. En realidad, éste ni siquiera era el marido. Era su ex. Y no está del todo limpio.

—¿Tiene antecedentes?

—Cumplió condena por agresión.

—¿Su nombre?

—Rocky Conwell.

—¿Rocky? ¿En serio?

—Sí, eso dice su partida de nacimiento.

—Hay algunos padres que... en fin... —Perlmutter hizo una mueca—. Un momento, ¿de qué me suena ese nombre?

—Fue jugador de fútbol profesional durante un tiempo.

El capitán Perlmutter rebuscó en su memoria y se encogió de hombros.

—Bueno, ¿y qué más?

—Pues bien, como decía, este caso parecía incluso más claro que el de Lawson. Se trata de un ex marido que tenía que llevar a su mujer de compras esta mañana. O sea, no es nada. Menos que nada. Pero DiBartola ha visto a la mujer... Lorraine, se llama... y en fin, está como un tren. Y ya conoce a DiBartola.

—Un cerdo —dijo Perlmutter con un gesto de asentimiento—. Un cerdo de primera donde los haya.

—Exacto, así que pensó: qué demonios, síguele la corriente. Está separada, así que nunca se sabe. A lo mejor cae algo.

—Muy profesional. —Perlmutter frunció el entrecejo—. Sigue.

—Y aquí está lo raro. —Daley se lamió los labios—. DiBartola hace lo más sencillo: comprueba el tac.

—Como tú.

—*Exactamente* como yo.

—¿A qué te refieres?

—Consigue un resultado. —Daley se acercó—. Rocky Conwell pasó por el peaje de la salida dieciséis de la autopista de Nueva York. Exactamente a las diez y veintiséis de la noche de ayer.

Perlmutter lo miró fijamente.

—Sí, ya lo sé. La misma hora y el mismo lugar que Jack Lawson.

Perlmutter examinó el informe.

—¿Estás seguro? ¿DiBartola no habrá introducido por error el mismo número que nosotros o algo así?

—Lo he comprobado dos veces. No hay error posible. Conwell y Lawson pasaron por el peaje a la misma hora. Tenían que ir juntos.

Perlmutter reflexionó y movió la cabeza en un gesto de negación.

—No.

Daley parecía confuso.

—¿Cree que es casualidad?

—¿Dos coches distintos, que pasaron por el peaje al mismo tiempo? No lo creo.

—Y entonces, ¿qué piensa?

—No lo sé —contestó Perlmutter—. Digamos que los dos... no sé, huyeron juntos. O que Conwell secuestró a Lawson. O Lawson secuestró a Conwell. O lo que sea, qué demonios. En ese caso, habrían ido en el mismo coche. Habrían usado un solo tac, no dos.

—Ya.

—Pero iban en coches distintos. Eso es lo que me desconcierta. Los dos hombres pasan por el peaje, en coches distintos, al mismo tiempo. Y ahora los dos han desaparecido.

—Sólo que Lawson llamó a su mujer —añadió Daley—. Necesitaba espacio, ¿se acuerda?

Los dos se quedaron pensando.

—¿Quiere que llame a la señora Lawson? —preguntó Daley—. ¿Para preguntarle si conoce a ese tal Conwell?

Perlmutter, pellizcándose el labio inferior, consideró la posibilidad.

—Todavía no —dijo por fin—. Además, es tarde. Tiene hijos.

—Entonces, ¿qué hacemos?

—Investiguemos un poco más. Hablemos antes con la ex mujer de Rocky Conwell. Veamos si encontramos una relación entre Conwell y Lawson. Comprueba si su coche aparece en la base de datos.

Sonó el teléfono. Daley también atendía la centralita. Respondió, escuchó y luego se volvió hacia Perlmutter.

—¿Quién era?

—Phil, de la comisaría de Ho-Ho-Kus.

—¿Pasa algo?

—Creen que puede haber muerto un agente. Nos piden ayuda.

20

Beatrice Smith era una viuda de cincuenta y tres años.

Eric Wu estaba otra vez en el Ford Windstar. Tomó por Ridgewood Avenue para ir a la autopista de Garden State en dirección norte. Se dirigió luego al este, hacia el puente de Tappan Zee, por la Interestatal 287. Salió por Armonk, en Nueva York. Ahora circulaba por carreteras secundarias. Sabía exactamente adónde iba. Había cometido errores, sí, pero seguía ateniéndose a los principios básicos.

Uno de esos principios básicos era: ten siempre a mano una residencia de reserva.

El marido de Beatrice había sido un cardiólogo muy conocido, llegó incluso a alcalde del pueblo. En vida de él, tenían muchos amigos, pero eran todos parejas. Cuando Maury —así se llamaba el marido— murió de un infarto, esos amigos siguieron al lado de Beatrice durante un par de meses y luego desaparecieron. Su único hijo, varón y médico como su padre, vivía en San Diego con su mujer y tres hijos. Ella conservó la casa, la misma casa que había compartido con Maury, pero era grande y solitaria. Beatrice estaba pensando en venderla y trasladarse a Manhattan, pero en esos momentos los precios andaban por las nubes. Y tenía miedo. Sólo conocía Armonk. ¿Sería peor el remedio que la enfermedad?

Le había contado todo eso por Internet al ficticio Kurt McFaddon, un viudo de Filaldelfia que estaba planteándose ir a vivir a Nueva York. Wu entró en su calle y disminuyó la velocidad. La zona era tranquila, boscosa y muy aislada. Era tarde. A esa hora una falsa entrega de un paquete no servía. No había tiempo ni necesidad de sutilezas. Wu no podría dejar con vida a esa anfitriona.

No existía ningún vínculo que relacionase a Beatrice Smith con Freddy Sykes.

En pocas palabras, nadie debía encontrar a Beatrice Smith. Nunca.

Wu aparcó, se puso los guantes —esta vez nada de huellas dactilares— y se acercó a la casa.

21

A las cinco de la mañana, Grace se envolvió en un albornoz —el de Jack— y bajó. Siempre se ponía la ropa de Jack. Él le pedía gentilmente que usara lencería, pero ella prefería las chaquetas de los pijamas de él. «¿Qué?», preguntaba ella, posando. «No está mal —contestaba él—, pero ¿por qué no te pruebas sólo el pantalón? Eso sí sería espectacular.» Grace meneó la cabeza al acordarse y entró en la habitación del ordenador.

Lo primero que hizo fue comprobar la nueva dirección de correo electrónico empleada para recibir las respuestas de su spam con la foto. Lo que vio la sorprendió.

No había respuestas.

Ni una sola.

¿Cómo podía ser? Cabía la posibilidad, supuso, de que nadie hubiera reconocido a la mujer de la foto. Se había preparado para eso. Pero ya habían enviado cientos de miles de mensajes. Aun teniendo en cuenta los filtros de spam y demás, *alguien* debería de haber contestado, aunque fuese con un improperio, algún chiflado con demasiado tiempo libre, o alguien que, harto de la avalancha de spam, necesitara desahogarse.

Alguien.

Pero no había recibido ni una sola respuesta.

¿Eso qué significaba?

La casa estaba en silencio. Emma y Max aún dormían. También Cora. Ésta roncaba, tumbada cara arriba con la boca abierta.

«Cambia de táctica», pensó Grace.

Sabía que Bob Dodd, el periodista asesinado, era su mejor y, quizá, su única pista, y también una pista bastante endeble, como no le quedaba más remedio que aceptar. No tenía ningún número de teléfono de nadie relacionado con él, de ningún familiar, ni siquiera una dirección. Aun así, Dodd había trabajado para un periódico bastante importante, el *New Hampshire Post*. Decidió empezar por ahí.

Los periódicos en realidad nunca cierran, o al menos eso supuso Grace. Alguien tenía que estar de guardia en el *Post*, atendiendo las llamadas, por si surgía una noticia importante. Pensó asimismo que un periodista obligado a trabajar a las cinco de la mañana quizás estuviese aburrido y más dispuesto a hablar con ella. Así que descolgó el auricular.

Grace no sabía muy bien cómo plantearlo. Contempló distintas posibilidades; por ejemplo, podía hacerse pasar por una periodista que preparaba un artículo y quería pedir ayuda de colega a colega, pero no estaba segura de hacerlo de manera convincente.

Al final decidió atenerse a la verdad lo máximo posible.

Pulsó *67 para bloquear el identificador de llamada. El periódico tenía un teléfono de atención al público gratuito, pero Grace no lo usó. No se podía bloquear el identificador para llamar a números gratuitos. Lo había leído en algún sitio y lo había guardado en el armario del fondo del cerebro, el mismo donde guardaba información como la de que Daryl Hannah era la protagonista de *Un, dos, tres... Splash* o Esperanza Díaz la luchadora apodada Pequeña Pocahontas, el mismo que le había valido a Grace su fama, en palabras de Jack, de «Señora de los Datos Inútiles».

Las primeras dos llamadas al *New Hampshire Post* no condujeron a nada. El que estaba a cargo de las noticias de última hora no quiso ni tomarse la molestia de oírla. Había conocido muy poco a Bob Dodd y apenas la escuchó. Grace esperó veinte minutos y volvió a intentarlo. Esta vez le pusieron con la sección metropolitana, donde una mujer que parecía muy joven informó a Grace que acababa de entrar en el periódico, que ése era el primer trabajo de su vida y que no conocía a Bob Dodd, pero, caramba, ¿verdad que era horrible lo que le había ocurrido?

Grace volvió a comprobar el correo. Seguía sin llegar nada.

—¡Mamá!
Era Max.
—¡Mamá, ven enseguida!
Grace subió por la escalera a toda prisa.
—¿Qué pasa, cariño?
Max estaba sentado en la cama y se señalaba el pie.
—Me está creciendo el dedo demasiado deprisa.
—¿El dedo?
—Mira.
Grace se acercó y se sentó.
—¿Lo ves?
—¿Qué he de ver, cariño?
—El segundo dedo —explicó—. Es más grande que el dedo gordo. Está creciendo demasiado deprisa.
Grace sonrió.
—Eso es normal, cariño.
—¿Qué?
—Mucha gente tiene el segundo dedo más largo que el gordo. Tu padre lo tiene así.
—Imposible.
—Pues sí. Tiene el segundo dedo más largo que el primero.
Con eso pareció tranquilizarse. Grace sintió otra punzada.
—¿Quieres ver *Los Teletubbies*?
—Eso es un programa para bebés.
—Pues vamos a ver qué dan en *Playhouse Disney*, ¿vale?
Daban *Rolie Polie Olie*, y Max se instaló en el sofá a verlo. Le gustaba taparse con los cojines, poniéndolo todo patas arriba. A Grace en ese momento le dio igual. Volvió a intentarlo con el *New Hampshire Post*. Esta vez preguntó por la sección de artículos de fondo.
El hombre que contestó tenía una voz ronca como el ruido de unos neumáticos viejos sobre una carretera de gravilla.
—¿Qué pasa?
—Buenos días —dijo Grace, demasiado alegremente, sonriendo al teléfono como una imbécil.
El hombre emitió un sonido que, en traducción libre, significaba: «Vaya al grano».

—Busco información sobre Bob Dodd.
—¿Con quién hablo?
—Preferiría no decirlo.
—Es broma, ¿no? Oiga, guapa, ahora mismo voy a colgar...
—Un momento. No puedo entrar en detalles, pero si esto se convierte en una gran primicia...
—¿Una gran primicia? ¿Acaba de decir una gran primicia?
—Sí.
El hombre se echó a reír.
—¿Qué pasa? ¿Se cree que soy el perro de Pavlov o algo así? ¿Que me basta con oír «gran primicia» para ponerme a babear?
—Sólo necesito información sobre Bob Dodd.
—¿Por qué?
—Porque mi marido ha desaparecido y creo que puede existir alguna relación entre su desaparición y el asesinato de Bob Dodd.
Al oír eso, el hombre guardó silencio por un momento.
—Me está tomando el pelo, ¿no?
—No —contestó Grace—. Oiga, sólo necesito encontrar a alguien que conociese a Bob Dodd.
—Yo lo conocía —admitió el periodista con tono ya menos inflexible.
—¿Lo conocía bien?
—Lo suficiente. ¿Qué quiere?
—¿Sabe en qué estaba trabajando?
—Oiga, señora, ¿tiene información acerca del asesinato de Bob? Porque si es así, olvídese de todo ese rollo de la gran primicia y cuénteselo a la policía.
—No se trata de eso.
—Entonces, ¿qué es?
—He repasado las facturas de teléfono. Mi marido habló con Bob Dodd no mucho antes de que lo asesinaran.
—¿Y quién es su marido?
—No se lo voy a decir. Es probable que sólo sea una coincidencia.
—Pero ¿dice que su marido ha desaparecido?
—Sí.
—¿Y está lo bastante preocupada como para investigar esa antigua llamada?

—No tengo nada más —dijo Grace.
Se produjo un silencio.
—Va a necesitar algo más que eso —advirtió el hombre.
—No creo que sea posible.
Un silencio.
—Bah, ¿qué más da? Yo no sé nada. Bob nunca me confió nada.
—¿Y en quién pudo confiarse?
—Puede intentarlo con su mujer.
Grace estuvo a punto de darse una palmada en la cabeza. ¿Cómo no se le había ocurrido antes algo tan obvio? Eso sí era una torpeza.
—¿Sabe cómo puedo localizarla?
—No estoy seguro. Sólo la he visto... qué sé yo... una o dos veces.
—¿Cómo se llama?
—Jillian. Con jota, creo.
—¿Jillian Dodd?
—Supongo.
Lo anotó.
—Hay otra persona con la que podría intentarlo. Es el padre de Bob, Robert Dodd. Debe de rondar los ochenta años, pero creo que estaban muy unidos.
—¿Tiene su dirección?
—Sí, está en una residencia de ancianos de Connecticut. Enviamos allí las cosas de Bob.
—¿Las cosas?
—Yo mismo le vacié el escritorio. Metí sus efectos personales en una caja de cartón.
Grace frunció el entrecejo.
—¿Y los envió a la residencia de ancianos de su padre?
—Exacto.
—¿Y por qué no a Jillian, su mujer?
Siguió una breve pausa.
—No lo sé, la verdad. Creo que quedó muy tocada con lo del asesinato. Lo mataron delante de ella. Espere un momento, voy a buscar el número de teléfono de la residencia de ancianos. Podrá preguntarlo usted misma.

Charlaine deseaba sentarse junto a la cama del hospital.

Era lo que se veía siempre en las películas y la televisión —la esposa afligida sentada junto a la cama, cogiendo de la mano a su ser querido—, pero en esa habitación no había ninguna silla que lo permitiese. El único asiento era demasiado bajo, una de esas butacas plegables para poder dormir, y sí, eso quizá fuese útil más tarde, pero en ese momento lo que Charlaine quería era sentarse y cogerle la mano a su marido.

Así pues, estaba de pie. De vez en cuando se sentaba en el borde de la cama, pero temía molestar a Mike. Así que volvía a levantarse. Y tal vez fuese mejor así. Tal vez le sirviese en cierto modo de penitencia.

La puerta se abrió a sus espaldas. No se molestó en volverse. La voz de un hombre, una voz que nunca había oído, preguntó:

—¿Cómo se encuentra, señora Swain?

—Bien.

—Ha tenido suerte.

Ella asintió.

—Me siento como si me hubiera tocado la lotería.

Charlaine alzó la mano y se tocó la frente vendada. Unos cuantos puntos y posiblemente una leve conmoción. A eso se habían reducido sus heridas en el accidente: arañazos, moretones, unos cuantos puntos.

—¿Cómo está su marido?

No se molestó en contestar. La bala había alcanzado a Mike en el cuello. Si bien, según los médicos, «lo peor ya había pasado» —a saber qué querían decir con eso—, aún no había recobrado el conocimiento.

—El señor Sykes vivirá —informó el hombre detrás de ella—. Gracias a usted. Le debe la vida. Unas horas más en esa bañera...

El hombre —Charlaine supuso que era otro agente de policía— bajó la voz gradualmente. Ella se volvió por fin y lo miró. En efecto, era un policía. Aunque de uniforme. La insignia en el brazo indicaba que pertenecía al Departamento de Policía de Kasselton.

—Ya he hablado con los inspectores de Ho-Ho-Kus —dijo ella.

—Lo sé.

—No sé nada más, ¿agente...?

—Perlmutter —dijo—. Capitán Stuart Perlmutter.

Ella se volvió otra vez hacia la cama. Mike tenía el torso desnudo. El vientre le subía y bajaba como si se lo hinchasen con la bomba de aire de una gasolinera. Pesaba unos kilos de más y daba la impresión de que respirar, la simple acción de respirar, le representaba un esfuerzo excesivo. Tenía que haberse cuidado más. Ella debería haber insistido.

—¿Quién está con sus hijos? —preguntó Perlmutter.

—El hermano de Mike y su mujer.

—¿Quiere que le traiga algo?

—No.

Charlaine cambió la postura de la mano con que tenía cogida la de Mike.

—He leído su declaración.

Ella no dijo nada.

—¿Le importaría si le hago un par de preguntas de seguimiento?

—No sé si lo entiendo —dijo Charlaine.

—¿Perdón?

—Vivo en Ho-Ho-Kus. ¿Qué tiene que ver Kasselton con esto?

—Sólo estoy echando una mano.

Sin saber por qué, ella asintió.

—Ya veo.

—Según su declaración, cuando usted miró por la ventana de su dormitorio vio el guardallaves en el camino trasero de la casa del señor Sykes. ¿Es así?

—Sí.

—¿Y por eso llamó a la policía?

—Sí.

—¿Conoce usted al señor Sykes?

Ella se encogió de hombros, sin desviar la mirada del vientre que subía y bajaba.

—Sólo de saludarnos.

—Es decir, ¿como vecinos?

—Sí.

—¿Cuándo fue la última vez que habló con él?

—No nos hablábamos. O sea, nunca hablé con él.

—Sólo se saludaban como buenos vecinos.

Ella asintió.
—¿Y cuándo fue la última vez que se saludaron?
—¿Que nos saludamos con la mano?
—Sí.
—Pues no lo sé. Hará una semana, tal vez.
—Estoy un poco confuso, señora Swain, así que quizá pueda ayudarme. Usted vio un guardallaves en el camino y decidió llamar a la policía.
—También vi movimiento.
—¿Disculpe?
—Movimiento. Vi algo moverse en la casa.
—¿Como si hubiera alguien dentro?
—Sí.
—¿Y cómo sabía que no era el señor Sykes?
Ella se volvió.
—No lo sabía. Pero también vi el guardallaves.
—Allí en el suelo. A la vista de todos.
—Sí.
—Entiendo. ¿Y ató cabos?
—Exacto.
Perlmutter asintió como si acabase de comprenderlo todo de pronto.
—Y si el señor Sykes hubiera usado el guardallaves, no lo habría dejado tirado en el sendero. ¿Fue eso lo que pensó?
Charlaine no contestó.
—Porque verá, señora Swain, eso es lo que me extraña. ¿Por qué dejaría el guardallaves a la vista de todos el hombre que entró en la casa y agredió al señor Sykes? ¿No habría sido más lógico esconderlo o llevárselo a la casa?
Silencio.
—Y hay otro detalle. El señor Sykes sufrió las lesiones al menos veinticuatro horas antes de que lo encontráramos. ¿Cree que el guardallaves estuvo en el camino todo ese tiempo?
—Eso no puedo saberlo.
—No, supongo que no. Tampoco es que se pase usted el día observando el jardín trasero del vecino ni nada por el estilo.
Ella se limitó a mirarlo.

—¿Por qué lo siguieron su marido y usted? Me refiero al hombre que entró en la casa de Sykes.

—Ya le he dicho al otro agente...

—Que querían ayudar, para que no se nos escapara.

—También tenía miedo.

—¿De qué?

—De que supiera que yo había llamado a la policía.

—¿Y eso por qué habría de preocuparla?

—Yo estaba mirando por la ventana. Cuando llegó la policía, él se volvió, miró y me vio.

—¿Y qué pensó? ¿Que iría a buscarla?

—No lo sé. Tenía miedo, eso es todo.

Perlmutter volvió a asentir con la cabeza.

—Supongo que todo encaja. O sea, algunas piezas... bueno, hay que forzarlas un poco, pero eso es normal. La mayoría de los casos no son del todo lógicos.

Ella se dio media vuelta.

—Dice que ese hombre conducía un Ford Windstar.

—Sí.

—Salió del garaje con ese vehículo, ¿no es así?

—Sí.

—¿Y le vio la matrícula?

—No.

—Mmm. ¿Por qué cree que lo hizo?

—Hizo ¿qué?

—Aparcar en el garaje.

—No tengo ni idea. Tal vez para que nadie viera su coche.

—Ya, claro, eso tiene sentido.

Charlaine volvió a coger de la mano a su marido. Se acordó de la última vez que estuvieron cogidos de la mano. Dos meses antes, cuando fueron a ver una comedia de Meg Ryan. Curiosamente, a Mike le encantaban las películas para mujeres. Se le humedecían los ojos con las películas románticas malas. En la vida real, Charlaine sólo recordaba haberlo visto llorar una vez, cuando murió su padre. Pero si uno lo observaba en el cine, sentado a oscuras, veía un ligero temblor en su cara y luego, sí, se le saltaban las lágrimas. Esa noche él tendió la mano y cogió la suya, y lo que Charlaine más recordaba —lo que la atormentaba ahora— fue que ella no se conmovió. Mike intentó entrelazar los dedos, pero ella movió los suyos justo lo suficiente para impedírselo. Tan poco había significado para ella, nada en realidad, que ese hombre obeso peinado con una raya al lado le tendiese la mano.

—¿Le importaría marcharse ya? —pidió a Perlmutter.

—Ya sabe que no puedo.

Ella cerró los ojos.

—Sé lo de su problema con los impuestos.

Charlaine permaneció inmóvil.

—De hecho, por eso ha llamado usted a H&R Block esta mañana, ¿no es así? Es donde trabajaba el señor Sykes.

Charlaine no quería soltar la mano de Mike, pero tuvo la sensación de que él la apartaba.

—¿Señora Swain?

—Aquí no —dijo Charlaine a Perlmutter. Soltó la mano de Mike y se levantó—. No delante de mi marido.

22

Los ancianos de las residencias siempre están en casa y dispuestos a recibir visitas. Grace marcó el número y contestó una mujer de voz alegre.

—¡Residencia geriátrica asistida Starshine!

—¿Podría indicarme el horario de visitas? —preguntó Grace.

—¡No hay! —Hablaba con exclamaciones.

—¿Perdón?

—No tenemos horario de visitas. Puede venir a cualquier hora, las veinticuatro horas del día.

—Ah. Me gustaría visitar a Robert Dodd.

—¿A Bobby? Bien, le paso con su habitación. Ah, un momento, son las ocho. Estará en clase de gimnasia. A Bobby le gusta mantenerse en forma.

—¿Puedo concertar una cita con él?

—¿Para visitarlo?

—Sí.

—No hace falta, puede venir cuando quiera.

En coche tardaría un par de horas. Sería mejor que intentar explicarse por teléfono, sobre todo teniendo en cuenta que ni siquiera sabía qué iba a preguntar. En todo caso, con los ancianos era más fácil tratar cara a cara.

—¿Cree que estará ahí esta mañana?

—Sí, sin duda. Bobby dejó de conducir hace un par de años. Estará aquí.

—Gracias.
—De nada.
En la mesa del desayuno, Max hundió la mano hasta el fondo en la caja de cereales Cap'n Crunch. Al ver a su hijo buscando el juguete, se detuvo. Era todo tan normal. Los niños intuyen las cosas, Grace lo sabía. Pero a veces, bueno, a veces los niños pueden actuar con una maravillosa indiferencia. En ese momento Grace se alegró de que fuera así.
—Ya cogiste el juguete —le recordó ella.
Max se quedó inmóvil.
—¿Ah, sí?
—Son tantas las cajas y tan malos los juguetes...
—¿Qué?
La verdad era que ella hacía lo mismo de pequeña: revolver dentro de la caja con la mano en busca de esos premios sin ningún valor. Y ahora que lo pensaba, era la misma marca de cereales.
—Nada.
Cortó un plátano en rodajas y lo mezcló con el cereal. Grace siempre intentaba hacer trampa y, poco a poco, poner más plátano y menos cereales. Durante un tiempo añadió Cheerios —con menos azúcar—, pero Max enseguida se dio cuenta.
—¡Emma! ¡Despierta!
Un gemido. Su hija era demasiado pequeña para empezar con los típicos problemas para levantarse por las mañanas. A Grace no le había pasado hasta la adolescencia. Bueno, tal vez un poco antes. Pero no a los ocho años, eso desde luego. Pensó en sus propios padres, muertos hacía tanto tiempo. A veces uno de los niños hacía algún gesto que a Grace le recordaba a su padre o su madre. Emma apretaba los labios de una manera tan parecida a como lo hacía su madre que Grace se quedaba de piedra. La sonrisa de Max era como la de su padre. Se veía el eco genético, y Grace nunca sabía si eso era un consuelo o un recordatorio doloroso.
—¡Emma, ya mismo!
Un ruido. Podría ser una niña levantándose.
Grace empezó a preparar la comida del mediodía para uno. A Max le gustaba la de la escuela, y Grace le veía el lado cómodo a eso y lo aprovechaba. Preparar la comida por las mañanas era una

lata. Durante un tiempo Emma también había comido en la escuela, pero recientemente algo la había asqueado, un olor imperceptible en el comedor que le provocaba arcadas. Empezó a llevarse el plato fuera del comedor, incluso cuando hacía frío, pero el olor, como pronto advirtió, estaba también en la comida. Ahora se quedaba en el comedor pero se llevaba de casa una fiambrera de Batman.

—¡Emma!

—Ya estoy aquí.

Emma vestía su habitual atuendo de fanática del deporte: pantalón corto granate, zapatillas Converse All-stars y un jersey de los Nets de Nueva Jersey. Nada pegaba con nada, pero tal vez se trataba de eso. Emma se negaba a usar cualquier cosa mínimamente femenina. Para conseguir que se pusiera un vestido había que negociar con una sensibilidad propia de Oriente Medio, y a menudo el resultado era igual de violento.

—¿Qué quieres para comer? —preguntó Grace.

—Un bocadillo de mantequilla de cacahuete con mermelada.

Grace la miró.

Emma se hizo la inocente.

—¿Qué pasa?

—¿Cuánto tiempo hace que vas a esa escuela?

—¿Qué?

—Cuatro años, ¿verdad? Un año de parvulario. Y ahora estás en tercero. Son cuatro años.

—¿Y?

—En todo ese tiempo, ¿cuántas veces me has pedido mantequilla de cacahuete para la escuela?

—No lo sé.

—¿Tal vez cien?

Se encogió de hombros.

—¿Y cuántas veces te he dicho que tu escuela prohíbe la mantequilla de cacahuete porque algunos niños podrían tener una reacción alérgica?

—Ah, sí.

—Ah, sí. —Grace consultó la hora en el reloj. Le quedaban unos cuantos combinados de Oscar Mayer, repugnantes platos precocinados que Grace tenía siempre a mano para emergencias; es decir, para cuando, por falta de tiempo o de ganas, no podía preparar la comida. A los niños, claro, les encantaban. Preguntó a Emma en voz baja si quería uno; en voz baja porque si Max la oía, se habría acabado la comida de la escuela también para él. Emma se dignó aceptar y se la metió rápidamente en la fiambrera de Batman.

Se sentaron a desayunar.

—¿Mamá?

Era Emma.

—Dime.

—Cuando papá y tú os casasteis... —Se interrumpió.

—¿Qué?

Emma empezó otra vez.

—Cuando papá y tú os casasteis... al final, cuando os dijeron que ya se podía besar a la novia...

—Sí.

—Pues... —Emma ladeó la cabeza y cerró un ojo—. ¿Tuviste que hacerlo?

—¿Besarnos?

—Sí.

—¿Si tuve que hacerlo? No, supongo que no. Pero quise hacerlo.

—Pero ¿tienes que hacerlo? —insistió Emma—. O sea, ¿no se puede simplemente chocar los cinco?

—¿Chocar los cinco?

—En lugar de besarse. Ya sabes, mirarse y chocar las manos. —Le hizo una demostración.

—Supongo que sí. Si eso es lo que quieres.

—Es lo que quiero —dijo Emma con firmeza.

Grace los llevó a la parada del autobús. Esta vez no los siguió hasta la escuela. Se quedó allí, mordiéndose el labio inferior. La apariencia de calma y normalidad volvía a desvanecerse. Aunque, ahora que Emma y Max se habían ido, eso tampoco importaba.

Cuando regresó a la casa, Cora estaba despierta y gemía delante del ordenador.

—¿Necesitas algo? —preguntó Grace.

—Un anestesiólogo —dijo Cora—. A ser posible heterosexual, aunque no es un requisito.

—Pensaba más bien en algo como un café.

—Eso estaría incluso mejor. —Cora tecleó rápidamente. De pronto entornó los ojos y frunció el entrecejo—. Aquí pasa algo raro.

—Te refieres a los mensajes de nuestro spam, ¿no?

—No han contestado.

—A mí también me ha llamado la atención.

Cora se reclinó en la silla. Grace se acercó a ella y empezó a morderse una cutícula. Tras unos segundos, Cora se inclinó hacia delante.

—Voy a probar una cosa.

Cora abrió un mensaje nuevo, tecleó algo y lo envió.

—¿Y eso?

—Acabo de mandar un mensaje a nuestra dirección para el spam. Quiero ver si llega.

Esperaron. No llegó ningún mensaje.

—Mmm. —Cora se echó atrás—. O sea, que o bien pasa algo con el servidor...

—¿O?

—O Gus sigue molesto por lo del pito pequeño.

—¿Y cómo podemos averiguar si es lo uno o lo otro?

Cora seguía mirando la pantalla.

—¿Con quién hablabas antes por teléfono?

—Con la residencia de ancianos de Robert Dodd, el padre de Bob. Voy a verlo esta mañana.

—Bien. —Cora mantenía la mirada fija en la pantalla.

—¿Qué pasa?

—Quiero comprobar algo —dijo.

—¿Qué?

—Quizá no sea nada, un detalle relacionado con las facturas del teléfono. —Cora empezó a teclear otra vez—. Si averiguo algo, ya te avisaré.

Perlmutter dejó a Charlaine Swain con el dibujante del condado de Bergen. Le había sonsacado la verdad, desenterrando así un secreto escabroso que habría sido mejor dejar bajo tierra. Charlaine Swain hacía bien en ocultarlo. No aportaba nada. La revelación era, como mucho, una distracción sórdida y vergonzosa.

Sentado ante un cuaderno, escribió la palabra «Windstar» y durante el siguiente cuarto de hora dibujó círculos alrededor.

Un Ford Windstar.

Kasselton no era un pueblo pequeño y aletargado. Había en plantilla treinta y ocho agentes de policía. Investigaban robos. Comprobaban los coches sospechosos. Tenían controlado el problema de la droga —la droga de los chicos blancos de los barrios residenciales— en las escuelas. Investigaban los casos de vandalismo. Se ocupaban de la congestión del tráfico en el centro, el aparcamiento en zonas prohibidas, los accidentes de coche. Hacían cuanto podían para mantener a distancia prudencial la decadencia urbana de Paterson, a apenas cinco kilómetros de los límites de Kasselton. Respondían a demasiadas falsas alarmas procedentes de demasiados detectores de movimiento excesivamente caros.

Perlmutter nunca había disparado su revolver reglamentario, salvo en un campo de tiro. De hecho, nunca había sacado su arma estando de servicio. En las últimas tres décadas sólo se habían producido tres muertes que entraban en la categoría de «sospechosas», y a los tres autores los detuvieron en cuestión de horas. Uno era un ex marido que se emborrachó y, para demostrar su amor imperecedero, planeó matar a la mujer —a quien teóricamente adoraba— y dirigir luego la escopeta hacia sí mismo. Dicho ex marido consiguió llevar a cabo la primera parte del plan —descerrajó dos tiros de escopeta a su ex en la cabeza— pero, como tantas veces en su patética vida, la pifió en la segunda parte. Sólo llevaba dos cartuchos. Una hora después estaba bajo custodia. La segunda muerte sospechosa fue la de un matón adolescente apuñalado por una de las víctimas a quienes torturaba e intimidaba, un chico delgado de primaria. Éste se pasó tres años en un reformatorio, donde aprendió el verdadero significado de las torturas y la intimidación. El último caso fue el de un hombre enfermo de cáncer en fase terminal que pidió a su mujer de cuarenta y ocho años que pusiera fin a su sufrimiento. Y ella lo hizo. Salió en libertad condicional y Perlmutter sospechaba que no se arrepentía.

En cuanto a disparos de arma, bueno, se habían producido muchos en Kasselton, pero casi todos autoinfligidos. A Perlmutter no le interesaba mucho la política. No estaba seguro de las ventajas relativas del control de armas, pero sabía por experiencia que con un arma adquirida para la protección del hogar había muchas más probabilidades —muchas, muchísimas más— de que el propietario la usara para suicidarse que para prevenir un allanamiento de morada. De hecho, en todos los años que llevaba velando por la ley, Perlmutter nunca había visto un caso en que se empleara un arma doméstica para abatir, detener o ahuyentar a un intruso. Los suicidios con pistola eran más frecuentes de lo que se quería admitir.

Ford Windstar. Trazó otro círculo alrededor.

Ahora, después de tantos años, Perlmutter tenía un caso que incluía un intento de asesinato, un secuestro extraño, una agresión inusualmente brutal y, sospechaba, muchas cosas más. Empezó a garabatear otra vez. Escribió el nombre de Jack Lawson en el ángulo superior izquierdo. Escribió el nombre de Rocky Conwell en el ángulo superior derecho. Los dos hombres, posiblemente desaparecidos, habían pasado por un peaje de un estado vecino a la misma hora. Dibujó una línea que unía los dos nombres.

Primer punto en común.

Perlmutter escribió el nombre de Freddy Sykes, en el ángulo inferior izquierdo. La víctima de una grave agresión. Escribió el de Mike Swain en el ángulo inferior derecho. Herido de bala, intento de asesinato. La conexión entre estos dos hombres, el segundo punto en común, era demasiado evidente. La mujer de Swain había visto al autor de los dos hechos, un chino achaparrado que, según su descripción, se parecía al hijo del esbirro coreano Odd Job de las viejas películas de James Bond.

Pero en realidad no había nada que relacionara los cuatro casos. Nada relacionaba a los dos hombres desaparecidos con las acciones del hijo de Odd Job, excepto, quizás, un detalle:

El Ford Windstar.

Jack Lawson conducía un Ford Windstar azul en el momento de su desaparición. El pequeño Odd Job conducía un Ford Windstar azul al salir de la residencia de Sykes y disparar contra Swain.

Reconocía que eso era una conexión, a lo sumo, tenue. Decir «Ford Windstar» en ese barrio era como decir «implante» en un club de striptease. No era gran cosa en la que basarse, pero si se tenía en cuenta la historia del pueblo, el hecho de que allí los padres estables no desaparecían así como así, de que en una localidad como Kasselton nunca se daba tanta actividad junta... no, no era un vínculo fuerte, pero a Perlmutter no le costó llegar a la siguiente conclusión:

Estaba todo relacionado.

Perlmutter no tenía ni idea de cuál era la relación, y en realidad tampoco quería dedicarle mucho tiempo todavía. Primero dejaría que los expertos y los técnicos del laboratorio cumplieran con su cometido. Dejaría que examinaran la casa de Sykes en busca de huellas dactilares y pelos. Dejaría que el artista acabara el retrato. Dejaría que Veronique Baltrus, su experta en informática y un auténtico bombón, revisara el ordenador de Sykes. Era sencillamente demasiado pronto para barajar conjeturas.

—¿Capitán?

Era Daley.

—¿Qué hay?

—Hemos encontrado el coche de Rocky Conwell.

—¿Dónde?

—¿Conoce el aparcamiento de la estación de autobuses en la Carretera Diecisiete?

Perlmutter se quitó las gafas de lectura.

—¿El que está al final de la calle?

Daley asintió.

—Lo sé. No tiene sentido. Sabemos que salió del estado, ¿no?

—¿Quién lo ha encontrado?

—Pepe y Pashaian.

—Diles que acordonen la zona —ordenó a la vez que se levantaba—. Iremos nosotros a registrar el vehículo.

23

Grace puso un CD de Coldplay para el viaje, esperando que la distrajera. Lo consiguió sólo a medias. Por un lado entendía exactamente lo que le ocurría sin necesidad de interpretación. Pero la verdad, en cierto modo, era demasiado cruda. Enfrentarse a ella de cara la paralizaría. El surrealismo debía de derivarse de eso: del instinto de supervivencia, de la necesidad de protegerse e incluso filtrar lo que uno veía. El surrealismo le daba fuerzas para seguir, buscar la verdad, encontrar a su marido, frente al ojo de la realidad, descarnado y desnudo y solo, que la impulsaba a hacerse un ovillo o, tal vez, ponerse a gritar hasta que la encerrasen.

Sonó su móvil. Miró intuitivamente el visor antes de responder con el manos libres. De nuevo, no, no era Jack. Era Cora. Grace contestó:

—¿Qué hay?

—Estas noticias no pueden calificarse de buenas ni malas, así que te lo plantearé de otra manera. ¿Prefieres que te diga primero la noticia rara o la noticia muy rara?

—La rara.

—No encuentro a Gus, el del pito pequeño. No coge el teléfono. Me salta el contestador.

Coldplay empezó a cantar, muy oportunamente, una inquietante canción titulada «Estremecimiento». Grace mantenía las dos manos firmes en el volante, a las diez y dos. Circulaba por el carril del medio sin superar el límite de velocidad. Los coches pasaban a toda velocidad a su derecha e izquierda.

—¿Y la noticia muy rara?

—¿Recuerdas que intentamos ver las llamadas de hace dos noches? ¿O sea, las que quizás hizo Jack?

—Sí.

—Pues he llamado a la operadora del móvil. Me he hecho pasar por ti. He supuesto que no te importaría.

—Has supuesto bien.

—Ya. De todos modos, da igual. La única llamada de Jack en los últimos tres días fue la que hizo ayer a tu móvil.

—Cuando yo estaba en la comisaría.

—Exacto.

—¿Y eso qué tiene de raro?

—Nada. Lo raro tiene que ver con el teléfono fijo de tu casa.

Silencio. Grace seguía en la autopista de Merritt, con las manos en el volante a las diez y dos.

—¿Y qué es?

—¿Sabes lo de la llamada a la oficina de la hermana? —preguntó Cora.

—Sí, ésa la descubrí pulsando el botón de rellamada.

—Y su hermana, ¿cómo se llamaba?

—Sandra Koval.

—Eso, Sandra Koval. Te dijo que no estaba allí. Que no hablaron.

—Sí.

—La llamada duró nueve minutos.

Un estremecimiento repentino recorrió a Grace. Se obligó a seguir sujetando el volante en la misma posición.

—Por lo tanto, mintió.

—Eso parece.

—¿Y qué le dijo Jack?

—¿Y qué le contestó ella? —preguntó Cora.

—¿Y por qué mintió?

—Siento haber tenido que decírtelo.

—No, yo me alegro.

—¿Por qué?

—Es una pista. Antes, Sandra era un callejón sin salida. Ahora sabemos que tiene algo que ver.

—¿Y qué vas a hacer?

—No lo sé —contestó Grace—. Hablar con ella, supongo.

Se despidieron y Grace colgó. Condujo un poco más, intentando imaginar las distintas posibilidades. En el compact comenzó a sonar *Problemas*. Se detuvo en una gasolinera de Exxon. Las de Nueva Jersey no tenían autoservicio, así que Grace primero se quedó esperando en el coche, sin darse cuenta de que tenía que llenarse el depósito ella misma.

Compró una botella de agua fría en el supermercado de la gasolinera y dejó el cambio en una hucha de beneficencia. Quería pensar un poco más en esa conexión con la hermana de Jack, pero no tenía tiempo para sutilezas.

Grace recordaba el número de teléfono del bufete de Burton y Crimstein. Sacó el móvil y pulsó los dígitos. Tras sonar dos veces, pidió que le pusieran con la línea de Sandra Koval. Se sorprendió cuando la propia Sandra Koval contestó:

—¿Diga?

—Me has mentido.

Silencio. Grace volvió a su coche.

—La llamada duró nueve minutos. Hablaste con Jack.

Más silencio.

—¿Qué está pasando, Sandra?

—No lo sé.

—¿Por qué te llamó Jack?

—Voy a colgar. Por favor, no intentes volver a hablar conmigo.

—¿Sandra?

—Dijiste que él ya te llamó.

—Sí —contestó Grace.

—Te aconsejo que esperes a que vuelva a llamarte.

—No quiero tus consejos, Sandra. Quiero saber qué te dijo.

—Creo que deberías dejarlo.

—¿Dejar qué?

—¿Hablas por un móvil? —preguntó Sandra.

—Sí.

—¿Dónde estás?

—En una gasolinera de Connecticut.

—¿Por qué?

—Sandra, quiero que me escuches. —Se produjo una ráfaga de estática. Grace esperó a que pasara. Acabó de llenar el depósito y sacó el recibo—. Eres la última persona que habló con mi marido antes de su desaparición. Y me mentiste al respecto. Insistes en no contarme qué te dijo. ¿Por qué habría de contarte yo nada a ti?

—Tienes razón, Grace. Y ahora escúchame tú a mí. Voy a decirte una última cosa antes de colgar: vete a casa y ocúpate de tus hijos.

La línea se cortó. Grace ya estaba otra vez en el coche. Pulsó el botón de rellamada y pidió que le pasaran con la línea de Sandra. No lo cogió nadie. Volvió a intentarlo. Tampoco. ¿Y ahora qué? ¿Se presentaba otra vez en el bufete?

Salió de la gasolinera. Tras recorrer un par de kilómetros, vio un cartel donde se leía RESIDENCIA GERIÁTRICA ASISTIDA STARSHINE. Grace no sabía muy bien qué esperaba ver. Una de esas residencias de ancianos de su juventud, supuso, esos edificios de una planta de obra vista, la forma más pura de lo «esencial por encima del estilo», que, por alguna retorcida razón, le recordaba a las escuelas primarias. La vida, lamentablemente, era cíclica. Se empieza en uno de esos sencillos edificios de obra vista y se acaba en otro. Una vuelta, otra y otra más.

Pero la residencia geriátrica asistida Starshine era un hotel de tres plantas que imitaba la arquitectura victoriana. Tenía las torrecillas, los porches y el amarillo intenso de las mansiones de antaño, todo ello mezclado con un espantoso revestimiento de aluminio. El jardín estaba cuidado hasta el exceso, tanto que parecía de plástico. El sitio procuraba ofrecer una apariencia alegre, pero el esfuerzo se notaba demasiado. El resultado final recordó a Grace al Epcot Center de Disneylandia: una reproducción divertida pero que nunca se confundiría con la realidad.

En el porche había una anciana sentada en una mecedora. Leía el periódico. Saludó a Grace, y ella le contestó. También el vestíbulo pretendía transportar la memoria a un hotel de una era pasada. Contenía óleos con marcos chillones semejantes a esos cuadros de los remates de los Holiday Inn, donde todo se vende por 19,99 dólares. Saltaba a la vista que eran reproducciones de clásicos, aunque uno no conociese *El almuerzo de remeros* de Renoir o *Noctámbulos* de Hopper.

El vestíbulo estaba sorprendentemente concurrido. Había ancianos, claro, muchos, en diversos estados de deterioro. Algunos caminaban sin ayuda, otros arrastraban los pies; algunos llevaban bastón, otros andadores; algunos iban en sillas de ruedas. Muchos parecían rebosantes de vida; unos pocos dormitaban.

Aunque el vestíbulo estaba limpio y era alegre, se percibía —Grace se odió por pensar así— ese olor a viejo, el olor de un sofá mohoso. Intentaban disimularlo con el aroma a cerezas de un ambientador, que recordaba a Grace esos árboles que cuelgan de los taxis, pero algunos olores son imposibles de ocultar.

La única persona joven de la sala —una mujer de veintitantos años— estaba sentada detrás de un escritorio que también intentaba recrear el pasado pero parecía recién comprado en Bombay Company. Sonrió a Grace.

—Buenos días. Soy Lindsey Barclay.

Grace reconoció la voz del teléfono.

—Vengo a ver al señor Dodd.

—Bobby está en su habitación. En la segunda planta, la habitación doscientos once. Ya la acompaño.

Se levantó. Lindsey era bonita de una manera que sólo lo son las jóvenes, con ese entusiasmo y esa sonrisa que son patrimonio exclusivo de los inocentes o los captadores de las sectas.

—¿Le importa subir por la escalera? —preguntó.

—En absoluto.

Muchos residentes se detuvieron a saludar. Lindsey tuvo tiempo para todos, devolviendo cada saludo con alegría, aunque Grace, con su natural cinismo, no pudo menos que preguntarse si todo eso no sería una escenificación para la visita. No obstante, Lindsey los conocía a todos por sus nombres. Siempre tenía algo que decir, algo personal, y daba la impresión de que los residentes lo agradecían.

—Parece que la mayoría son mujeres —advirtió Grace.

—Cuando estudiaba, decían que la proporción nacional en las residencias geriátricas asistidas era de cinco mujeres por cada hombre.

—Vaya.

—Sí. Bobby, en broma, dice que ha esperado toda su vida para una proporción así.

Grace sonrió.

Lindsey hizo un gesto para quitarle importancia.

—Sí, pero todo eso no es más que pura palabrería. Su mujer, la llama «su Maudie», murió hace treinta años. Y creo que desde entonces no ha vuelto siquiera a mirar a otra.

Después de eso callaron. El pasillo era de color verde bosque y rosado, y las paredes presentaban la decoración habitual: grabados de Rockwell, perros jugando al póquer, fotos en blanco y negro de películas antiguas como *Casablanca* y *Extraños en un tren*. Grace cojeaba junto a Lindsey, y ésta lo advirtió —Grace lo notó en sus furtivas miradas de soslayo— pero, como la mayoría de la gente, no dijo nada.

—En Starshine tenemos varios barrios —explicó Lindsey—. A esta clase de pasillos los llamamos así: barrios. Cada uno tiene un tema distinto. En el que estamos ahora se llama Nostalgia. Creemos que a los residentes los reconforta.

Se detuvieron ante una puerta. Una placa a la derecha rezaba: B. DODD. Llamó a la puerta.

—¿Bobby?

Silencio. De todos modos, abrió la puerta. Entraron en una habitación pequeña pero cómoda. Había una cocina americana minúscula a la derecha. En la mesita de centro, colocada de manera que podía verse tanto desde la puerta como desde la cama, había una gran foto en blanco y negro de una mujer de imponente belleza que se parecía un poco a Lena Horne. La mujer debía de tener unos cuarenta años, pero obviamente era una foto antigua.

—Ésa es su Maudie.

Grace asintió, quedándose por un momento absorta en esa imagen con el marco de plata. Volvió a pensar en «su Jack». Por primera vez se permitió contemplar lo impensable: que Jack no volviera a casa. Lo había eludido desde el momento en que oyó arrancar el monovolumen. Quizá no volvería a ver a Jack. Quizá no volvería a abrazarlo. Quizá no volvería a reírse de sus chistes malos. Quizás —una idea pertinente en un lugar así— no envejecer con él.

—¿Está bien?

—Sí.

—Bobby debe de estar arriba con Ira, en Reminiscencia. Juegan a las cartas.

Salieron de la habitación.

—¿Reminiscencia es otro... eh... barrio?

—No. Reminiscencia es el nombre de la tercera planta. Es para nuestros residentes con Alzheimer.

—Ah.

—Ira no reconoce a sus propios hijos; sin embargo, puede ser un difícil adversario en una partida de póquer.

Estaban otra vez en el pasillo. Grace vio unas cuantas imágenes junto a la puerta de Bobby Dodd. Se acercó a mirar con más detenimiento. Era uno de esos casilleros que emplea la gente para exponer baratijas. Había medallas del ejército, una vieja pelota de béisbol, pardusca por el paso del tiempo, fotos de todas las etapas de la vida de un hombre. Una era de su hijo asesinado, Bob Dodd, la misma que había visto en el ordenador la noche anterior.

—Una caja de recuerdos —explicó Lindsey.

—Es bonito —comentó Grace, sin saber qué otra cosa decir.

—Todos los pacientes tienen una junto a la puerta. Es una manera de que los demás los conozcan.

Grace asintió. Resumir una vida en un casillero de treinta por veinte centímetros. Como todo lo demás en ese sitio, conseguía ser apropiado y espeluznante a la vez.

Para llegar a la planta Reminiscencia había que coger un ascensor que funcionaba con un teclado y un código numérico.

—Para que los residentes no se paseen por ahí —explicó Lindsey, detalle que encajaba con el estilo «todo muy lógico pero escalofriante» del lugar.

La planta Reminiscencia era cómoda, bien acabada, dotada de personal suficiente, y terrorífica. Algunos residentes se valían por sí mismos, pero la mayoría se marchitaban como flores en sus sillas de ruedas. Algunos, de pie, se movían desplazando el peso del cuerpo de una pierna a la otra continuamente. Varios hablaban solos en murmullos. Todos tenían la mirada vidriosa y perdida.

Una mujer octogenaria se dirigía hacia el ascensor agitando unas llaves.

—¿Adónde vas, Cecile? —preguntó Lindsey.

La anciana se volvió hacia ella.

—Tengo que recoger a Danny en la escuela. Estará esperándome.

—No te preocupes —dijo Lindsey—. Todavía faltan dos horas para que acaben las clases.

—¿Seguro?

—Claro. Venga, vamos a comer y ya irás luego a buscar a Danny, ¿vale?

—Hoy tiene piano.

—Lo sé.

Un miembro del personal se acercó y se llevó a Cecile. Lindsey la observó irse.

—En pacientes con un Alzheimer avanzado usamos la terapia de validación —explicó.

—¿Terapia de validación?

—No discutimos con ellos ni intentamos hacerles ver la verdad. Por ejemplo, no le digo que Danny ahora es un banquero de sesenta y dos años con tres nietos. Simplemente intentamos desviarlos.

Recorrieron un pasillo —no, un «barrio»— lleno de muñecos de bebés de tamaño natural. Había una mesa para cambiar pañales y ositos de peluche.

—El barrio de la guardería —dijo.

—¿Juegan a las muñecas?

—Las pacientes menos graves. Las ayuda a prepararse para las visitas de los bisnietos.

—¿Y las demás?

Lindsey siguió caminando.

—Algunas creen que son jóvenes madres. Así se tranquilizan.

Inconscientemente, o tal vez no, aceleraron el paso. Poco después, Lindsey dijo:

—¿Bobby?

Bobby Dodd se levantó de la mesa de juego. Al verlo, la primera palabra que acudía a la mente era: atildado. Se lo veía brioso y lozano. Tenía la piel de un color negro oscuro y gruesas arrugas como las de un caimán. Vestía elegantemente con una chaqueta de tweed, corbata roja con pañuelo a juego y mocasines de dos tonos. Llevaba el pelo cano cortado al uno y peinado hacia atrás.

Ofrecía un aspecto animado, incluso después de explicarle Grace que quería hablar con él de su hijo asesinado. Grace buscó señales de aflicción —humedad en los ojos, un temblor en la voz—, pero Bobby Dodd no exteriorizó nada. Sí, era cierto que Grace hacía referencia a su hijo de una manera vaga y general, pero se preguntó si no sería que la muerte y las grandes tragedias no afectaban a los ancianos tanto como a los demás. Los ancianos enseguida se ponían nerviosos por pequeñeces: atascos, colas en los aeropuertos, un mal servicio. Pero era como si las grandes cosas en realidad no los afectaran. ¿Traía la edad consigo un egoísmo extraño? ¿Acaso el hecho de acercarse a lo inevitable —tener esa perspectiva— hacía que uno interiorizara, bloqueara o apartara las grandes calamidades? ¿Sería que la fragilidad no puede resistir los grandes golpes e intervenía entonces un mecanismo de defensa, un instinto de supervivencia?

Bobby Dodd quería ayudarla, pero en realidad no sabía gran cosa. Grace se dio cuenta enseguida. Su hijo iba a verlo dos veces al mes. Sí, le habían enviado los efectos personales de Bob, pero no se había molestado en abrir la caja.

—Está guardada en el almacén —informó Lindsey a Grace.

—¿Le importa si la examino?

Bobby Dodd le dio unas palmadas en la pierna.

—En absoluto, hija mía.

—Tendremos que enviársela —dijo Lindsey—. El almacén no está aquí.

—Es muy importante.

—Puedo tenerla mañana.

—Gracias.

Lindsey los dejó solos.

—Señor Dodd...

—Bobby, por favor.

—Bobby —dijo Grace—. ¿Cuándo fue la última vez que lo visitó su hijo?

—Tres días antes de que lo mataran.

Pronunció las palabras rápidamente y sin pensárselo. Grace por fin vio una vacilación detrás de la fachada de indiferencia y se replanteó sus observaciones anteriores acerca de la mayor impasibilidad de los ancianos ante la tragedia. ¿No sería que simplemente la máscara se volvía más eficaz?

—¿Estaba distinto, su hijo?

—¿Distinto?

—Más distraído o algo así.

—No. —Y a continuación añadió—: O al menos yo no lo noté.

—¿De qué hablaron?

—Nunca teníamos gran cosa de qué hablar. A veces hablábamos de su madre. En general, veíamos la televisión. Aquí tienen televisión por cable, ¿sabe?

—¿Y Jillian venía con él?

—No.

Contestó demasiado deprisa. Se le ensombreció el rostro.

—¿Venía alguna vez?

—A veces.

—Pero ¿no la última?

—Así es.

—¿Eso lo sorprendió?

—¿Eso? No, *eso* —dijo con énfasis— no me sorprendió.

—¿Y qué lo sorprendió?

Apartó la mirada y se mordió el labio.

—No fue al entierro.

Grace creyó que no lo había oído bien. Bobby Dodd asintió como si le hubiera adivinado el pensamiento.

—Exacto. Su propia esposa.

—¿Tenían problemas de pareja?

—Si era así, Bob nunca me dijo nada.

—¿Tenían hijos?

—No. —Se ajustó la corbata y apartó un momento la mirada—. ¿Por qué me pregunta todo esto, señora Lawson?

—Grace, por favor.

Él no contestó. La miró con unos ojos que transmitían sabiduría y tristeza. Tal vez la respuesta a la frialdad de los ancianos es mucho más sencilla: esos ojos habían visto el mal, y no querían ver más.

—Mi marido ha desaparecido —dijo Grace—. Aunque no estoy segura, creo que los dos casos podrían estar relacionados.

—¿Cómo se llama su marido?

—Jack Lawson.

El anciano negó con la cabeza. El nombre no significaba nada para él. Grace le preguntó si tenía un número de teléfono o si sabía cómo ponerse en contacto con Jillian Dodd. Él volvió a negar con la cabeza. Se dirigieron hacia el ascensor. Bobby no sabía el código, así que un camillero los acompañó. Bajaron desde la tercera planta a la primera en silencio.

Cuando llegaron a la puerta, Grace le dio las gracias por el tiempo que le había dedicado.

—Su marido —dijo él—, usted lo quiere, ¿verdad?

—Mucho.

—Espero que sea más fuerte que yo.

A continuación Bobby Dodd se alejó. Grace pensó en la foto con el marco de plata de su habitación, en su Maudie, y salió.

24

Perlmutter cayó en la cuenta de que, legalmente, no tenían derecho a abrir el coche de Rocky Conwell. Hizo acercarse a Daley.

—¿Está DiBartola de servicio?

—No.

—Pues llama a la mujer de Rocky Conwell y pregúntale si tiene un juego de llaves del coche. Dile que lo hemos encontrado y necesitamos que nos dé permiso para registrarlo.

—Es la ex mujer. ¿Tiene autoridad para darlo?

—La suficiente para nuestros intereses.

—De acuerdo.

Daley no tardó mucho. La mujer cooperó. Pasaron por los apartamentos de Maple Garden en Maple Street. Daley subió a toda prisa y recogió las llaves. Cinco minutos después estaban en el aparcamiento.

No había hasta el momento la menor sospecha de delito. Si acaso, encontrar el coche allí, en ese aparcamiento, inducía a extraer la conclusión contraria. La gente aparcaba en ese lugar para ir a otro sitio. Un autobús trasladaba a los conductores cansados al centro de Manhattan. Otro iba al extremo norte de la famosa isla, cerca del puente de George Washington. Y otros llevaban a los tres principales aeropuertos más cercanos —JFK, LaGuardia, Newark Liberty— y en última instancia a cualquier parte del mundo. De modo que no, el hallazgo del coche de Rocky Conwell no suscitaba la menor sospecha de delito.

Al menos, no al principio.

Pepe y Pashaian, los dos policías que vigilaban el coche, no se habían dado cuenta. Perlmutter miró a Daley. Tampoco detectó nada en su rostro. Todos mantenían una actitud displicente, convencidos de que aquello no conduciría a nada.

Pepe y Pashaian se tiraron de los cinturones para reacomodarse la cintura del pantalón y se acercaron a Perlmutter.

—¿Qué tal, capitán?

Perlmutter mantenía la mirada fija en el coche.

—¿Quiere que preguntemos en las taquillas de la estación de autobuses? —preguntó Pepe—. Tal vez alguien se acuerde de haber vendido un billete a Conwell.

—Creo que no —contestó Perlmutter.

Los tres hombres más jóvenes percibieron algo en la voz de su superior. Cruzaron miradas y se encogieron de hombros. Perlmutter no se explicó.

El vehículo de Conwell era un Toyota Celica. Un coche pequeño, un modelo viejo. Pero en realidad el tamaño y la antigüedad eran lo de menos. Tampoco tenía la mayor trascendencia el hecho de que las llantas estuvieran oxidadas, de que faltaran dos tapacubos, de que los otros dos estuvieran tan sucios que no se veía dónde acababa el metal y empezaba la goma. No, nada de eso importó a Perlmutter.

Se quedó mirando el maletero del coche y pensó en esos sheriffs de pueblo de las películas de terror, un pueblo donde sucede algo muy raro, donde los habitantes empiezan a comportarse de una manera extraña y el número de muertos aumenta por momentos, y el sheriff, ese agente del orden bueno, listo, leal y desbordado por las circunstancias, no sabe qué hacer. Eso mismo sintió Perlmutter, porque la parte trasera del coche, el maletero, estaba muy baja.

Demasiado baja.

Sólo había una explicación. El maletero contenía algo pesado.

Podía ser cualquier cosa, claro. Rocky Conwell era jugador de fútbol. Seguramente levantaba pesas. Quizá transportaba un juego de pesas. La respuesta podía ser así de sencilla, el bueno de Rocky andaba trasladando sus pesas. Tal vez las llevaba al apartamento con jardín de Maple Street, donde vivía su ex. Ella se había preocupado por él. Estaban reconciliándose. Quizá Rocky cargó su coche... bueno, no todo el coche, sólo el maletero, porque, como Perlmutter vio, no había nada en el asiento trasero... En cualquier caso, quizá lo cargó para volver a vivir con ella.

Perlmutter se acercó al Toyota Celica agitando las llaves. Daley, Pepe y Pashaian se quedaron atrás. Perlmutter contempló el juego de llaves. La mujer de Rocky —creía que se llamaba Lorraine pero no estaba seguro— tenía un llavero con un casco de fútbol de la Universidad Estatal de Pensilvania. Estaba viejo y lleno de arañazos. Apenas se veía la mascota, el león de Nittany. Perlmutter se preguntó en qué pensaría ella cuando miraba el llavero, por qué seguía usándolo.

Se detuvo junto al maletero y olfateó el aire. No olió nada. Metió la llave en la cerradura y la hizo girar. El maletero se abrió con un chasquido reverberante. Perlmutter empezó a levantarlo. El aire que escapó de dentro era casi palpable. Y ahora sí, el olor era inconfundible.

Habían comprimido en el interior algo de gran tamaño, como una almohada descomunal. Sin previo aviso saltó como un enorme muñeco activado por un resorte. Perlmutter retrocedió de un salto cuando el cuerpo salió y, de cabeza, fue a topar violentamente contra el asfalto.

No importaba, claro. Rocky Conwell estaba muerto.

25

¿Y ahora qué?

Para empezar, Grace estaba famélica. Pasó por el puente de George Washington, cogió la salida de Jones Road y se detuvo a tomar un bocado en un restaurante chino que se llamaba, curiosamente, Baumgart's. Comió en silencio, con una sensación de profunda soledad, e intentó poner en orden sus pensamientos. ¿Qué había ocurrido? Dos días antes —¿realmente sólo había transcurrido ese tiempo?— había recogido las fotos en Photomat. Sólo eso. Hasta ese momento le iba bien la vida. Tenía un marido al que adoraba y dos hijos curiosos y fenomenales. Tenía tiempo para pintar. Tenían salud, dinero de sobra en el banco. Y de pronto ella había visto una foto, una foto vieja, y...

Grace casi se había olvidado de Josh *el Pelusilla.*

Fue él quien reveló el carrete. Fue él quien se marchó misteriosamente de la tienda no mucho después de haber recogido ella las fotos. Tenía que ser él, sin duda, quien había puesto la maldita foto entre las otras.

Cogió el móvil, pidió a información el número de teléfono del Photomat de Kasselton e incluso pagó el suplemento para que le pasaran directamente. Descolgaron al tercer timbrazo.

—Photomat.

Grace no dijo nada. No cabía duda. Habría reconocido esa voz aburrida y desganada en cualquier sitio. Era Josh *el Pelusilla.* Estaba otra vez en la tienda.

Pensó en colgar, pero tal vez eso, de algún modo —no sabía cómo—, lo ponía sobre alerta. Lo inducía a huir. Cambió la voz, le añadió cierto tono cantarín, y preguntó a qué hora cerraban.

—A eso de las seis —contestó El Pelusilla.

Ella le dio las gracias, pero él había colgado. Ya tenía la cuenta en la mesa. Pagó, y se contuvo para no echarse a correr hacia el coche. La Carretera 4 estaba despejada de tráfico. Pasó a toda velocidad ante la plétora de centros comerciales y encontró una plaza para aparcar no lejos de Photomat. Sonó su móvil.

—¿Diga?

—Soy Carl Vespa.

—Ah, hola.

—Lamento lo de ayer. Lo de obligarte a ver a Jimmy X así, de sopetón.

Grace pensó si debía mencionarle o no la visita de Jimmy la noche anterior y al final decidió que no era el momento.

—No importa.

—Ya sé que a ti te da igual, pero por lo visto van a soltar a Wade Larue.

—Tal vez sea lo correcto —dijo ella.

—Tal vez. —Pero Vespa no parecía muy convencido—. ¿Seguro que no necesitas protección?

—Seguro.

—Si cambias de idea...

—Te llamaré.

Se produjo un silencio extraño.

—¿Sabes algo de tu marido?

—No.

—¿Él tiene una hermana?

Grace se pasó el móvil a la otra mano.

—Sí. ¿Por qué?

—¿Se llama Sandra Koval?

—Sí. ¿Qué tiene que ver con esto?

—Hablaremos más tarde —contestó Vespa, y colgó.

Grace se quedó mirando el teléfono. ¿Y eso a qué venía? Meneó la cabeza. Sería inútil volver a llamarlo. Intentó concentrarse otra vez en lo suyo.

Grace cogió el bolso y se dirigió apresuradamente hacia Photomat. Le dolía la pierna. Le costaba caminar. Tenía la sensación de que alguien le sujetaba el tobillo desde el suelo y se veía obligada a arrastrarlo. Grace siguió caminando. Cuando estaba a tres tiendas de Photomat, un hombre trajeado le interceptó el paso.

—¿Señora Lawson?

Una idea extraña la asaltó cuando miró al desconocido: el pelo rubio rojizo era del mismo color que su traje. Casi parecía que los dos eran del mismo tejido.

—¿Qué desea? —dijo ella.

El hombre metió la mano en el bolsillo y sacó una foto. La acercó a su cara para enseñársela.

—¿Envió esto por correo electrónico?

Era la misteriosa foto recortada de la rubia y la pelirroja.

—¿Usted quién es?

El hombre de pelo rubio rojizo contestó:

—Me llamo Scott Duncan. Trabajo en la fiscalía. —Señaló a la rubia, la que miraba a Jack, la que tenía la cara tachada con un aspa—. Y esto —continuó— es una foto de mi hermana.

26

Perlmutter le había dado la noticia a Lorraine Conwell con la mayor delicadeza posible.

Había dado malas noticias muchas veces. La mayoría tenían que ver con accidentes automovilísticos en la Carretera 4 o la autopista de Garden State. Lorraine Conwell se había deshecho en llanto, pero a eso había seguido el natural embotamiento y ya no lloraba.

Las fases del dolor: se supone que la primera es la negación. Eso no es verdad. La primera es todo lo contrario: la total aceptación. Uno oye la mala noticia y entiende exactamente lo que se le ha dicho. Entiende que el ser querido —el cónyuge, el padre, el hijo— nunca volverá a casa, que su vida ha terminado y nunca, nunca, volverá a verlo. Lo entiende de inmediato. Le tiemblan las rodillas. Se le encoge el corazón.

Ése era el primer paso: no sólo aceptación, no sólo comprensión, sino la verdad absoluta. Los seres humanos no están hechos para soportar esa clase de dolor. Es entonces cuando empieza la negación. La negación irrumpe rápidamente, curando las heridas o al menos cubriéndolas. Aun así, existe ese momento, misericordiosamente rápido, la verdadera primera fase, en que uno oye la noticia y contempla el vacío, y por horrible que sea, lo entiende todo.

Lorraine Conwell permaneció erguida. Le temblaban los labios. Tenía los ojos secos. Se la veía pequeña y sola, y Perlmutter tuvo que contenerse para no rodearla con los brazos y estrecharla.

—Rocky y yo —dijo—. Íbamos a reconciliarnos.

Perlmutter asintió, animándola a seguir hablando.

—Es mi culpa, ¿sabe? Yo obligué a Rocky a marcharse. No tenía que haberlo hecho. —Lo miró con sus ojos de color violeta—. Cuando nos conocimos, él era muy distinto, ¿sabe? Entonces tenía sueños. Estaba muy seguro de sí mismo. Pero cuando ya no pudo seguir jugando..., eso lo superó. Yo no lo soporté.

Perlmutter volvió a asentir. Deseaba ayudarla, deseaba hacerle compañía, pero en realidad no tenía tiempo para la versión no abreviada de la historia de su vida. Debía seguir adelante con el caso y marcharse de allí.

—¿Alguien quería causar daño a Rocky? ¿Tenía enemigos o algo así?

Ella movió la cabeza en un gesto de negación.

—No, nadie.

—Estuvo en la cárcel.

—Sí, fue por una estupidez. Se metió en una pelea en un bar. Se pasó de rosca.

Perlmutter miró a Daley. Sabían lo de la pelea. Ya lo habían investigado por si la víctima había buscado venganza tardíamente. Parecía poco probable.

—¿Tenía Rocky algún empleo?

—Sí.

—¿Dónde?

—En Newark. Trabajaba en la fábrica de Budweiser, la que está cerca del aeropuerto.

—Usted llamó ayer a la comisaría —dijo Perlmutter.

Ella asintió con la mirada fija al frente.

—Habló con el agente DiBartola.

—Sí. Fue muy amable.

«No lo dudo», pensó él.

—Le dijo que Rocky no había vuelto del trabajo.

Ella asintió.

—Llamó a primera hora de la mañana. Le explicó que había trabajado la noche anterior.

—Sí.

—¿Es que hacía el turno de noche en la fábrica?

—No, tenía otro empleo. —Ella se encogió, un poco avergonzada—. Cobraba en negro.

—¿Y en qué consistía?

—Trabajaba para una mujer.

—¿Y qué hacía?

Se enjugó una lágrima con un dedo.

—Rocky no hablaba mucho de eso. Entregaba citaciones judiciales, creo, cosas así.

—¿Sabe cómo se llamaba esa mujer?

—Tenía un nombre extranjero. Soy incapaz de pronunciarlo.

Perlmutter no tuvo que pensárselo mucho.

—¿Indira Khariwalla?

—Eso. —Lorraine Conwell alzó la vista—. ¿La conoce?

Sí la conocía. Había pasado mucho tiempo pero, sí, Perlmutter la conocía muy bien.

Grace le había entregado la foto a Scott Duncan, la foto donde salían las cinco personas. Él no podía apartar la mirada, en espcial de la imagen de su hermana. Pasó el dedo por la cara. Grace apenas si resistía mirarlo.

Estaban en casa de Grace, sentados en la cocina. Llevaban hablando más de media hora.

—¿Esto le llegó hace dos días? —preguntó Scott Duncan.

—Sí.

—Y luego su marido... Es él, ¿no? —Scott Duncan señaló la imagen de Jack.

—Sí.

—¿Se fugó?

—Desapareció —dijo ella—. No se fugó.

—Ya. ¿Cree que... esto... que lo secuestraron?

—No sé qué le pasó. Sólo sé que tiene problemas.

Scott Duncan mantenía la mirada fija en la vieja foto.

—¿Porque la avisó de algún modo? ¿Diciendo que necesitaba espacio o algo así?

—Señor Duncan, me gustaría saber cómo ha llegado esa foto a sus manos y, de paso, cómo me ha encontrado a mí.

—Usted la envió a través de un spam. Alguien reconoció la foto y me la envió. Yo localicé al spammer y lo presioné un poco.

—¿Por eso no recibimos ninguna respuesta?

Duncan asintió.

—Antes quería hablar con usted.

—Ya le he dicho todo lo que sé. Iba a ver al chico de Photomat cuando usted se ha presentado.

—Lo interrogaremos, no se preocupe por eso.

Él podía desviar la mirada de la foto. Hasta el momento sólo había hablado ella. Él no le había contado nada, salvo que la mujer de la foto era su hermana. Grace señaló la cara tachada.

—Hábleme de ella —dijo Grace.

—Se llamaba Geri. ¿Le dice algo su nombre?

—Lo siento, pero no.

—¿Su marido nunca la mencionó? Geri Duncan.

—No que yo recuerde. —Y añadió—: Ha dicho que se «llamaba».

—¿Cómo?

—Ha dicho que se «llamaba» Geri, en pasado.

Scott Duncan asintió.

—Murió en un incendio a los veintiún años. En la habitación de su residencia.

Grace se quedó helada.

—Estudió en Tufts, ¿no?

—Sí. ¿Cómo lo sabía?

Ahora caía en la cuenta: por eso le sonaba la cara de la chica. Grace no la había conocido, pero en su día habían salido fotos en la prensa, cuando Grace hacía rehabilitación física y hojeaba demasiados periódicos.

—Recuerdo que lo leí. ¿No fue un accidente? ¿Un incendio por una avería eléctrica o algo así?

—Eso creía yo. Hasta hace tres meses.

—¿Qué cambió entonces?

—La fiscalía capturó a un hombre que se hace llamar Monte Scanlon. Es un asesino a sueldo. Su trabajo consistió en hacerlo de manera que pareciese un accidente.

Grace intentó asimilarlo.

—¿Y no se enteró hasta hace tres meses?

—Exacto.

—¿Lo investigó?

—Sigo investigando, pero ha pasado mucho tiempo desde entonces. —Su tono de voz se había suavizado—. No quedan muchas pistas después de tantos años.

Grace se volvió.

—Me enteré de que Geri salía con un chico en esa época, un chico de allí que se llamaba Shane Alworth. ¿Le dice algo el nombre?

—No.

—¿Seguro?

—Eso creo.

—Shane Alworth tenía antecedentes, nada serio, pero lo investigué.

—¿Y qué?

—Ha desaparecido.

—¿Desaparecido?

—Sin dejar el menor rastro. No encuentro constancia de ningún empleo ni actividad profesional. No consta ningún Shane Alworth en Hacienda. Su número de la seguridad social no sale en ninguna parte.

—¿Desde cuándo?

—¿Desde cuándo ha desaparecido?

—Sí.

—He retrocedido diez años. Y nada. —Duncan metió la mano en el bolsillo de su abrigo y sacó otra foto. Se la dio a Grace—. ¿Lo reconoce?

Ella observó la foto atentamente. No cabía duda. Era el otro chico de la foto. Miró a Duncan para que se lo corroborase. Éste asintió.

—Es espeluznante, ¿no?

—¿De dónde ha sacado esta foto? —preguntó ella.

—De la madre de Shane Alworth. Dice que su hijo vive en un pueblo de México, que es misionero o algo así, y por eso su nombre no aparece en ningún sitio. Shane también tiene un hermano que vive en San Luis. Es psicólogo. Confirma lo que dice la madre.

—Pero usted no se lo cree.

—¿Y usted?

Grace dejó la foto misteriosa en la mesa.

—Así que sabemos algo de tres personas de esta foto —dijo Grace, más para sí que para Duncan—. Tenemos a su hermana, que fue asesinada. Tenemos a su novio, Shane Alworth, este chico de aquí, cuyo paradero se desconoce. Y tenemos a mi marido, que desapareció al ver la foto. ¿Es así?

—Más o menos.

—¿Qué más dijo la madre?

—Que Shane estaba ilocalizable. En la selva del Amazonas, o eso creía.

—¿La selva del Amazonas? ¿En México?

—Sus conocimientos de geografía son un poco confusos.

Grace meneó la cabeza y señaló la foto.

—Así que sólo nos quedan las otras dos mujeres. ¿Tiene idea de quiénes son?

—No, todavía no. Pero ahora sabemos algo más. Pronto tendré información sobre la pelirroja. De la otra, la que está de espaldas, no sé si podremos averiguar algo.

—¿Y no se ha enterado de nada más?

—En realidad, no. He exhumado el cadáver de Geri. Tardé un tiempo en conseguir autorización. Se está haciendo una autopsia completa, para ver si encuentran alguna prueba física, pero es una posibilidad remota. Ésta... —cogió la foto del spam—... esta es la primera auténtica pista que consigo.

A Grace no le gustó el tono de esperanza en su voz.

—Quizá sólo sea una foto —dijo ella.

—No es eso lo que usted cree.

Grace apoyó las manos en la mesa.

—¿Piensa que mi marido tuvo algo que ver con la muerte de su hermana?

Duncan se frotó la barbilla.

—Buena pregunta —contestó.

Grace esperó.

—Es probable que tuviera algo que ver. Pero no creo que la matase él, si se refiere a eso. Les pasó algo hace mucho tiempo. No sé qué fue. Mi hermana murió en un incendio. Su marido huyó al extranjero, supongo. ¿Ha dicho que a Francia?

—Sí.

—Y Shane Alworth también. O sea, está todo relacionado. Tiene que estarlo.

—Mi cuñada sabe algo.

Scott Duncan asintió.

—¿Ha dicho que es abogada?

—Sí. Trabaja en Burton y Crimstein.

—Mala cosa. Conozco a Hester Crimstein. Si no quiere hablar, no podré presionarla demasiado.

—¿Qué podemos hacer, pues?

—Seguiremos sacudiendo la jaula.

—¿Sacudiendo la jaula?

Él asintió.

—La única manera de progresar es sacudir jaulas.

—Así que habrá que empezar sacudiendo a Josh en Photomat —dijo Grace—. Fue él quien me dio la foto.

Duncan se puso en pie.

—Parece un buen plan. ¿Piensa ir ahora? —preguntó Scott Duncan.

—Sí.

—Me gustaría acompañarla.

—Pues vamos.

—Dichosos los ojos, capitán Perlmutter. ¿A qué debo el placer?

Indira Khariwalla era una mujer menuda y arrugada. Su piel oscura —era, como sugería su nombre, de la India, en concreto de Bombay— parecía más dura y más gruesa. Seguía siendo atractiva, pero ya no era la mujer tentadora y exótica que había sido en sus buenos tiempos.

—Han pasado muchos años —dijo él.

—Sí. —La sonrisa, en su día irresistible, ahora le requería un gran esfuerzo y casi le resquebrajaba la piel—. Pero preferiría no desenterrar el pasado.

—Yo también.

Cuando Perlmutter empezó a trabajar en Kasselton, tenía como compañero a un veterano llamado Steve Goedert, una bellísima persona, al que le faltaba un año para jubilarse. Enseguida entablaron una profunda amistad. Goedert tenía mujer, Susan, y tres hijos, ya adultos. Perlmutter no sabía cómo había conocido Goedert a Indira, pero tuvieron una aventura. Y Susan se enteró.

Omitiremos los detalles de un desagradable divorcio.

Cuando los abogados acabaron con él, Goedert se quedó a dos velas. Acabó trabajando como investigador privado pero con un sesgo especial: se especializó en la infidelidad. O al menos eso decía. Al modo de ver de Perlmutter, era un timo, una incitación manifiesta a la comisión de un delito. Utilizaba a Indira como cebo. Ella abordaba al marido, lo seducía y luego Goedert sacaba las fotos. Perlmutter le aconsejó que lo dejara. La fidelidad no era un juego. No era una broma poner a prueba a un hombre de esa manera.

Goedert debía de saber que eso estaba mal. Se dio a la bebida y ya no la dejó. También él tenía una pistola en su casa, y al final tampoco él la empleó para prevenir un allanamiento en su domicilio. Tras su muerte, Indira siguió por su cuenta. Se hizo cargo de la agencia, dejando el nombre de Goedert en la puerta.

—Ha pasado mucho tiempo —dijo ella en voz baja.

—¿Lo querías?

—Eso no es asunto tuyo.

—Arruinaste su vida.

—¿De verdad crees que puedo tener semejante poder sobre un hombre? —Cambió de posición en la silla—. ¿Qué puedo hacer por ti, capitán Perlmutter?

—Tienes un empleado que se llama Rocky Conwell.

Ella no contestó.

—Sé que trabaja extraoficialmente. Eso no me preocupa.

Seguía callada. Él puso en la mesa una Polaroid, una imagen descarnada del cadáver de Conwell.

Indira le lanzó una ojeada, dispuesta a restarle importancia, pero de pronto fijó la mirada.

—Dios mío.

Perlmutter esperó, pero Indira no dijo nada. Siguió mirando la foto por un momento y luego echó atrás la cabeza.

—Su mujer dice que trabajaba para ti.

Ella asintió.

—¿Qué hacía?
—Turnos de noche.
—¿Y qué hacía en los turnos de noche?
—En general, recuperaba artículos impagados. También entregaba alguna que otra citación.
—¿Y qué más?
No dijo nada.
—Había unos cuantos objetos en su coche. Encontramos una cámara con teleobjetivo y unos prismáticos.
—¿Y?
—¿Estaba vigilando a alguien?
Ella lo miró. Tenía lágrimas en los ojos.
—¿Crees que lo mataron mientras trabajaba?
—Es una suposición lógica, pero no lo sabré con certeza hasta que me digas qué estaba haciendo.
Indira apartó la mirada. Empezó a mecerse en la silla.
—¿Estaba trabajando hace dos noches?
—Sí.
Más silencio.
—¿Qué hacía, Indira?
—No puedo decirlo.
—¿Por qué no?
—Tengo clientes. Y ellos tienen derechos. Ya te conoces la canción, Stu.
—No eres abogada.
—No, pero puedo trabajar para una.
—¿Me estás diciendo que este caso era encargo de un abogado?
—No estoy diciendo nada.
—¿Quieres echarle otro vistazo a la foto?
Ella casi sonrió.
—¿Crees que eso me hará hablar? —dijo Indira, pero echó otro vistazo—. No veo sangre.
—No la hubo.
—¿No le dispararon?
—No. No se usaron pistolas ni cuchillos.
Ella se mostró confusa.
—¿Y cómo lo mataron?

—Todavía no lo sé. Están practicando la autopsia. Pero se me ocurre una posibilidad, ¿quieres oírla?

Aunque no quería, Indira asintió.

—Murió por asfixia.

—¿Te refieres a que lo agarrotaron?

—Lo dudo. No había señales de ligadura en el cuello.

Ella frunció el entrecejo.

—Rocky era corpulento. Y fuerte como un toro. Tuvo que ser veneno, o algo así.

—No lo creo. Según el forense, presentaba considerables lesiones en la laringe.

Indira quedó desconcertada.

—En otras palabras, tenía la garganta aplastada como una cáscara de huevo.

—¿Lo estrangularon con las manos, pues?

—No lo sabemos.

—Era demasiado fuerte para eso —insistió ella.

—¿A quién seguía? —preguntó Perlmutter.

—Déjame hacer una llamada. Puedes esperar en el pasillo.

Perlmutter obedeció. No tuvo que esperar mucho.

Cuando Indira salió, tenía la voz entrecortada.

—No puedo hablar contigo —dijo—. Lo siento.

—¿Órdenes del abogado?

—No puedo hablar contigo.

—Volveré. Pediré una orden judicial.

—Suerte —dijo ella, volviéndose, y Perlmutter pensó que tal vez se lo había deseado sinceramente.

27

Grace y Scott Duncan se encaminaron hacia Photomat. A Grace se le cayó el alma a los pies cuando llegaron y no vio la menor señal de El Pelusilla. Estaba el subdirector Bruce. Sacó pecho. Cuando Scott Duncan mostró su placa, se deshinchó de inmediato.

—Josh ha salido a comer —dijo.

—¿Sabe adónde ha ido?

—Suele ir al Taco Bell. Está en la esquina.

Grace lo conocía. Salió primero, temiendo volver a perderle el rastro. Scott Duncan la siguió. En cuanto Grace entró en el Taco Bell, asaltándola el olor a grasa de cerdo, divisó a Josh.

Y no menos importante, Josh también la vio a ella. Abrió los ojos de par en par.

Scott Duncan se detuvo a su lado.

—¿Es él?

Grace asintió.

El Pelusilla estaba solo. Tenía la cabeza gacha, y el pelo le colgaba ante la cara como una cortina. Su expresión —y Grace supuso que era la única que tenía— era hosca. Dio un mordisco al taco como si éste hubiera insultado a su grupo favorito de grunge. Llevaba los auriculares perfectamente encajados. El cable se había caído en la nata agria. Grace detestaba parecer una vieja, pero tener esa clase de música enchufada directamente al cerebro todo el día no podía ser bueno para una persona. A ella le gustaba la música. Cuando estaba sola, subía el volumen, cantaba, bailaba, lo que fuera.

Así que no era por la música ni siquiera por el volumen. Pero ¿qué efecto podía ejercer en la salud de una mente joven el continuo martilleo en los oídos de una música probablemente dura y agresiva? Un aislamiento auditivo, paredes solitarias de sonido, por parafrasear a Elton John, ineludible. Sin permitir que lleguen los sonidos de la vida. Sin hablar. Una pista de sonido artificial en la vida.

Eso no podía ser sano.

Josh agachó la cabeza, fingiendo no haberlos visto. Ella lo observó mientras se acercaban. Era muy joven. Daba lástima, sentado allí solo. Grace pensó en sus esperanzas y sueños y cómo se lo veía ya encauzado hacia las decepciones de la vida. Pensó en la madre de Josh, en lo mucho que lo habría intentado y en lo mucho que debía de preocuparse. Pensó en su propio hijo, su pequeño Max, y en qué haría si Max emprendiera ese camino.

Scott Duncan y ella se detuvieron ante la mesa de Josh. Éste dio otro mordisco y alzó la vista lentamente. La música que emitían sus auriculares estaba tan alta que Grace incluso oía la letra. Algo sobre perras y putas. Scott Duncan tomó la iniciativa. Ella lo dejó.

—¿Reconoces a esta mujer? —preguntó Scott.

Josh se encogió de hombros. Bajó el volumen.

—Quítatelos —ordenó Scott—. Ahora mismo.

Josh obedeció, pero se lo tomó con calma.

—Te he preguntado si reconocías a esta mujer.

Josh le echó un vistazo.

—Sí, supongo.

—¿De qué la conoces?

—Del curro.

—Trabajas en Photomat, ¿no?

—Sí.

—Y esta mujer, la señora Lawson, es una clienta.

—Eso he dicho.

—¿Te acuerdas de la última vez que fue a la tienda?

—No.

—Piensa.

Se encogió de hombros.

—¿Crees que pudo haber sido hace dos días?

Volvió a encogerse de hombros.

—Podría ser.
Scott Duncan tenía el sobre de Photomat.
—Esta película la revelaste tú, ¿verdad?
—Eso dice usted.
—No, estoy preguntándotelo. Mira el sobre.
Lo miró. Grace permaneció inmóvil. Josh no le había preguntado a Scott Duncan quién era. No les había preguntado qué querían. Le extrañó.
—Sí, yo revelé ese carrete.
Duncan sacó la foto en que aparecía su hermana. La dejó en la mesa.
—¿Pusiste esta foto en el paquete de la señora Lawson?
—No —contestó Josh.
—¿Seguro?
—Absolutamente.
Grace esperó un momento. Sabía que el chico mentía. Habló por primera vez.
—¿Cómo lo sabes? —preguntó.
Los dos la miraron.
—¿Qué? —preguntó Josh.
—¿Cómo se revelan los carretes?
—¿Qué? —repitió Josh.
—Pones el carrete en la máquina —dijo Grace—. Y las fotos salen en una pila. Y luego metes la pila en un sobre. ¿No es así?
—Sí.
—¿Compruebas todas las fotos que revelas?
Josh no dijo nada. Miró alrededor como para pedir ayuda.
—Te he visto trabajar —prosiguió Grace—. Lees revistas. Escuchas música. No repasas todas las fotos. Así que lo que estoy preguntándote, Josh, es cómo sabes qué fotos había en la pila.
Josh lanzó una mirada a Scott Duncan. Por ese lado no recibiría ninguna ayuda. Se volvió otra vez hacia ella.
—Es porque es rara, sólo eso.
Grace esperó.
—Esa foto parece tener cien años, al menos. Es del mismo tamaño, pero el papel no es de Kodak. Me refiero a eso. Nunca la he visto. —Eso ya le gustó más a Josh. Se le iluminaron los ojos, ani-

mándose con su mentira—. Sí, verá, pensé que él se refería a eso. Cuando me preguntó si la puse con las demás, si la he visto antes.

Grace se limitó a mirarlo.

—Oiga, yo no sé qué fotos pasan por la máquina. Pero ésa no la he visto nunca. No sé nada más, ¿vale?

—¿Josh?

Era Scott Duncan. Josh se volvió hacia él.

—Esa foto acabó en el paquete de fotos de la señora Lawson. ¿Tienes alguna idea de cómo llegó hasta ahí?

—A lo mejor sacó ella la foto.

—No —dijo Duncan.

Josh volvió a encogerse de hombros con afectación. Debía de tener unos hombros muy fuertes de tanto ejercitarlos.

—Explícame cómo se hace —dijo Duncan—. Cómo revelas las fotos.

—Es como ha dicho ella. Meto el carrete en la máquina. Y la máquina se ocupa del resto. Yo sólo tengo que indicar el tamaño y la cantidad.

—¿La cantidad?

—Ya sabe. Una copia por negativo, o dos, lo que sea.

—¿Y salen todas juntas en una pila?

—Sí.

Josh estaba más relajado, en un terreno más cómodo.

—¿Y luego las pones en un sobre?

—Exacto. El mismo sobre que rellenó el cliente. Y después lo archivo en orden alfabético. Y ya está.

Scott Duncan miró a Grace. Ella no dijo nada. Él sacó su placa.

—¿Sabes qué significa esta placa, Josh?

—No.

—Significa que trabajo para la fiscalía. Significa que puedo hacerte la vida imposible si me enfado contigo. ¿Lo entiendes?

Josh parecía un poco asustado. Asintió a duras penas.

—Así que te lo pregunto por última vez: ¿Sabes algo de esta foto?

—No, lo juro. —Miró alrededor—. Tengo que volver al trabajo.

Se levantó. Grace se interpuso en su camino.

—¿Por qué saliste temprano del trabajo el otro día?

—¿Eh?

—Alrededor de una hora después de recoger mis fotos, volví a la tienda. Ya te habías ido. Y a la mañana siguiente tampoco estabas. Así que dime, ¿qué pasó?

—Estaba enfermo —contestó.

—¿Ah, sí?

—Sí.

—¿Y ahora te sientes mejor?

—Supongo. —Intentó abrirse paso para salir.

—Porque, según tu jefe, te surgió una urgencia familiar —prosiguió Grace—. ¿Eso fue lo que le dijiste?

—Tengo que volver al curro —dijo él, y esta vez la empujó para poder pasar y casi salió corriendo por la puerta.

Beatrice Smith no estaba.

Eric Wu entró sin problemas. Registró la casa. No había nadie. Sin quitarse los guantes, Wu encendió el ordenador. El Asistente de Información Personal —un término rebuscado para referirse a una agenda de teléfonos y fechas— era Time & Chaos. Lo abrió y consultó su calendario.

Beatrice se había ido a ver a su hijo, el médico, a San Diego. Volvería al cabo de dos días: estaba lo bastante lejos para salvar su vida. Wu reflexionó sobre los caprichosos vientos del destino. No pudo evitarlo. Echó una ojeada a los dos meses anteriores y los dos meses posteriores en el calendario de Beatrice Smith. No había más viajes. Si él hubiese llegado en cualquier otro momento, Beatrice Smith habría muerto. A Wu le gustaba pensar en esas cosas, en cómo a menudo los pequeños detalles, los actos inconscientes, los que no conocemos ni controlamos, son los que alteran nuestra vida. Ya sea obra del destino, el azar, las probabilidades o Dios. A Wu eso lo fascinaba.

En el garaje de Beatrice Smith cabían dos coches. Su Land Rover de color habano se hallaba aparcado en el lado derecho. El izquierdo estaba vacío. Había una mancha de aceite en el suelo. Wu dedujo que Maury debía de aparcar su coche allí. Ahora Beatrice lo tenía vacío —Wu no pudo evitar pensar en la madre de Freddy

Sykes—, como si fuera el lado de la cama de Maury. Wu aparcó allí. Abrió la puerta de atrás. Jack Lawson parecía temblar. Wu le desató las piernas para que pudiera caminar. Seguía maniatado por las muñecas. Wu lo condujo al interior de la casa. Jack Lawson se cayó dos veces. La sangre no le circulaba aún bien del todo por las piernas. Wu lo sostenía por el cuello de la camisa.

—Voy a quitarte la mordaza —dijo Wu.

Jack Lawson asintió. Wu lo vio en sus ojos. Lawson estaba descompuesto. Wu no le había hecho mucho daño —de momento—, pero cuando uno pasa suficiente tiempo a oscuras, a solas con sus pensamientos, la mente se repliega y se da un festín. Eso siempre era peligroso. La clave de la serenidad, como Wu sabía, era no parar de trabajar, no parar de avanzar. Cuando uno se mueve, no piensa en la culpa o la inocencia. No piensa en su pasado ni en sus sueños, en sus alegrías y decepciones. Sólo se preocupa por sobrevivir. Lastimar o ser lastimado. Matar o morir.

Wu retiró la mordaza. Lawson no rogó, ni pidió ni preguntó nada. Ya había pasado esa fase. Wu le ató las piernas a una silla. Registró la despensa y la nevera. Los dos comieron en silencio. Cuando acabaron, Wu lavó los platos y lo recogió todo. Jack Lawson siguió atado a la silla.

Sonó el móvil de Wu.

—Sí.

—Tenemos un problema.

Wu esperó.

—Cuando lo recogiste, él tenía una copia de esa foto, ¿verdad?

—Sí.

—¿Y dijo que no había más copias?

—Sí.

—Se equivocó.

Wu no dijo nada.

—Su mujer tiene una. Está enseñándola por todas partes.

—Ya.

—¿Te ocupas tú?

—No —contestó Wu—. No puedo volver a esa zona.

—¿Por qué no?

Wu no contestó.

—Olvídate de que te lo he pedido. Se lo diremos a Martin. Él ya tiene la información sobre sus hijos.

Wu no dijo nada. No le gustaba la idea, pero calló.

—Ya nos ocuparemos nosotros —añadió la voz por el teléfono, y colgó.

28

—Josh miente —dijo Grace.

Estaban otra vez en Main Street. Amenazaba lluvia, pero de momento la humedad dominaba el día. Scott Duncan señaló unas tiendas con la barbilla.

—Me tomaría algo en un Starbucks —dijo—. Espere. ¿Cree que miente?

—Está nervioso. Es distinto.

Scott Duncan abrió la puerta de vidrio. Grace entró. Había cola en el Starbucks. En los Starbucks siempre parecía haber cola. Por los altavoces se oía una canción antigua de una cantante de blues, Billie Holiday, Dinah Washington o Nina Simone. Luego pusieron otra de una chica con una guitarra acústica, Jewel o Aimee Mann o Lucinda Williams.

—¿Y sus contradicciones? —preguntó ella.

Scott Duncan frunció el entrecejo.

—¿Qué?

—¿Cree que nuestro amigo Josh es de los que están dispuestos a cooperar con las autoridades? —preguntó él.

—No.

—Entonces, ¿qué esperaba que dijera?

—Según su jefe, le surgió una urgencia familiar. Y él nos ha dicho que estaba enfermo.

—Sí, es una contradicción —coincidió él.

—¿Pero?

Scott Duncan se encogió de hombros de manera exagerada, imitando a Josh.

—He llevado muchos casos. ¿Y sabe qué he descubierto sobre las contradicciones?

Ella negó con la cabeza. De fondo se oía el ruido de la batidora, un zumbido semejante al de una aspiradora de túnel de lavado.

—Que existen. Me preocuparía más si no hubiera unas pocas contradicciones. La verdad siempre es confusa. Si su historia hubiese sido impecable, sospecharía. Me preguntaría si la había ensayado antes. No es tan difícil decir una mentira coherente, y en el caso de este chico, si le preguntas dos veces qué ha desayunado, seguro que mete la pata.

La cola fue avanzando. El camarero les tomó nota. Duncan miró a Grace. Ella pidió un americano con hielo, y no quiso agua. Él asintió y dijo:

—Que sean dos.

Pagó con una tarjeta de Starbucks. Esperaron los cafés junto a la barra.

—¿Cree que decía la verdad, pues? —preguntó Grace.

—No lo sé. Pero no ha dicho nada que me pareciera alarmante.

Grace no estaba tan segura.

—Tuvo que ser él.

—¿Por qué?

—No pudo ser nadie más.

Cogieron los cafés y encontraron una mesa junto a la ventana.

—Vuelva a contármelo.

—A contarle ¿qué?

—Todo, desde el principio. Fue a buscar las fotos. Josh se las entregó. ¿Las miró enseguida?

Grace alzó la vista y la desvió hacia la derecha, intentando recordar los detalles.

—No.

—Bien, así que se llevó el paquete. ¿Lo guardó en el bolso o algo así?

—No, me lo quedé en la mano.

—¿Y luego qué hizo?

—Me metí en el coche.

—¿Y llevaba el paquete encima?

—Sí.

—¿Dónde lo puso?

—En la consola. Entre los dos asientos delanteros.

—¿Y adónde fue?

—A recoger a Max en la escuela.

—¿Paró en algún sitio en el camino?

—No.

—¿Estuvieron las fotos en su poder todo el tiempo?

Grace sonrió a su pesar.

—Oyéndolo, me siento como si estuviese en el mostrador de facturación de un aeropuerto.

—Ya no preguntan esas cosas.

—Hace tiempo que no viajo en avión. —Sonrió estúpidamente y comprendió de pronto por qué había dado ese rodeo absurdo en la conversación. Él también lo notó. Ella había caído en la cuenta de algo, de algo en lo que en realidad no quería ahondar.

—¿Qué? —preguntó él.

Ella meneó la cabeza.

—Es posible que yo no haya visto que Josh ocultaba algo. Pero usted es más fácil de interrogar. ¿Qué ocurre?

—Nada.

—Vamos, Grace.

—Las fotos estuvieron siempre en mi poder.

—¿Pero?

—Mire, estamos perdiendo el tiempo. Sé que fue Josh. Tuvo que ser él.

—¿Pero?

Ella respiró hondo.

—Sólo voy a decirlo una vez, para poder desecharlo y seguir adelante con nuestras vidas.

Duncan asintió.

—Hay una persona que *pudo,* y hago hincapié en la palabra «pudo», haber tenido acceso a las fotos.

—¿Quién?

—Yo estaba en el coche esperando a Max. Abrí el sobre y miré el primer par de fotos cuando de pronto entró mi amiga Cora.

—¿Entró en su coche?
—Sí.
—¿Dónde se sentó?
—En el asiento del acompañante.
—¿Y las fotos estaban en la consola a su lado?
—No, ya no. —Se le quebró la voz por la irritación. Aquello no le gustaba nada—. Se lo acabo de decir. Estaba mirándolas.
—Pero ¿las puso en algún sitio?
—Al final sí, supongo.
—¿En la consola?
—Supongo. No me acuerdo.
—Así que ella tuvo acceso.
—No. Yo estuve allí todo el tiempo.
—¿Quién salió primero?
—Las dos salimos a la vez, creo.
—Usted cojea.
Ella lo miró.
—¿Y qué?
—Así que salir le representará cierto esfuerzo.
—Me las apaño muy bien.
—Pero, vamos, Grace, coopere conmigo. Es posible, y no estoy diciendo que sea probable, sólo posible, que al salir del coche su amiga metiese la foto en el sobre.
—Sí, es posible. Pero no lo hizo.
—¿De ninguna manera?
—De ninguna manera.
—¿Tanto confía en ella?
—Sí. Pero aunque no confiara en ella... o sea, piénselo. ¿Qué hacía? ¿Ir por ahí con una foto en espera de que yo llevara un paquete de fotos recién reveladas en el coche?
—No necesariamente. A lo mejor iba a ponerla en su cartera. O en la guantera. O debajo del asiento, yo qué sé. Y entonces vio el paquete de fotos y...
—No. —Grace levantó la mano—. Por ahí no vamos a ir. No fue Cora. Seguir por ese camino es una pérdida de tiempo.
—¿Cuál es su apellido?
—No viene al caso.

—Dígamelo y no volveré a mencionarla.

—Lindley. Cora Lindley.

—De acuerdo —dijo Duncan—. No volveré a hablar de ella. —Pero anotó el nombre en un pequeño cuaderno.

—¿Y ahora qué? —preguntó Grace.

Duncan miró su reloj.

—Tengo que volver al trabajo.

—¿Y yo qué hago?

—Registre su casa. Si su marido escondía algo, a lo mejor tiene suerte.

—¿Me aconseja que espíe a mi marido?

—Sacuda las jaulas, Grace. —Se encaminó hacia su coche—. Conserve la calma. Volveré pronto, se lo prometo.

29

La vida no se detiene.

Grace tenía que hacer la compra. Eso podría parecer extraño dadas las circunstancias. Sus dos hijos, estaba segura de ello, sobrevivirían encantados con una dieta constante de pizzas a domicilio, pero, aun así, necesitaban artículos básicos: leche, zumo de naranja (el que lleva calcio y nunca, jamás, pulpa), una docena de huevos, embutidos, un par de cajas de cereales, una barra de pan, un paquete de pasta, salsa Prego. Cosas así. Incluso podía sentarle bien hacer la compra. Dedicarse a algo rutinario, a algo tan aburridamente normal, sin duda sería, si no reconfortante, sí más o menos terapéutico.

Se detuvo en el King's de Franklin Boulevard. Grace no era fiel a ningún supermercado. Sus amigas tenían uno favorito y ni soñaban con ir a otro. A Cora le gustaba el A&P de Midland Park. A su vecina le gustaba el Whole Foods de Ridgewood. Otras conocidas preferían el Stop & Shop de Waldwick. La elección de Grace era más azarosa porque, dicho sin rodeos, el zumo de naranja Tropicana era el zumo de naranja Tropicana.

En este caso, el King's era el que caía más cerca del Starbucks. La decisión ya estaba tomada.

Cogió un carrito y fingió ser una ciudadana normal en un día normal. Eso no duró mucho. Pensó en Scott Duncan, en su hermana, en lo que significaba todo eso.

«¿Hacia dónde voy a partir de este punto?», se preguntó Grace.

En primer lugar, descartó la «conexión Cora». Era imposible. Duncan no conocía a Cora. Su trabajo consistía en desconfiar. Grace sabía que no podía ser. Cora estaba bastante chiflada, desde luego, pero eso era precisamente lo que la atraía de ella. Se habían conocido en un concierto de la escuela cuando los Lawson acababan de llegar al pueblo. Mientras los niños destrozaban los clásicos de siempre, las dos los escuchaban de pie en el vestíbulo porque no habían llegado a tiempo para coger un asiento. Cora se acercó a ella y susurró: «Me fue más fácil conseguir un asiento en primera fila para Springsteen». Grace se rió. Y así, poco a poco, empezó todo.

Pero al margen de eso, al margen del punto de vista sesgado de Grace, ¿qué motivos podía tener Cora para una cosa así? El Pelusilla seguía teniendo todos los números. Sí, era normal que se pusiera nervioso. Sí, era probable que no quisiera colaborar con las autoridades. Pero allí había algo más, de eso Grace estaba segura. Así que mejor descartar a Cora. Debía concentrarse en Josh. Partir de ahí.

A Max últimamente le había dado por el beicon. Había un nuevo plato precocinado a base de beicon que probó en casa de un amigo. Quería que ella lo comprara. Grace estaba leyendo el valor medio de los ingredientes. Como el resto del país, se concentraba cada vez más en reducir la ingestión de hidratos de carbono. Este plato en particular no tenía ninguno. Ni un solo hidrato de carbono. Sí suficiente sodio para salar una gran masa de agua, pero no hidratos de carbono.

Estaba repasando los ingredientes —un interesante popurrí de palabras que tendría que consultar— cuando sintió, realmente sintió, que la observaban. Sin mover la caja, desvió lentamente la mirada. Al final del pasillo, junto al expositor de salami y salchichas, un hombre la miraba descaradamente. No había nadie más en el pasillo. Era de estatura media, alrededor de un metro setenta y cinco. No se había pasado una cuchilla de afeitar por la cara en dos días por lo menos. Llevaba vaqueros, una camiseta granate y una cazadora negra brillante de la marca Members Only. La gorra de béisbol tenía el símbolo de Nike.

Grace nunca había visto a ese hombre. Él la siguió mirando un momento antes de hablar. Su voz era apenas un susurro.

—Señora Lamb —dijo el hombre—. Aula diecisiete.

Por un momento Grace no lo entendió. Simplemente se quedó allí, incapaz de moverse, y no porque no lo hubiera oído —sí lo había oído—, sino porque esas palabras estaban tan fuera de contexto, tan fuera de lugar en los labios de ese desconocido, que su cerebro no asimiló el significado.

Al menos al principio. Durante un segundo o dos. Después le cayó en la cuenta de repente...

«Señora Lamb. Aula diecisiete...»

La señora Lamb era la maestra de Emma. El aula 17 era el aula de Emma.

El hombre, ya en movimiento, se alejaba por el pasillo a toda velocidad.

—¡Espere! —gritó Grace—. ¡Oiga!

El hombre dobló la esquina. Grace lo siguió. Intentó acelerar el paso pero la cojera, la maldita cojera, se lo impidió. Llegó al final del pasillo, que terminaba en la pared, junto a la sección de pollería. Miró a derecha e izquierda.

Ni rastro del hombre.

¿Y ahora qué?

«Señora Lamb. Aula diecisiete...»

Fue a la derecha, mirando en cada pasillo conforme avanzaba. Metió la mano en el bolso y hurgó hasta encontrar el móvil.

«Tranquila —se dijo—. Llama a la escuela.»

Grace intentó caminar más deprisa, pero la pierna le pesaba como una barra de plomo. Cuanto más apretaba el paso, más cojeaba. Cuando intentó correr, parecía Cuasimodo subiendo al campanario. Por supuesto, daba igual qué impresión daba. El problema era de carácter funcional: no se movía a suficiente velocidad.

«Señora Lamb. Aula diecisiete...»

«Como le haya hecho daño a mi niña —pensó—, como la haya tan siquiera mirado mal...»

Grace llegó al último pasillo, a la sección refrigerada de lácteos y huevos, el pasillo más alejado de la entrada para incitar al consumo. Se dirigió hacia la parte delantera de la tienda, esperando encontrar a aquel hombre cuando retrocediera. Mientras avanzaba, pulsaba los botones del móvil, tarea nada sencilla, y consultaba los números de teléfono guardados para ver si tenía el de la escuela.

No lo tenía. Maldita sea. Grace estaba segura de que las demás madres, las buenas madres, las de la sonrisa alegre y los proyectos extraescolares ideales, llevaban el número de la escuela grabado en las teclas de marcación rápida de su móvil.

«Señora Lamb. Aula diecisiete...»

«Pídelo a información, idiota —se dijo—. Llama al 411.»

Marcó los dígitos y apretó el botón de llamada. Cuando llegó al final del pasillo, miró hacia la fila de cajeras.

Ni la menor señal del hombre.

Por el teléfono, la profunda voz de trueno de James Earl Jones anunció: «Version Wireless, cuatro uno uno». A continuación, una campanilla. Y luego una voz de mujer: «Si desea que lo atiendan en inglés, permanezca en espera. *Para español, por favor, marque el número dos*».*

Y en ese preciso momento, al oír la opción en español, Grace volvió a ver al hombre.

Estaba en la calle. Ella lo vio por la ventana de cristal cilindrado. Seguía con la gorra y la cazadora negra. Caminaba muy tranquilo, demasiado tranquilo, incluso silbaba y agitaba los brazos. Grace se disponía a ponerse en marcha otra vez cuando algo —algo en la mano del hombre— le heló la sangre.

No podía ser.

Tampoco esta vez cayó en la cuenta de inmediato. La imagen, el estímulo que el ojo enviaba al cerebro, no era computable, la información provocaba una especie de cortocircuito. Como en el caso anterior, no duró mucho. Sólo un segundo o dos.

Grace dejó caer a un lado la mano que sujetaba el móvil. El hombre siguió caminando. El terror —un terror que nunca había experimentado antes, un terror tal que a su lado la Matanza de Boston parecía un viaje en una atracción de feria— cobró forma sólida y le golpeó el pecho. El hombre ya casi había desaparecido de su vista. Sonreía. Seguía silbando. Seguía agitando los brazos.

Y en la mano, en la mano derecha, la mano más cercana a la ventana, llevaba una fiambrera de Batman.

* En español en el original. *(N. de los T.)*

30

—Señora Lawson —dijo a Grace Sylvia Steiner, la directora de la escuela Willard, con esa voz que usan los directores cuando tratan con padres histéricos—. Emma está perfectamente, y Max también.

Cuando Grace llegó a la puerta del King's, el hombre con la fiambrera de Batman ya había desaparecido. Ella empezó a gritar, pidió ayuda, pero los transeúntes la miraron como si se hubiera escapado de un manicomio. No había tiempo para dar explicaciones. Corrió hasta el coche tan deprisa como le permitió la cojera, llamó a la escuela mientras conducía a una velocidad que habría intimidado a Andretti e irrumpió en la secretaría.

—He hablado con las dos maestras. Están en clase.

—Quiero verlos.

—Claro, está usted en su derecho, pero ¿me permite que le haga una sugerencia?

Sylvia Steiner hablaba tan despacio que a Grace le entraron ganas de meterle la mano por la garganta y arrancarle las palabras.

—Estoy segura de que se ha llevado un susto terrible, pero respire hondo un par de veces. Primero tranquilícese. Asustará a los niños si la ven así.

Una parte de Grace quiso abofetearla por su actitud condescendiente, su petulancia y su aspecto repeinado. Pero otra parte de ella, una parte mayor, comprendió que la mujer tenía razón.

—Sólo necesito verlos —insistió Grace.

—Lo entiendo. Se me ocurre una idea. Podemos espiarlos por la ventana de la puerta. ¿Le bastaría con eso, señora Lawson?

Grace asintió.

—Vamos, pues. La acompañaré. —La directora Steiner lanzó una mirada a la mujer que atendía en el mostrador de la entrada. Ésta, la señora Dinsmont, tuvo que hacer un esfuerzo para no poner los ojos en blanco. Todas las escuelas cuentan con una de esas mujeres curadas de espanto en el mostrador. Debe de ser una ley estatal o algo así.

Los pasillos eran estallidos de color. Los dibujos infantiles siempre conmovían a Grace. Las imágenes eran como instantáneas, un momento que desaparece para siempre, una postal, que nunca se repetirá. Sus habilidades artísticas madurarían y cambiarían. La inocencia desaparecería, quedando capturada sólo en las imágenes pintadas con los dedos o en los trazos de color que se salen del contorno del dibujo, en la caligrafía irregular.

Primero llegaron al aula de Max. Grace acercó la cara a la ventana. Enseguida vio a su hijo. Max estaba de espaldas, sentado en el suelo junto con los demás niños dispuestos en círculo, con la cabeza inclinada hacia atrás y las piernas cruzadas. Su maestra, la señorita Lyons, ocupaba una silla. Leía un libro ilustrado, sosteniéndolo de modo que los pequeños pudieran verlo mientras ella leía.

—¿Satisfecha? —preguntó la directora.

Grace asintió.

Siguieron recorriendo el pasillo. Grace vio el número 17...

«Señora Lamb. Aula diecisiete...»

... en la puerta. Se estremeció de nuevo y procuró no apretar el paso. La directora Steiner, lo sabía, había advertido la cojera. Le dolía la pierna como no le había dolido en años. Miró por la ventana. Su hija estaba allí, justo donde debía estar. Grace tuvo que contener las lágrimas. Emma, con la cabeza gacha, inmersa en sus pensamientos, mordisqueaba la goma del lápiz. «¿Por qué nos conmueve tanto ver a nuestros hijos cuando no saben que estamos allí? —se preguntó Grace—. ¿Qué intentamos ver exactamente?»

¿Y ahora qué?

Respiró hondo. Tranquila. Sus hijos estaban bien. Eso era lo más importante. «Piensa. Sé racional», se dijo.

Llamar a la policía. Ése era el paso obvio.

La directora Steiner simuló un carraspeo. Grace la miró.

—Ya sé que esto le parecerá una locura —dijo Grace—, pero necesito ver la fiambrera de Emma.

Grace se esperaba una mirada de sorpresa o exasperación, pero no, Sylvia Steiner simplemente asintió. No preguntó por qué; de hecho, no había cuestionado su extraña actitud de ninguna manera. Grace lo agradeció.

—Todas las fiambreras están en el comedor —explicó—. Cada clase tiene su propio contenedor. ¿Quiere que se lo enseñe?

—Gracias.

Los contenedores estaban en fila, ordenados por cursos. Encontraron el gran contenedor azul con la etiqueta «Susan Lamb, aula 17» y empezaron a hurgar.

—¿La encuentra? —preguntó la directora.

Justo cuando iba a contestar, Grace lo vio. Batman. La palabra ¡PUM! en mayúsculas. Levantó la fiambrera lentamente. El nombre de Emma estaba escrito al dorso.

—¿Es ésa?

Grace asintió.

—Este año tiene mucho éxito.

Grace tuvo que hacer un verdadero esfuerzo para no estrechar la fiambrera contra el pecho. La dejó en su sitio como si fuera cristal de Venecia. Volvieron a la secretaría en silencio. Grace sintió la tentación de llevarse a los niños de la escuela. Eran las dos y media. De todos modos saldrían al cabo de media hora. Pero no, no tenía sentido. Lo más probable era que se asustasen. Necesitaba tiempo para meditar, para reflexionar sobre lo que debía hacer, y pensándolo bien, ¿acaso Emma y Max no estarían más seguros allí, rodeados de gente?

Grace volvió a dar las gracias a la directora. Se estrecharon la mano.

—¿Puedo hacer algo más? —preguntó la directora.

—No, creo que no.

Grace se marchó. Se detuvo en la acera. Cerró un momento los ojos. El miedo, más que disolverse, se solidificó, convirtiéndose en una rabia pura, primitiva. Sintió el calor que le ascendía por el cuerpo hasta el cuello. Ese cabrón. Ese cabrón había amenazado a su hija.

¿Y ahora qué?

La policía. Debía llamar. Ése era el paso evidente. Tenía el teléfono en la mano. Estaba a punto de marcar el número cuando la detuvo una sencilla razón: ¿Qué diría exactamente?

«Hola, verá, hoy estaba en el supermercado, y de pronto ha aparecido un hombre en la sección de salchichas, ¿sabe? Y ese hombre me ha susurrado el nombre de la maestra de mi hija. Sí, exacto, de la maestra. Ah, y el número de su aula. Sí, en la sección de salchichas, justo al lado de los embutidos de Oscar Mayer. Y luego el hombre ha huido. Pero después he vuelto a verlo con la fiambrera de mi hija. En la calle, delante del supermercado. ¿Que qué hacía? Pues pasear, supongo. Bueno, no, en realidad no era la fiambrera de Emma. Era una igual. De Batman. No, no la ha amenazado abiertamente. ¿Perdón? Sí, soy la misma mujer que ayer dijo que habían secuestrado a su marido. Exacto, y luego mi marido llamó y dijo que necesitaba espacio. Efectivamente, era yo, la misma histérica...»

¿Tenía otra opción?

Volvió a repasarlo todo. La policía ya pensaba que estaba loca de atar. ¿Podría convencerla de lo contrario? Tal vez. De todos modos, ¿qué podía hacer la policía? ¿Asignaría a un hombre para que vigilara a sus hijos las veinticuatro horas del día? Lo dudaba, aun cuando lograra hacerles entender la urgencia.

En ese momento se acordó de Scott Duncan.

Trabajaba en la fiscalía. Eso era como ser policía federal, ¿no? Tendría contactos. Tendría poder. Y sobre todo, la creería.

Duncan le había dado el número de su móvil. Lo buscó en el bolsillo, pero estaba vacío. ¿Se lo había dejado en el coche? Probablemente. Daba igual. Él le había dicho que volvía al trabajo. La oficina del fiscal debía de estar en Newark. O allí o en Trenton. Trenton se hallaba demasiado lejos. Mejor intentarlo primero con Newark. Él ya tenía que haber llegado.

Se detuvo y volvió hacia la escuela. Sus hijos estaban allí dentro. Por extraño que fuese planteárselo así de pronto, no pudo evitarlo. Se pasaban todo el día allí, lejos de su bastión de ladrillos, y eso le resultó curiosamente sobrecogedor. Llamó a información y pidió el número de la fiscalía de Newark. Pagó el suplemento de treinta y cinco centavos para que la operadora le pasara directamente.

—Fiscalía del estado de Nueva Jersey.

—Con Scott Duncan, por favor.

—Un momento.

Sonó dos veces y descolgó una mujer.

—Al habla Goldberg —dijo.

—Quiero hablar con Scott Duncan.

—¿Por qué caso?

—¿Perdón?

—¿De qué caso se trata?

—No llamo por ningún caso. Sólo quiero hablar con el señor Duncan.

—¿Le importaría decirme de qué se trata?

—Es un asunto personal.

—Lo siento, pero no puedo ayudarla. Scott Duncan ya no trabaja aquí. Yo llevo casi todos sus casos. Si puedo hacer algo por usted...

Grace apartó el teléfono del oído. Lo miró como si lo viera de lejos. Apretó el botón para colgar. Se metió en el coche y de nuevo contempló el edificio de ladrillos que albergaba en esos momentos a sus hijos. Lo miró durante un rato, preguntándose si había alguien en quien pudiera confiar realmente antes de decidir cómo actuar.

Volvió a coger el teléfono. Marcó el número.

—¿Sí?

—Soy Grace Lawson.

Al cabo de tres segundos, Carl Vespa preguntó:

—¿Va todo bien?

—He cambiado de opinión —dijo Grace—. Sí necesito tu ayuda.

31

—Se llama Eric Wu.

Perlmutter había vuelto al hospital. Había estado intentando conseguir una orden judicial para obligar a Indira Khariwalla a decirle quién era su cliente, pero el fiscal del condado estaba poniendo más pegas de las que se esperaba. Mientras, los chicos del laboratorio cumplían con su cometido. Habían enviado las huellas dactilares al Centro Nacional de Información Criminal y, según Daley, ya habían identificado al sospechoso.

—¿Tiene antecedentes? —preguntó Perlmutter.

—Salió de Walden hace tres meses.

—¿Y por qué cumplió condena?

—Por asalto a mano armada —contestó Daley—. Wu llegó a un acuerdo por el caso Scope. Llamé e hice averiguaciones. Es un hombre muy malo.

—¿Hasta qué punto?

—Como para cagarse encima. Si un diez por ciento de los rumores acerca de este hombre son verdad, esta noche dormiré con mi lamparita del dinosaurio Barney encendida.

—Te escucho.

—Se crió en Corea del Norte. Quedó huérfano a muy corta edad. Estuvo trabajando en las cárceles para presos políticos. Tiene un especial talento con los puntos de presión o algo así, no sé bien. Es lo que le hizo a ese Sykes, algo tipo kung fu, y casi le partió la columna. Me contaron que una vez secuestró a una mujer, la tuvo en sus manos un par de horas. Luego llamó al marido y le dijo que escuchara. La mujer se puso al teléfono y empezó a gritar; después le dijo al marido que lo odiaba a muerte, lo puso verde. El marido nunca más volvió a oírla.

—¿Mató a la mujer?

Daley nunca había tenido un semblante tan serio.

—He ahí lo más asombroso. No la mató.

La temperatura de la habitación bajó diez grados.

—No lo entiendo.

—Wu la soltó. Desde entonces la mujer no ha vuelto a hablar. Se pasa el día meciéndose en una silla. Cada vez que se le acerca el marido, se pone como loca y empieza a chillar.

—Dios mío. —Perlmutter sintió un escalofrío—. ¿No te sobra otra lamparita?

—Tengo otra, sí, pero necesito las dos.

—¿Y qué pretendía ese tío con Freddy Sykes?

—Ni idea.

Charlaine Swain apareció por el pasillo. No había salido del hospital desde el tiroteo. Por fin habían conseguido que hablara con Freddy Sykes. Había sido una situación extraña. Sykes había llorado sin cesar. Charlaine había intentado sonsacarle información. Había surtido efecto hasta cierto punto. Freddy Sykes no parecía saber nada. Ignoraba quién era su agresor y qué motivos podía tener alguien para causarle daño. Sykes sólo era un contable de poca monta que vivía solo: en principio, nadie lo tenía en el punto de mira.

—Está todo relacionado —afirmó Perlmutter.

—¿Tiene una teoría?

—En parte, a trozos.

—Oigámosla.

—Empecemos por los tacs.

—Bien.

—Tenemos a Jack Lawson y Rocky Conwell, que dejan la autopista por esa salida a la misma hora —dijo Perlmutter.

—Exacto.

—Creo que ahora ya sabemos por qué. Conwell trabajaba para una investigadora privada.

—Para su amiga india o algo así.

—Indira Khariwalla. Y no es precisamente una amiga. Pero eso da igual. Lo que tiene sentido, en realidad lo único que tiene sentido, es que Conwell fue contratado para seguir a Lawson.

—Y eso explica la coincidencia de los tacs.

Perlmutter asintió, intentando armar el rompecabezas.

—¿Y qué pasó después? Conwell apareció muerto. Según el forense, lo más probable es que muriese esa noche antes de las doce. Sabemos que pasó por el peaje a las diez y veintiséis. De modo que en algún momento después de esa hora Rocky Conwell fue víctima de la agresión. —Perlmutter se frotó la cara—. El sospechoso más lógico sería Jack Lawson. Se da cuenta de que lo siguen, se enfrenta a Conwell y lo mata.

—Tiene sentido —comentó Daley.

—Pues no lo tiene. Piénsalo. Rocky Conwell medía un metro noventa y cinco y pesaba ciento veinte kilos, y estaba en excelente forma. ¿Crees que un hombre como Lawson podría cargárselo así, con sus propias manos?

—Santo cielo —comprendió Daley—. ¿Eric Wu?

Perlmutter asintió.

—Es muy posible. No sabemos cómo, Conwell se encontró con Wu. Wu lo mató, metió el cadáver en el maletero y lo dejó en el aparcamiento. Charlaine Swain vio a Wu conducir un Ford Windstar. El mismo modelo y color que el de Jack Lawson.

—¿Y qué relación hay entre Lawson y Wu?

—No lo sé.

—Tal vez Wu trabaja para él.

—Podría ser. No lo sabemos. Pero lo que sí sabemos es que Lawson está vivo, o al menos estaba vivo después de morir Conwell.

—Ya, porque llamó a su mujer, cuando ella estaba en la comisaría. ¿Y qué pasó después?

—Ni idea.

Perlmutter observó a Charlaine Swain. Estaba de pie al final del pasillo, frente a la habitación de su marido, mirándolo a través del cristal. Perlmutter pensó en acercarse, pero en realidad ¿qué podía decirle?

Daley le dio un codazo, y los dos se volvieron para contemplar a la agente Veronique Baltrus salir del ascensor. Baltrus llevaba tres años en el departamento. Tenía treinta y tres años, el pelo negro alborotado y un moreno permanente. El uniforme de policía se ajustaba a los contornos de su cuerpo tanto como podía hacerlo una indumentaria provista de cinto y pistolera, pero cuando estaba fuera de servicio prefería la ropa de deporte de licra o cualquier prenda que mostrase su vientre liso y moreno. Era menuda, de ojos oscuros, y todos los hombres de la comisaría, incluido Perlmutter, sentían debilidad por ella.

Además de exquisitamente guapa, Veronique Baltrus era una experta en informática: una interesante combinación, aunque también inquietante. Seis años antes, cuando trabajaba para un minorista de bañadores, empezaron a acosarla. El individuo en cuestión la llamaba por teléfono. Le enviaba correos electrónicos. La hostigaba en el trabajo. Su principal arma era el ordenador, el mejor bastión para los acosadores anónimos y los cobardes. La policía no tenía recursos para identificarlo. Además, creían que el acoso, fuera quien fuera el autor, no iría a más.

Pero sí fue a más.

Una apacible tarde de otoño, Veronique Baltrus fue brutalmente agredida. El agresor escapó. Pero Veronique se recuperó. Ya antes se le daban bien los ordenadores, pero a partir de ese momento perfeccionó sus conocimientos y se convirtió en una experta. Usó su mayor dominio de la informática para buscar a su agresor —el hombre siguió enviando correos electrónicos para anunciarle una repetición de la jugada— y llevarlo ante la justicia. Después dejó su trabajo y se incorporó al cuerpo de policía.

Ahora, aunque Baltrus llevaba uniforme y hacía los turnos normales, era la experta en informática no oficial del condado. Perlmutter era el único del departamento que conocía su historia. Eso formó parte del trato cuando ella se presentó para el empleo.

—¿Tienes algo? —preguntó Perlmutter.

Veronique Baltrus sonrió. Tenía una sonrisa agradable. La «debilidad» de Perlmutter por ella no era como la de los demás. No se trataba de simple lujuria. Veronique Baltrus era la primera mujer que le había hecho sentir algo desde la muerte de Marion. Tampoco pensaba hacer nada al respecto. No sería profesional. No sería ético. Y la verdad, Veronique no estaba ni remotamente a su alcance.

Veronique señaló a Charlaine Swain, al fondo del pasillo.

—Es posible que tengamos que darle las gracias.

—¿Y eso?
—Al Singer.
Ése era el nombre, según le había dicho Sykes a Charlaine, que dio Eric Wu al hacerse pasar por mensajero con un paquete que entregar. Cuando Charlaine preguntó quién era Al Singer, Sykes titubeó un poco y negó conocerlo. Dijo que abrió la puerta de todos modos por curiosidad.
—Creía que Al Singer era un nombre falso —dijo Perlmutter.
—Sí y no —dijo Baltrus—. He repasado el ordenador del señor Sykes bastante a fondo. Se había registrado en un servicio de contactos por Internet y se escribía a menudo con un tal Al Singer.
Perlmutter hizo una mueca.
—¿Un servicio de contactos para gays?
—De hecho, para bisexuales. ¿Algún problema?
—No. Así que Al Singer era... esto... ¿su amante cibernético?
—Al Singer no existe. Era un alias.
—Pero ¿eso no es habitual en Internet, sobre todo en los servicios de contactos? ¿Usar un alias?
—Lo es —confirmó Baltrus—. Pero a eso voy. Nuestro señor Wu fingió entregar un paquete. Usó ese nombre, Singer. ¿Cómo iba a conocer ese nombre si no...?
—¿Estás diciendo que Eric Wu es Al Singer?
Baltrus asintió y apoyó las manos en las caderas.
—Eso parece. Te diré lo que pienso: Wu se conecta a Internet y usa el nombre de Al Singer. Así conoce a gente, a víctimas potenciales. En este caso, conoce a Freddy Sykes. Se mete en su casa y lo agrede. Estoy segura de que al final lo habría matado.
—¿Crees que ya ha actuado así antes?
—Sí.
—Así que es... ¿una especie de asesino en serie bisexual?
—Eso ya no lo sé. Pero coincide con lo que he visto en el ordenador.
Perlmutter se lo pensó.
—¿Y este Al Singer tiene más amigos cibernéticos?
—Tres más.
—¿Alguno ha sufrido una agresión?
—No, todavía no. Gozan todos de buena salud.

—Entonces, ¿por qué crees que es un asesino en serie?

—Sea lo que sea, es demasiado pronto para sacar conclusiones. Pero Charlaine Swain nos ha hecho un gran favor. Wu usó el ordenador de Sykes. Es posible que pensara destruirlo antes de irse, pero Charlaine lo obligó a marcharse de prisa y corriendo sin darle tiempo para hacerlo. Estoy investigando, pero sin duda está en contacto con otra persona. Todavía no sé cómo se llama, pero actúa desde una página de judíos solteros que se llama *yenta-match.com.*

—¿Y cómo sabemos que no es Freddy Sykes?

—Porque la persona que visitó esa página accedió a ella en las últimas veinticuatro horas.

—Así que tuvo que ser Wu.

—Sí.

—Sigo sin entenderlo. ¿Por qué emplea otro servicio de contactos por Internet?

—Para encontrar más víctimas —contestó ella—. Te explicaré cómo creo que funciona: este tal Wu tiene varios nombres e identidades diferentes en distintas páginas de contactos. En cuanto agota un nombre como, digamos, Al Singer, ya no vuelve a esa página. Usó el de Al Singer para acceder a Freddy Sykes. Seguro que sabía que un investigador podría localizarlo.

—Así que deja de utilizar el nombre de Al Singer.

—Exacto. Pero ha estado usando otros en otras páginas. Así que ya está listo para la siguiente víctima.

—¿Y tienes ya alguno de esos nombres?

—Me estoy acercando —dijo Baltrus—. Sólo necesito una orden judicial para *yenta-match.com.*

—¿Crees que un juez la dará?

—La única identidad que conocemos a la que Wu accedió recientemente es la de la página de *yenta-match*. Creo que estaba buscando a su próxima víctima. Si conseguimos el nombre que empleó y el de la persona con quien mantuvo contacto...

—Sigue investigando.

—Eso haré.

Veronique Baltrus se marchó deprisa. Pese a lo mal que le parecía —al fin y al cabo era su jefe—, Perlmutter la miró irse con un anhelo que le recordó a Marion.

32

Al cabo de diez minutos, el chófer de Carl Vespa —el infame Cram— se reunió con Grace a dos manzanas de la escuela.

Cram llegó a pie. Grace no sabía cómo ni dónde había dejado su coche. Estaba de pie, mirando la escuela desde lejos, cuando sintió que alguien le tocaba el hombro. Dio un respingo y se le aceleró el corazón. Al volverse y verle la cara, en fin... la imagen no era precisamente tranquilizadora.

Cram enarcó una ceja.

—¿Ha llamado por teléfono?

—¿Cómo ha llegado?

Cram hizo un gesto de negación con la cabeza. De cerca, ahora que Grace pudo verlo mejor, el hombre era incluso más siniestro de lo que recordaba. Tenía la cara picada de viruela. La nariz y la boca parecían el hocico de un animal, sobre todo con esa sonrisa de depredador marino puesta en piloto automático. Cram era mayor de lo que ella se había pensado; debía de rondar los sesenta. Pero era enjuto y nervudo. Tenía esa mirada extraviada que ella siempre había relacionado con la psicosis grave, pero en aquel momento ese elemento de peligro le resultaba reconfortante; era la clase de hombre que uno querría tener a su lado en una madriguera y sólo allí.

—Cuéntemelo todo —dijo Cram.

Grace empezó por Scott Duncan y siguió con su visita al supermercado. Le contó lo que le había dicho el hombre sin afeitar, que se había ido a toda prisa por el pasillo y que llevaba la fiambrera de Batman. Cram masticaba un mondadientes. Tenía los dedos delgados. Las uñas demasiado largas.

—Descríbamelo.

Grace hizo lo que pudo. Cuando acabó, Cram escupió el palillo y meneó la cabeza.

—¿Era de verdad? —preguntó.

—¿Qué?

—¿Una cazadora de Members Only? ¿En qué año estamos? ¿En 1986?

Grace no se rió.

—Ahora está a salvo —dijo él—. Sus hijos están a salvo.

Ella le creyó.

—¿A qué hora salen?

—A las tres.

—Bien. —Miró la escuela con los ojos entornados—. Dios mío, cómo odiaba este lugar.

—¿Usted fue a esta escuela?

—Me gradué en Willard en 1957.

Grace intentó imaginárselo de niño yendo a esa escuela. Le fue imposible. Él empezó a alejarse.

—Espere —dijo ella—. ¿Qué quiere que haga?

—Recoja a sus hijos. Llévelos a casa.

—¿Y usted dónde estará?

Cram la miró con una sonrisa más amplia.

—Por ahí.

Y desapareció.

Grace esperó junto a la valla. Las madres empezaron a llegar, a agruparse y charlar. Grace se cruzó de brazos, intentando emitir vibraciones que las ahuyentaran. Algunos días podía participar en el parloteo. Ése no era uno de ellos.

Sonó el móvil. Se lo acercó al oído y contestó.

—¿Has captado el mensaje?

Era una voz de hombre, distorsionada de algún modo. Grace sintió un cosquilleo en el cuero cabelludo.

—Para de buscar, para de hacer preguntas, para de enseñar la foto, o nos llevaremos primero a Emma.

Un chasquido.

Grace no gritó. No gritaría. Guardó el teléfono. Le temblaban las manos. Se las miró como si pertenecieran a otra persona. No podía controlar el temblor. Sus hijos saldrían pronto. Se metió las manos en los bolsillos e intentó forzar una sonrisa. Imposible. Se mordió el labio inferior y se obligó a contener el llanto.

—Oye, ¿estás bien?

Grace se sobresaltó al oír la voz. Era Cora.

—¿Qué haces aquí? —preguntó Grace. Las palabras salieron de ella con demasiada brusquedad.

—¿Tú qué crees? He venido a buscar a Vickie.

—Pensaba que estaba con su padre.

Cora la miró confusa.

—Sólo anoche. Esta mañana la ha dejado en la escuela. Santo cielo, ¿qué ha ocurrido?

—No puedo hablar de ello.

Cora no supo cómo tomárselo. Sonó el timbre. Las dos mujeres se volvieron. Grace no sabía qué pensar. Sabía que Scott Duncan se había equivocado con respecto a Cora —es más, ahora sabía que Duncan era un mentiroso— y sin embargo, una vez planteada la sospecha sobre su amiga, no conseguía quitársela de la cabeza.

—Oye, estoy asustada, ¿vale?

Cora asintió. Vickie salió primero.

—Si me necesitas...

—Gracias.

Cora se alejó sin decir nada más. Grace esperó sola, buscando los rostros familiares entre el torrente de niños que cruzaban la puerta. Emma salió al sol y se protegió los ojos con la mano. Cuando vio a su madre, sonrió de oreja a oreja. La saludó con un gesto.

Grace reprimió un grito de alivio. Se agarró con los dedos a la alambrada, conteniéndose para no salir corriendo y coger a Emma en brazos.

Cuando Grace, Emma y Max llegaron a casa, Cram ya estaba en la entrada.

Emma miró a su madre con semblante inquisitivo, pero antes de que Grace pudiera contestar, Max salió disparado hacia la puerta. Se paró en seco delante de Cram y estiró el cuello para ver la sonrisa de depredador marino.

—Hola —saludó Max a Cram.

—Hola.

—Tú eres el que conducía aquel coche tan grande, ¿verdad?

—Sí —contestó Cram.

—¿Te mola, conducir un coche tan grande?

—Mucho.

—Yo me llamo Max.

—Y yo Cram.

—Un nombre chulo.

—Sí, sí que lo es.

Max cerró el puño y lo levantó. Cram lo imitó y luego chocaron los nudillos en una versión moderna del saludo de la palmada. Grace y Emma se acercaron por el camino.

—Cram es un amigo de la familia —dijo Grace—. Va a echarme una mano.

A Emma eso no le gustó.

—¿A echarte una mano en qué? —Miró a Cram con cara de asco, cosa que, en esas circunstancias, era comprensible a la vez que grosero, pero no era el mejor momento para corregir modales—. ¿Dónde está papá?

—Se ha ido de viaje por trabajo —contestó Grace.

Emma no dijo nada más. Entró en la casa y corrió escalera arriba.

Max miró a Cram entrecerrando los ojos.

—¿Puedo preguntarte algo?

—Claro —contestó Cram.

—¿Todos tus amigos te llaman Cram?

—Sí.

—¿Sólo Cram?

—Una sola palabra. —Movió las cejas—. Como Cher o Fabio.

—¿Quién?

Cram se rió.

—¿Por qué te llaman así? —preguntó Max.

—¿Por qué me llaman Cram?

—Sí.

—Por mis dientes. —Abrió la boca. Cuando Grace se armó de valor para mirar, se le ofreció a la vista una imagen que parecía el delirante experimento de un ortodoncista trastornado. Tenía todos los dientes apretujados en el lado izquierdo, casi apilados. Parecía haber demasiados. Por el contrario, en el lado derecho, se sucedían las cavidades vacías y rosadas allí donde debían estar los dientes—. Cram* —dijo—. ¿Lo ves?

—¡Hala! —exclamó Max—. Cómo mola.

—¿Quieres saber cómo se me pusieron los dientes así?

A eso respondió Grace.

—No, gracias.

Cram la miró.

—Buena respuesta.

Cram. Grace echó otro vistazo a aquellos diminutos dientes. Tictac habría sido un apodo más adecuado.

—Max, ¿tienes deberes?

—Va, mamá.

—Ahora mismo —ordenó ella.

Max miró a Cram.

—Me voy —dijo—. Luego seguimos hablando.

Compartieron otro saludo con los puños y los nudillos antes de que Max se fuera corriendo con el abandono propio de un niño de seis años. Sonó el teléfono. Grace miró el visor para ver quién llamaba. Era Scott Duncan. Decidió dejar que saltara el contestador: era más importante hablar con Cram. Pasaron a la cocina. Había dos hombres sentados a la mesa. Grace se paró en seco. Ninguno de los dos la miró. Hablaban en susurros. Grace estuvo a punto de decir algo, pero Cram le hizo una seña para que saliera al jardín.

—¿Quiénes son?

—Trabajan para mí.

—¿En qué?

—Por eso no se preocupe.

* En inglés, «apretujado». *(N. de los T.)*

Sí le preocupaba, pero en ese momento había otros asuntos más urgentes.

—Recibí una llamada de un hombre —dijo—. Por el móvil. —Le contó lo que había oído por teléfono. Cram no cambió de expresión. Cuando Grace acabó, Cram sacó un cigarrillo.

—¿Le importa si fumo?

Ella le contestó que no.

—No lo haré en la casa.

Grace miró alrededor.

—¿Por eso estamos aquí fuera?

Cram no respondió. Encendió el cigarrillo, respiró hondo y dejó que escapara el humo por los orificios de la nariz. Grace miró hacia el jardín del vecino. No había nadie. Ladró un perro. El ruido de un cortacésped rasgó el aire como un helicóptero.

Grace lo miró.

—Usted ha amenazado a gente, ¿verdad?

—Sí.

—Así que si hago lo que me dice, si paro, ¿cree que nos dejará en paz?

—Probablemente. —Cram aspiró una calada tan profunda que parecía fumar un porro—. Pero aquí en realidad la cuestión es por qué quieren que pare.

—¿A qué se refiere?

—Me refiero a que debe de estar acercándose a algo. Debe de haber tocado un punto débil.

—No sé cómo.

—Ha llamado el señor Vespa. Quiere verla esta noche.

—¿Por qué?

Cram se encogió de hombros.

Ella volvió a desviar la mirada.

—¿Está lista para recibir más malas noticias? —preguntó Cram.

Ella se volvió hacia él.

—Su cuarto del ordenador. El del fondo.

—¿Qué pasa con él?

—Han puesto un micrófono oculto. Y una cámara.

—¿Una cámara? —Grace no podía creérselo—. ¿En mi casa?

—Sí, una cámara oculta. Está en un libro de la estantería. Es muy fácil encontrarla si uno busca. Esos chismes se compran en cualquier tienda de espías. Seguro que ya los ha visto en Internet. Se esconden en un reloj, en un detector de humos, cosas así.

Grace intentó asimilarlo.

—¿Alguien nos está espiando?

—Eso parece.

—¿Quién?

—Ni idea. No creo que sea la policía. Es demasiado poco profesional para eso. Mis hombres han dado un repaso al resto de la casa. De momento no hay nada más.

—¿Cuánto tiempo...? —Grace intentaba entender lo que estaba diciéndole—. ¿Cuánto lleva aquí la cámara? Y también hay un micrófono, ¿no?

—Imposible saberlo. Por eso la he hecho salir. Para poder hablar tranquilamente. Sé que ha tenido que aguantar mucho, pero ¿está preparada para enfrentarse a esto?

Ella asintió, aunque la cabeza le daba vueltas.

—Bien, pues lo primero: el equipo. No es nada del otro mundo. Tiene un alcance sólo de unos trescientos metros. Para ver las imágenes en directo, tienen que recibirlas desde una furgoneta o algo así. ¿Ha visto alguna furgoneta aparcada en la calle durante largos periodos de tiempo?

—No.

—Lo suponía. Es probable que se grabe en un aparato de vídeo.

—¿En un aparato de vídeo corriente?

—Exacto.

—¿Y tiene que estar a menos de trescientos metros de la casa?

—Sí.

Grace miró alrededor como si pudiera estar en el jardín.

—¿Cada cuánto tiempo tendrían que cambiar la cinta?

—Como mucho, cada veinticuatro horas.

—¿Se le ocurre dónde puede estar?

—Todavía no. A veces ponen el aparato de vídeo en el sótano o el garaje. Deben de tener acceso a la casa, para poder retirar la cinta y poner otra nueva.

—Un momento. ¿Cómo que tienen acceso a la casa?

Él se encogió de hombros.

—Metieron la cámara y el micrófono en la casa de alguna manera, ¿no?

La rabia había vuelto, creciendo y abrasándola tras los ojos. Grace empezó a recorrer las viviendas vecinas con la mirada. Acceso a la casa. ¿Quién tenía acceso a la casa?, se preguntó. Y una vocecilla contestó...

«Cora.»

Pero no, imposible. Grace lo descartó.

—Así que tenemos que encontrar ese aparato.

—Sí.

—Y luego tendremos que esperar a ver qué pasa —dijo ella—. A ver quién recoge la cinta.

—Ésa es una manera de hacerlo —señaló Cram.

—¿Se le ocurre otra mejor?

—En realidad, no.

—Y luego ¿qué? ¿Lo seguimos, a ver adónde nos lleva?

—Es una posibilidad.

—¿Pero...?

—Es arriesgado —contestó Cram—. Podríamos perderlo.

—¿Y usted qué haría?

—Si dependiera de mí, lo cogería y le haría unas cuantas preguntas difíciles.

—¿Y si se niega a responder?

Cram mantenía la sonrisa de depredador marino. La cara de ese hombre era siempre una visión horrenda, pero Grace comenzaba a acostumbrarse. Además, era consciente de que no la asustaba a propósito; la suya era una expresión natural y permanente, fruto de lo que le habían hecho en la boca. Esa cara hablaba por sí sola, y viéndola quedaba claro que la pregunta de Grace era retórica.

Grace quiso protestar, decirle que ella era una persona con sentido cívico, y que se ocuparían del asunto de una manera legal y ética. Pero en lugar de eso dijo:

—Han amenazado a mi hija.

—Eso parece.

Ella lo miró.

—No tengo otra opción, ¿no? Tengo que enfrentarme a ellos.

—No veo otro camino.

—Usted lo sabía desde el principio —dijo Grace.

Cram ladeó la cabeza hacia la derecha.

—Y usted también.

Sonó el móvil de Cram. Lo abrió pero no habló, ni siquiera para saludar. Pocos segundos después lo cerró y dijo:

—Llega un coche.

Grace se volvió. Un Ford Taurus se detuvo en el camino de entrada. Salió Scott Duncan y se acercó a la casa.

—¿Lo conoce? —preguntó Cram.

—Es Scott Duncan —contestó ella.

—¿El que mintió y dijo que trabajaba en la fiscalía?

Grace asintió.

—Quizá me quede por aquí —dijo Cram.

Se quedaron fuera. Scott Duncan estaba de pie junto a Grace. Cram se había alejado. Duncan lanzaba miradas furtivas a Cram.

—¿Quién es?

—Mejor que no lo sepa.

Grace miró a Cram. Éste captó la indirecta y entró. Scott Duncan y ella se quedaron solos.

—¿Qué quiere?

Duncan percibió algo en el tono.

—¿Pasa algo, Grace?

—Sólo me sorprende que haya salido tan temprano de trabajar. Pensaba que habría más trabajo en la fiscalía.

Él no dijo nada.

—¿Acaso le ha comido la lengua el gato, señor Duncan?

—Ha llamado a mi oficina.

Grace se tocó la nariz con el índice, dándole a entender que había dado en el blanco. A continuación dijo:

—Bueno, más bien llamé a la oficina de la fiscalía. Por lo visto, usted no trabaja allí.

—No es lo que piensa.

—Eso lo aclara todo.

—Tenía que habérselo dicho desde el principio.

—Adelante.

—Mire, todo lo que le he contado es verdad.

—Salvo lo de que trabaja para la fiscalía. Porque eso no era verdad, ¿no? ¿O me mintió la señora Goldberg?

—¿Quiere que se lo explique o no?

En su voz se percibía ahora cierta dureza. Grace, con un ademán, lo invitó a seguir.

—Lo que le he dicho era verdad. Yo trabajaba allí. Hace tres meses ese asesino, ese tal Monte Scanlon, insistió en verme. Nadie entendía por qué. Yo era un abogado de poca monta dedicado a la corrupción política. ¿Por qué un asesino a sueldo insistía en hablar conmigo? Fue entonces cuando me lo contó.

—Que mató a su hermana.

—Sí.

Grace esperó. Se acercaron a las sillas del porche y se sentaron. Cram los miraba por la ventana. Dirigía la mirada hacia Scott Duncan, la detenía unos segundos, la explayaba por el jardín y luego volvía a posarla en Duncan.

—Su cara me suena —dijo Duncan, señalando a Cram—. O a lo mejor es que me recuerda la atracción de los Piratas del Caribe en Disneylandia. ¿No debería llevar un parche en el ojo?

Grace se movió inquieta en su asiento.

—¿No estaba explicándome por qué me ha mentido?

Duncan se pasó la mano por el pelo rubio.

—Cuando Scanlon dijo que el incendio no fue un accidente... no puede imaginar lo que sentí. O sea, hasta ese momento mi vida era de una manera, y de repente... —Chasqueó los dedos con la gracia de un mago—. No quiero decir que de pronto todo me pareciese distinto, sino que los últimos quince años se me antojaron distintos. Como si alguien hubiera retrocedido en el tiempo y cambiado un hecho, y a partir de ahí cambió todo lo demás. Yo ya no era la misma persona. No era un hombre cuya hermana murió en un trágico incendio. Era un hombre cuya hermana había sido asesinada y cuya muerte nadie había vengado.

—Pero ya tiene al asesino —dijo Grace—. Él mismo confesó.

Duncan sonrió, pero sin la menor alegría.

—Scanlon lo expresó mejor. Él sólo fue un arma. Como una pistola. Yo quería encontrar a la persona que apretó el gatillo. Se convirtió en una obsesión. Intenté compaginarlo con mi trabajo, ya me entiende, seguir con mis obligaciones mientras buscaba al asesino. Pero empecé a desatender mis casos. Así que mi jefa me sugirió encarecidamente que solicitase la excedencia.

Alzó la mirada.

—¿Y por qué no me lo dijo?

—Pensé que no sería una buena manera de presentarme, ya sabe, decirle que me obligaron a marcharme de esa manera. Todavía tengo contactos en la oficina, y amigos en las fuerzas del orden. Pero para evitar riesgos, todo lo que hago es extraoficial.

Se miraron fijamente.

—Me oculta algo más —dijo Grace.

Él vaciló.

—¿Qué es?

—Una cosa debe quedar clara. —Duncan se puso en pie, repitió el gesto de pasarse la mano por el pelo rubio y desvió la mirada—. Ahora mismo los dos estamos intentando encontrar a su marido. Es una alianza temporal. La verdad es que tenemos objetivos distintos. No le mentiré. ¿Qué ocurrirá cuando encontremos a Jack? Es decir, ¿queremos saber los dos la verdad?

—Yo sólo quiero recuperar a mi marido.

Él asintió.

—Por eso digo que tenemos objetivos distintos. Que nuestra alianza es temporal. Usted quiere recuperar a su marido. Yo quiero encontrar al asesino de mi hermana.

Ahora sí la miró. Ella lo entendió.

—¿Y ahora qué? —preguntó Grace.

Scott Duncan sacó la foto misteriosa y la levantó. Un asomo de sonrisa se dibujó en su rostro.

—¿Qué?

—Sé cómo se llama la pelirroja de la foto —dijo él. Grace esperó—. Se llama Sheila Lambert. Estudió en la Universidad de Vermont en la misma época que su marido —señaló a Jack y luego deslizó el dedo hacia la derecha— y Shane Alworth.

—¿Y ahora dónde está?

—He ahí la cuestión, Grace. Nadie lo sabe.

Grace cerró los ojos. Se estremeció.

—Envié la foto a la universidad. Un decano jubilado la identificó. La investigué por todas partes, pero ha desaparecido. No hay el menor rastro de la existencia de Sheila Lambert en la última década: ni impuesto sobre la renta, ni resultado alguno al introducir en las bases de datos su número de la seguridad social, nada.

—Igual que Shane Alworth.

—Exactamente igual que Shane.

Grace intentó encajar las piezas.

—De las cinco personas de la foto, una, su hermana, fue asesinada. De las otras dos, Shane Alworth y Sheila Lambert, no se ha sabido nada desde hace años. La cuarta, mi marido, huyó al extranjero y ahora ha desaparecido. Y la última, bueno, seguimos sin saber quién es.

Duncan asintió.

—Y a partir de aquí, ¿hacia dónde tiramos?

—¿Recuerda que le he dicho que hablé con la madre de Shane Alworth? —preguntó Duncan.

—La que no tenía muy claro dónde estaba el Amazonas.

—La primera vez que fui a verla, yo no sabía nada de esta foto ni de su marido ni de lo demás. Ahora quiero enseñarle la foto. Quiero ver cómo reacciona. Y quiero que usted esté presente.

—¿Por qué?

—Tengo un presentimiento, sólo eso. Evelyn Alworth es una mujer mayor. Enseguida se emociona, y creo que está asustada. La primera vez que fui a verla me presenté como investigador. Tal vez, no lo sé, pero tal vez se conmueva y acceda a hablar si usted va a verla como madre preocupada.

Grace vaciló.

—¿Dónde vive?

—En un bloque de apartamentos de Bedminster. A no más de treinta minutos de aquí en coche.

Cram volvió a aparecer. Scott Duncan lo señaló con la cabeza.

—¿Y qué pasa con ese hombre terrorífico?

—No puedo acompañarlo ahora.

—¿Por qué no?

—Tengo hijos. No puedo dejarlos aquí.

—Tráigalos. Hay al lado una zona de juegos infantiles. No tardaremos.

Cram se dirigió a la puerta. Hizo señas con la mano para que Grace se acercara.

—Perdón —se disculpó ella, y se dirigió hacia Cram.

Scott Duncan se quedó donde estaba.

—¿Qué pasa? —preguntó a Cram.

—Emma. Está arriba llorando.

Grace encontró a su hija en la clásica postura del llanto: tumbada boca abajo en la cama, con la cabeza debajo de la almohada. El sonido llegaba amortiguado. Hacía tiempo que Emma no lloraba así. Grace se sentó en el borde de la cama. Sabía lo que se avecinaba. Cuando Emma pudo hablar, preguntó por su padre. Grace le contestó que se había ido de viaje por trabajo. Emma le dijo que no la creía, que era una mentira. Exigió saber la verdad. Grace repitió que Jack simplemente se había ido de viaje por trabajo, que no pasaba nada. Emma insistió. ¿Dónde estaba? ¿Por qué su padre no había llamado? ¿Cuándo volvería? Grace inventó explicaciones que a ella le parecieron bastante creíbles: estaba muy ocupado, viajando por Europa, ahora mismo en Londres, no sabía cuánto tiempo estaría fuera, había llamado pero a esa hora Emma dormía, acuérdate de que Londres está en otro huso horario.

¿Se lo creyó Emma? ¿Quién sabía?

Los expertos en educación infantil —esos doctores remilgados que salen en la televisión por cable y hablan como si les hubiesen practicado una lobotomía— probablemente lo desaprobarían, pero Grace no era una de esas madres que creían que había que contarlo todo a los niños. La función de una madre era protegerlos por encima de todo. Emma no tenía edad suficiente para enfrentarse a la verdad. Así de sencillo. El engaño era una parte necesaria de la maternidad. Claro que Grace podía equivocarse —lo sabía—, pero creía en el viejo dicho: los niños no llegan con instrucciones. Todos nos equivocamos. Educar a un niño es pura improvisación.

Pocos minutos después dijo a Max y Emma que se prepararan. Iban a salir. Los dos cogieron sus Game Boys y se instalaron en el asiento trasero del coche. Scott Duncan se acercó al asiento del acompañante. Cram le interceptó el paso.

—¿Algún problema? —preguntó Duncan.

—Quiero hablar con la señora Lawson antes de que se vayan. Espere aquí.

Duncan respondió con un sarcástico saludo militar. Cram le lanzó una mirada capaz de detener un frente meteorológico. Grace y él pasaron a la habitación de atrás. Cram cerró la puerta.

—Ya sabe que no debería ir a ningún sitio con él.

—Es posible. Pero tengo que hacerlo.

Cram se mordió el labio inferior. No le gustaba, pero lo entendía.

—¿Lleva un bolso?

—Sí.

—Muéstremelo.

Ella se lo enseñó. Cram sacó una pistola que llevaba bajo la cinturilla del pantalón. Era pequeña, casi como un juguete.

—Es una Glock de nueve milímetros, modelo veintiséis.

Grace levantó las manos.

—No la quiero.

—Guárdela en el bolso. También podría usar una pistolera de tobillo, pero para eso necesita pantalones largos.

—En mi vida he disparado una pistola.

—Se sobrevalora la experiencia. Sólo tiene que apuntar al centro del pecho y apretar el gatillo. No es complicado.

—No me gustan las armas.

Cram hizo un gesto de negación con la cabeza.

—¿Qué? —preguntó Grace.

—Puede que me equivoque, pero ¿verdad que hoy alguien ha amenazado a su hija?

Eso la hizo vacilar. Cram le metió la pistola en el bolso. Ella no se opuso.

—¿Cuánto tiempo estarán fuera? —preguntó Cram.

—Un par de horas, como mucho.

—El señor Vespa estará aquí a las siete. Dice que es importante que hable con usted.

—Estaré aquí.

—¿Seguro que confía en ese tal Duncan?

—No estoy segura. Pero creo que con él estamos a salvo.

Cram asintió.

—Permítame que tome mis precauciones a ese respecto.
—¿Cómo?
Cram no dijo nada. La acompañó de nuevo hasta el coche. Scott Duncan hablaba por el móvil. A Grace no le gustó lo que vio en su cara. Duncan colgó cuando los vio.
—¿Qué pasa?
Scott Duncan meneó la cabeza.
—¿Podemos irnos ya?
Cram se dirigió hacia él. Duncan no retrocedió, pero sin duda se estremeció, y con razón. Cram se detuvo justo delante de él, tendió la mano y agitó los dedos.
—Muéstreme su billetero.
—¿Perdón?
—¿Le parezco la clase de persona a la que le gusta repetirse?
Scott Duncan dirigió una mirada a Grace. Ella asintió. Cram seguía agitando los dedos. Duncan entregó a Cram su billetero. Cram se lo llevó a la mesa del porche y se sentó. Examinó rápidamente el contenido, tomando notas.
—¿Qué está haciendo? —preguntó Duncan.
—Mientras esté fuera, señor Duncan, voy a averiguarlo todo sobre usted. —Alzó la vista—. Si a la señora Lawson le ocurre algo, mi reacción será... —Cram se interrumpió, buscando la palabra adecuada—... desproporcionada. ¿Queda claro?
Duncan miró a Grace.
—¿Se puede saber quién es este individuo?
Grace ya se dirigía hacia la puerta del coche.
—Estaremos bien, Cram.
Cram se encogió de hombros y le lanzó a Duncan el billetero.
—Que tengan un agradable paseo.
Nadie habló durante los primeros cinco minutos de viaje. Max y Emma jugaban con sus Game Boys con los auriculares puestos. Grace se los había comprado recientemente porque los pitidos y zumbidos y los «Mamma mia!» de Luigi cada dos minutos le producían dolor de cabeza. Scott Duncan iba sentado a su lado con las manos en el regazo.
—¿Con quién hablaba por teléfono? —preguntó Grace.
—Con un forense.

Grace esperó.

—¿Recuerda que le dije que había exhumado el cadáver de mi hermana?

—Sí.

—La policía no lo consideraba necesario. Era demasiado caro, supongo. El caso es que lo pagué de mi bolsillo. Conozco a una persona, que antes trabajaba para un médico forense del condado, que hace autopsias privadas.

—¿Y ha sido él quien lo ha llamado?

—Es una mujer. Se llama Sally Li.

—¿Y?

—Dice que tiene que verme urgentemente. —Duncan la miró—. Tiene el despacho en Livingston. Podemos pasar por allí en el camino de vuelta. —Miró hacia el otro lado—. Me gustaría que me acompañara, si no le importa.

—¿A un depósito de cadáveres?

—No, no es eso. Sally practica las autopsias en el hospital Barnabas. Esto es un despacho donde sólo se ocupa del papeleo. Los niños pueden esperar en la antesala.

Grace no contestó.

Los bloques de apartamentos de Bedminster eran todos iguales. Tenían revestimientos prefabricados de aluminio marrón claro, tres plantas, aparcamientos subterráneos, y cada edificio era idéntico al de la izquierda y la derecha, y al de detrás y delante. El complejo era enorme y se extendía, como un océano de color caqui, hasta donde alcanzaba la vista.

Grace ya conocía el camino. Jack pasaba por allí para ir a trabajar. Aunque brevemente, habían hablado de irse a vivir a esa urbanización. Ni Jack ni Grace eran manitas, ni se divertían con los programas de bricolaje de la televisión por cable. Los bloques de apartamentos tenían ese atractivo: por el pago de una cuota mensual ya no hay que preocuparse por las goteras, los cuidados del jardín ni nada de eso. Había pistas de tenis y una piscina y, efectivamente, una zona de juegos infantiles. Pero al final uno podía asumir sólo cierto grado de conformidad. Los suburbios eran de por sí un submundo uniforme. ¿Qué necesidad había de añadir a eso, para colmo, la uniformidad de la morada física?

Max divisó los laberínticos juegos infantiles de tonos brillantes antes de que el coche se detuviera. Se moría de ganas de salir corriendo hacia los columpios. Parecía que a Emma la perspectiva más bien la aburría. Se aferró a su Game Boy. En otras circunstancias, Grace habría protestado —la Game Boy sólo para el coche, sobre todo cuando la alternativa era estar al aire libre—, pero una vez más consideró que no era el momento oportuno.

Grace se protegió los ojos con la mano cuando empezaron a alejarse.

—No puedo dejarlos solos.

—La señora Alworth vive aquí mismo —dijo Duncan—. Podemos quedarnos en la puerta y vigilarlos.

Se acercaron a la puerta de la planta baja. La zona infantil estaba tranquila. No se movía el aire. Grace aspiró hondo y olió el césped recién cortado. Se detuvieron, uno al lado del otro. Duncan tocó el timbre. Grace esperó junto a la puerta, con cierto complejo de testigo de Jehová.

Una voz cascada, como la de la bruja de una vieja película de Disney, preguntó:

—¿Quién es?

—¿Señora Alworth?

—¿Quién es? —repitió la voz cascada.

—Señora Alworth, soy Scott Duncan.

—¿Quién?

—Scott Duncan. Hablamos hace unas semanas. De su hijo, Shane.

—Váyase. No tengo nada que decirle.

Grace localizó su acento. De la zona de Boston.

—Nos podría ser de gran ayuda.

—No sé nada. Váyase.

—Por favor, señora Alworth, necesito hablar con usted de su hijo.

—Ya se lo dije. Vive en México. Es un buen chico. Ayuda a los pobres.

—Tenemos que hacerle unas preguntas acerca de sus antiguos amigos. —Scott Duncan miró a Grace y le hizo una seña con la cabeza para que dijera algo.

—Señora Alworth —dijo Grace.

La voz cascada adoptó un tono alerta.
—¿Quién es?
—Me llamo Grace Lawson. Creo que mi marido conocía a su hijo.
Se produjo un silencio. Grace se dio la vuelta para mirar a Max y Emma. Max estaba en el tobogán en forma de tirabuzón. Emma, sentada con las piernas cruzadas, jugaba con la Game Boy.
Por la puerta, la voz cascada preguntó:
—¿Quién es su marido?
—Jack Lawson.
Silencio.
—¿Señora Alworth?
—No lo conozco.
—Tenemos una foto —dijo Scott Duncan—. Nos gustaría mostrársela.
La puerta se abrió. La señora Alworth vestía una bata que, como mínimo, debió de confeccionarse antes del conflicto de Bahía de Cochinos. Rondaba los setenta y cinco años y era corpulenta, el tipo de mujer descomunal entre cuyos pliegues desaparecería un sobrino al abrazarlo. De niño, uno detesta esos abrazos; de mayor, los añora. Tenía unas varices que parecían la piel de un embutido. Las gafas de lectura le colgaban de una cadena sobre el enorme pecho. Olía ligeramente a tabaco.
—No dispongo de todo el día —dijo—. A ver esa foto.
Scott Duncan se la dio.
La mujer permaneció un rato callada.
—¿Señora Alworth?
—¿Por qué le tacharon la cara? —preguntó ella.
—Era mi hermana —contestó Duncan.
Ella lo miró.
—Creía haberle oído decir que era investigador.
—Lo soy. Mi hermana fue asesinada. Se llamaba Geri Duncan.
La señora Alworth palideció. Empezó a temblarle un labio.
—¿Está muerta?
—Fue asesinada. Hace quince años. ¿Se acuerda de ella?
La mujer parecía desorientada. Se volvió hacia Grace y espetó:
—¿Qué mira?

Grace vigilaba a Max y Emma.

—A mis hijos.

Señaló la zona de juegos. La señora Alworth los miró. Se puso tensa. Parecía perdida, confusa.

—¿Conocía usted a mi hermana? —preguntó Duncan.

—¿Eso qué tiene que ver conmigo?

La voz de Duncan se volvió severa.

—¿Conocía a mi hermana, sí o no?

—No me acuerdo. De eso hace mucho tiempo.

—Su hijo salía con ella.

—Salía con muchas chicas. Shane era un chico guapo. También su hermano, Paul. Es psicólogo en Missouri. ¿Por qué no me dejan en paz y hablan con él?

—Haga memoria. —Scott levantó un poco la voz—. Mi hermana fue asesinada. —Señaló a Shane Alworth—. Éste es su hijo, ¿no es así, señora Alworth?

Ella se quedó mirando la extraña fotografía largo rato antes de asentir.

—¿Dónde está?

—Ya se lo he dicho. Shane vive en México. Ayuda a los pobres.

—¿Cuándo habló con él por última vez?

—La semana pasada.

—¿La llamó él?

—Sí.

—¿Adónde?

—¿Cómo que adónde?

—¿Shane la llamó aquí?

—Claro. Si no, ¿adónde iba a llamar?

Scott Duncan se acercó a ella.

—He comprobado el registro de llamadas de su compañía telefónica, señora Alworth. No ha hecho ni recibido ninguna internacional en el último año.

—Shane usa una de esas tarjetas para llamar —explicó ella, tal vez con demasiada premura—. Es posible que las compañías telefónicas no registren esas llamadas, ¿cómo quiere que lo sepa?

Duncan se acercó un poco más.

—Escúcheme, señora Alworth. Y por favor, escúcheme bien. Mi

hermana está muerta. No hay el menor rastro de su hijo. Este hombre de aquí —señaló la imagen de Jack—, su marido, Jack Lawson, también ha desaparecido. Y esta mujer —señaló a la pelirroja de los ojos muy separados— se llama Sheila Lambert. No se sabe nada de ella desde hace diez años.

—Esto no tiene nada que ver conmigo —insistió la señora Alworth.

—Hay cinco personas en la foto. Hemos identificado a cuatro. Las cuatro han desaparecido. Nos consta que una está muerta. Por lo que sabemos, podrían estarlo todas.

—Ya se lo he dicho. Shane está...

—Miente, señora Alworth. Su hijo estudió en la Universidad de Vermont. También Jack Lawson y Sheila Lambert. Seguro que eran amigos. Él salió con mi hermana; eso lo sabemos los dos. Así que, dígame, ¿qué les pasó? ¿Dónde está su hijo?

Grace apoyó una mano en el brazo de Scott. La señora Alworth miraba fijamente a los niños en la zona de juegos. Le temblaba el labio inferior. Estaba lívida. Le resbalaban las lágrimas por las mejillas. Parecía en trance. Grace intentó situarse en su campo visual.

—Señora Alworth —dijo Grace con delicadeza.

—Soy una vieja.

Grace esperó.

—No tengo nada que decirles.

—Estoy buscando a mi marido —prosiguió Grace. La señora Alworth mantuvo la mirada fija en la zona infantil—. Estoy buscando al padre de esos niños.

—Shane es un buen chico. Ayuda a la gente.

—¿Qué le pasó? —preguntó Grace.

—Déjenme en paz.

Grace intentó mirar a la mujer a los ojos, pero ésta tenía la mirada perdida.

—Su hermana —Grace señaló a Duncan—, mi marido, su hijo. Lo que sucedió nos afecta a todos. Queremos ayudar.

Pero la anciana movió la cabeza en un gesto de negación y se volvió.

—Mi hijo no necesita su ayuda. Y ahora váyanse. Por favor.

Entró en su casa y cerró la puerta.

33

De vuelta en el coche, Grace dijo:
—Scott... ¿puedo llamarte Scott?
—Claro.
—Scott, cuando le has dicho a la señora Alworth que habías comprobado el registro de llamadas de la compañía telefónica...
Duncan asintió.
—Era un farol.
Los niños estaban otra vez absortos en sus Game Boys. Scott Duncan llamó a la forense. Los esperaba.
—Nos acercamos a la respuesta, ¿verdad?
—Creo que sí.
—Es posible que la señora Alworth diga la verdad. O sea, que diga lo que sabe.
—¿Y qué te hace pensar eso? —preguntó él.
—Algo ocurrió hace años. Jack huyó al extranjero. A lo mejor Shane Alworth y Sheila Lambert también. Tu hermana, por la razón que sea, se quedó y acabó muerta.
Duncan no contestó. De pronto se le humedecieron los ojos. Le temblaba la comisura de los labios.
—¿Scott?
—Ella me llamó. Me refiero a Geri. Dos días antes del incendio.
Grace esperó.
—Yo me disponía a salir de casa. Entiéndelo, Geri estaba un poco chiflada. Siempre lo exageraba todo. Dijo que tenía que con-

tarme algo importante, pero pensé que podría esperar. Pensé que quería hablarme de lo último en que andaba metida: la aromaterapia, su nuevo grupo de rock, sus grabados, cualquier cosa. Le dije que ya la llamaría. —Se interrumpió y se encogió de hombros—. Pero me olvidé.

Grace quiso decir algo, pero no se le ocurrió nada. En ese momento las palabras de consuelo probablemente harían más daño que otra cosa. Apretó el volante y miró por el espejo retrovisor. Emma y Max, los dos con la cabeza gacha, pulsaban los botones de sus Game Boys con los pulgares. La invadía una sensación abrumadora, esa ráfaga pura de normalidad, la dicha de lo cotidiano.

—¿Te importa si pasamos ahora por el despacho de la forense? —preguntó Duncan.

Grace vaciló.

—Está a un par de kilómetros. Sólo tienes que doblar a la derecha en el próximo semáforo.

«Tanto da», pensó Grace, y siguió conduciendo. Él le dio indicaciones. Unos minutos después señaló un poco más adelante.

—Es ese bloque de oficinas de la esquina.

En el edificio de consultas médicas parecían predominar los dentistas y ortodoncistas. Cuando abrieron la puerta, les llegó ese olor a antiséptico que Grace siempre relacionaba con una voz que le indicaba que se enjuagara la boca y escupiera. Un cartel anunciaba a un grupo oftalmológico llamado Láser Hoy en la segunda planta. Scott Duncan señaló el nombre «Doctora Sally Li». Según el directorio, estaba en la planta baja.

No había recepcionista. Cuando entraron, sonó una campanilla. La consulta presentaba la austeridad que cabía esperar en una forense. El mobiliario consistía en dos viejos sofás y una lámpara parpadeante que ni siquiera habría merecido una etiqueta con el precio en una subasta de objetos usados. La única revista era un catálogo de instrumental médico.

Una mujer asiática, de cuarenta y pico años y cara de agotamiento, asomó la cabeza por la puerta de su despacho.

—¿Qué tal, Scott?

—Hola, Sally.

—¿Quién es?

—Grace Lawson —contestó él—. Está ayudándome.
—Encantada —saludó Sally—. Enseguida estoy con vosotros.
Grace dijo a los niños que podían seguir jugando con las Game Boys. El peligro de los videojuegos era que aislaban del mundo. Y lo bueno de los videojuegos era que aislaban del mundo.
Sally Li abrió la puerta.
—Adelante.
Llevaba una bata de médico y zapatos de tacón. Tenía un paquete de Marlboro en el bolsillo delantero. El despacho, si podía llamarse así, parecía recién arrasado por un huracán. Estaba todo lleno de papeles. Caían del escritorio y las estanterías, casi en cascada. Había varios manuales de patología abiertos. El escritorio, viejo y metálico, parecía adquirido en una subasta de muebles usados de una escuela primaria. No se veía ninguna foto, nada personal, pero sí un cenicero muy grande en medio, justo delante. En el suelo había muchas revistas, grandes pilas de revistas, algunas desplomadas. Sally Li no se había molestado en recogerlas. Se dejó caer en la silla detrás del escritorio.
—Podéis tirarlo todo al suelo. Sentaos.
Grace retiró los papeles de la silla y tomó asiento. Scott Duncan la imitó. Sally Li cruzó las manos y las apoyó en el regazo.
—Ya sabes, Scott, que no se me da muy bien el trato con los pacientes.
—Lo sé.
—Lo bueno es que mis pacientes nunca se quejan.
Se rió. Fue la única.
—Bueno, vale, ahora ya entiendes por qué los hombres no me invitan a salir. —Sally Li cogió unas gafas de lectura y empezó a hojear unas carpetas—. ¿Sabéis eso que dicen de que las personas muy desordenadas se organizan bien? Y eso que se oye a veces: «Aunque parezca desordenado, sé dónde está todo». Pues es mentira. No sé dónde... Ah, aquí está.
Sally Li sacó una carpeta de cartulina marrón.
—¿Ésa es la autopsia de mi hermana? —preguntó Duncan.
—Sí.
Se la pasó. Él la abrió. Grace se inclinó a su lado. En el borde superior se leían las palabras DUNCAN, GERI. También había fotos.

Grace vio una, un esqueleto pardusco tendido en una mesa. Apartó la mirada, como si la hubieran sorprendido invadiendo la intimidad de alguien.

Sally Li tenía los pies apoyados en la mesa y las manos detrás de la cabeza.

—Oye, Scott, ¿quieres que te suelte el rollo de lo increíble que se ha vuelto la ciencia de la patología o prefieres que vaya al grano?

—Ve al grano.

—Cuando murió, tu hermana estaba embarazada.

El cuerpo de Duncan se sacudió como si hubiese recibido la descarga de una picana. Grace no se movió.

—No puedo decirte de cuántos meses. No más de cuatro o cinco.

—No lo entiendo —dijo Scott—. Debieron de hacer una autopsia en cuanto murió.

Sally Li asintió.

—Seguro.

—¿Y por qué no lo vieron entonces?

—¿Te digo lo que pienso? Sí lo vieron.

—Pero yo nunca me enteré...

—¿Por qué habrías de enterarte? En aquel entonces estabas... ¿dónde?, ¿en la Facultad de Derecho? Es posible que se lo comunicasen a tus padres. Pero tú sólo eras un hermano. Y el embarazo no tuvo nada que ver con la causa de su muerte. Murió en un incendio en una residencia. El hecho de que estuviera embarazada, si lo sabían, debió de considerarse irrelevante.

Scott Duncan se quedó callado. Miró a Grace y luego otra vez a Sally Li.

—¿Puedes conseguir el ADN del feto?

—Probablemente sí. ¿Por qué?

—¿Cuánto tardarías en hacer una prueba de paternidad?

A Grace no le sorprendió la pregunta.

—Seis semanas.

—¿No podría agilizarse?

—Es posible que consiga algún tipo de resultado negativo antes. En otras palabras, algún resultado que permitiese descartar a determinadas personas. Pero no puedo asegurarlo.

Scott se volvió hacia Grace. Ella sabía qué estaba pensando él.

—Geri salía con Shane Alworth.

—Ya has visto la foto.

Efectivamente. Había visto cómo miraba Geri a Jack. Ella no sabía que la cámara la enfocaba. Estaban preparándose para posar. Pero lo que se captó, la mirada de Geri, era una mirada dirigida a alguien que era mucho más que un amigo.

—Pues hagamos la prueba —dijo Grace.

34

Cuando Mike por fin abrió los ojos, Charlaine le sostenía la mano.

Llamó a gritos a un médico, que declaró, como parecía bastante obvio, que eso era «buena señal». Mike sentía un intenso dolor. El médico le aplicó una bomba de morfina. Mike no quería volver a dormirse. Hizo una mueca e intentó aguantar. Charlaine permaneció a su lado, cogiéndolo de la mano. Cuando le dolía mucho, Mike le daba un apretón.

—Vete a casa —dijo Mike—. Los niños te necesitan.

Ella lo mandó callar.

—Intenta descansar.

—Aquí no puedes hacer nada por mí. Vete a casa.

—Chist.

Mike se adormeció. Ella lo miró. Se acordó de los días en Vanderbilt. Se sintió abrumada por la diversidad de emociones. Sentía amor y afecto, claro, pero en ese momento lo que inquietaba a Charlaine —incluso mientras le sostenía la mano, incluso mientras sentía ese fuerte vínculo con aquel hombre con el que compartía su vida, incluso mientras rezaba y pactaba con un dios al que no había prestado la menor atención en mucho tiempo— era la certidumbre de que esos sentimientos no durarían. Eso era lo terrible. En medio de semejante intensidad, Charlaine sabía que sus sentimientos morirían, que las emociones eran fugaces, y se odiaba a sí misma por saberlo.

Tres años antes, Charlaine asistió a un encuentro de autoayuda en el Continental Arena de East Rutherford. El orador había sido muy dinámico. A Charlaine le encantó. Se compró todas las cintas. Empezó a hacer exactamente todo lo que decía —fijarse metas, mantenerlas, reflexionar sobre qué esperaba de la vida, intentar ver las cosas objetivamente, organizar y reestructurar sus prioridades para poder alcanzar esas metas—, pero incluso mientras seguía cada uno de los pasos, incluso cuando su vida empezó a mejorar, sabía que no duraría, que sería un cambio temporal. Un nuevo régimen, un programa de ejercicios, una dieta: para ella era todo lo mismo.

No sería feliz por siempre jamás.

La puerta se abrió detrás de ella.

—Me han dicho que su marido se ha despertado.

Era el capitán Perlmutter.

—Sí.

—Me gustaría hablar con él.

—Tendrá que esperar.

Perlmutter avanzó otro paso.

—¿Los niños siguen con su tío?

—Los ha llevado a la escuela. Queremos que sigan con su vida normal. —Perlmutter se acercó a Charlaine. Ella mantenía la mirada fija en Mike—. ¿Saben ya algo?

—El hombre que disparó contra su marido se llama Eric Wu. ¿Significa ese nombre algo para usted?

Ella negó con la cabeza.

—¿Cómo lo han averiguado?

—Por las huellas dactilares en casa de Sykes.

—¿Tiene antecedentes?

—Sí. De hecho, está en libertad condicional.

—¿Y qué hizo?

—Lo condenaron por amenazas y agresión, pero se cree que ha cometido varios crímenes.

Charlaine no se sorprendió.

—¿Crímenes violentos?

Perlmutter asintió.

—¿Puedo preguntarle algo?

Ella se encogió de hombros.

—¿Significa algo para usted el nombre de Jack Lawson?

Charlaine frunció el entrecejo.
—¿Tiene dos hijos en Willard?
—Sí —contestó Perlmutter.
—No lo conozco personalmente, pero Clay, mi hijo pequeño, todavía va a Willard. A veces veo a su mujer cuando voy a recogerlo.
—¿A Grace Lawson?
—Creo que se llama así. Una mujer guapa. Tiene una hija que se llama Emma, creo. De un año o dos menos que Clay.
—¿La conoce?
—No, en realidad, no. La veo en los conciertos de la escuela, cosas así. ¿Por qué?
—Por nada. Probablemente no tiene ninguna relación con esto.
Charlaine frunció el entrecejo.
—¿Es que ha sacado ese nombre de un sombrero?
—Ha sido sólo una conjetura sin mucho fundamento —dijo él, intentando restarle importancia—. También quería darle las gracias.
—¿Por qué?
—Por hablar con el señor Sykes.
—Tampoco me ha dicho gran cosa.
—Le ha dicho que Wu usaba el nombre de Al Singer.
—¿Y qué?
—Nuestra experta en informática encontró ese nombre en el ordenador de Sykes. Al Singer. Creemos que Wu usaba ese alias en un servicio de contactos por Internet. Así conoció a Freddy Sykes.
—¿Usaba el nombre de Al Singer?
—Sí.
—¿Era un servicio de contactos gay, pues?
—Bisexual.
Charlaine meneó la cabeza y estuvo a punto de echarse a reír. Era increíble. Miró a Perlmutter, desafiándolo a reírse también. Pero él permanecía impertérrito. Los dos volvieron a dirigir la mirada hacia Mike. Éste despertó. Abrió los ojos y le sonrió. Charlaine le devolvió la sonrisa y le acarició el pelo. Él cerró los ojos y volvió a dormirse.
—¿Capitán Perlmutter?
—Sí.
—Váyase, por favor —dijo ella.

35

Mientras esperaba la llegada de Carl Vespa, Grace empezó a ordenar la habitación. Jack, lo sabía, era un marido y padre excelente. Era listo, divertido, cariñoso y entregado. Como contrapartida, Dios le había dado las dotes organizativas propias de un refresco de naranja. Era, en pocas palabras, un dejado. Reñirlo por ello —y Grace lo había intentado— era inútil. Así que dejó de hacerlo. Si para vivir feliz había que transigir, ahí tenía ocasión de demostrarlo.

Hacía tiempo que Grace había renunciado a que Jack retirara la pila de revistas tirada junto a su cama. La toalla mojada después de la ducha nunca volvía a su percha en el baño. No todas las prendas llegaban a su destino final. En ese momento, una camiseta colgaba del cesto de la ropa sucia como si la hubieran abatido de un disparo al intentar huir.

Por un instante Grace se quedó mirando la camiseta. Era verde, con el logo de FUBU en el pecho, y tal vez en su día hubiera estado de moda. Jack se la compró por 6,99 dólares en T.J. Maxx, una tienda de ropa de saldo donde lo moderno va a morir. Se la había puesto con un pantalón corto que le quedaba demasiado holgado. Se plantó delante del espejo y empezó a envolverse el cuerpo con los brazos de distintas y extrañas maneras.

—¿Qué haces? —preguntó Grace.

—Poses de gángster. ¿Qué te parece, muñeca?

—Que debería ponerte en tratamiento.

—Puaf —dijo él—. Bling bling.

—Ya. Hay que llevar a Emma a casa de Christina.

—Eh, perro, toma ésta...

—Por favor, ve. Ya mismo.

Grace recogió la camiseta. Siempre había mantenido una actitud cínica con los hombres en general. Era cauta con sus sentimientos. No se abría así como así. Nunca había creído en el amor a primera vista —seguía sin creer—, pero cuando conoció a Jack, la atracción había sido inmediata, con un cosquilleo en el estómago, y por mucho que quisiera negarlo ahora, una vocecilla le había dicho en ese mismo instante, en cuanto lo conoció, que ése era el hombre con el que se casaría.

Cram estaba en la cocina con Emma y Max. Emma se había recuperado de su anterior crisis. Se había recuperado de la única manera que pueden hacerlo los niños: deprisa y con muy pocos residuos. Comían todos varitas de pescado, incluido Cram, haciendo caso omiso a la guarnición de guisantes. Emma le leía un poema a Cram, que era un excelente público. Su risa, además de llenar una habitación, sacudía los cristales de la ventana. Al oírla, uno sonreía o se encogía.

Todavía tenía tiempo antes de que llegara Carl Vespa. No quería pensar en Geri Duncan, en su muerte, en su embarazo, en cómo miraba a Jack en la maldita foto. Scott Duncan le había preguntado qué quería realmente. Ella había contestado que quería recuperar a su marido. Seguía siendo así. Pero tal vez, con todo lo que estaba sucediendo, también necesitaba la verdad.

Con eso en mente, Grace bajó y encendió el ordenador. Fue a la página de Google y tecleó «Jack Lawson». Mil doscientos resultados. Demasiados para tener alguna utilidad. Intentó con «Shane Alworth». Ningún resultado. Interesante. Grace escribió «Sheila Lambert». Unos cuantos resultados de una jugadora de baloncesto que se llamaba igual. Nada pertinente. A continuación, probó distintas combinaciones.

Jack Lawson, Shane Alworth, Sheila Lambert y Geri Duncan: esas cuatro personas salían juntas en la foto. Tenían que estar relacionadas de alguna otra manera. Probó varias combinaciones. Primero un nombre, un apellido. Nada interesante. Seguía tecleando, comprobando los 227 resultados inútiles de las palabras «Lawson» y «Alworth», cuando sonó el teléfono.

Grace miró el visor y vio que era Cora. Lo cogió.

—¿Qué tal?

—Lo siento —dijo Grace.

—No te preocupes, bruja.

Grace sonrió y siguió pulsando la flecha descendente. Los resultados eran inútiles.

—¿Todavía quieres que te ayude? —preguntó Cora.

—Sí, supongo.

—¡Qué entusiasmo el tuyo! Me encanta. Venga, ponme al corriente.

Grace no le dio muchos detalles. Confiaba en Cora, pero no quería verse obligada a confiar en ella. Sí, ya sabía que eso no tenía mucho sentido. Lo que pasaba era lo siguiente: si la vida de Grace estuviera en peligro, llamaría a Cora de inmediato. Pero si los niños estuvieran en peligro... bueno, ya no lo tendría tan claro. Lo peor de todo era que Cora debía de ser la persona en quien más confiaba, lo que significaba que nunca en su vida se había sentido tan aislada.

—¿Estás introduciendo los nombres en los buscadores, pues? —preguntó Cora.

—Sí.

—¿Y has encontrado algo que tenga relación?

—Absolutamente nada. —Y luego—: Espera, un momento.

—¿Qué?

Pero una vez más, confiara o no en ella, Grace se preguntó qué sentido tenía decirle a Cora más de lo que necesitaba saber.

—Tengo que dejarte. Luego te llamo.

—Vale, bruja.

Grace colgó y se quedó mirando la pantalla. Empezó a acelerársele el pulso, aunque sólo un poco. Había agotado prácticamente todas las combinaciones posibles cuando se acordó de un artista amigo suyo que se llamaba Marlon Coburn. Siempre se quejaba de que escribían mal su nombre. En lugar de Marlon, ponían Marlin, Marlan o Marlen, y en lugar de Coburn, Cohen o Corburn. Grace decidió intentarlo.

La cuarta combinación de errores tipográficos que probó fue «Lawson» y «Allworth», con dos eles en vez de una.

Salieron trescientos resultados —ninguno de los dos nombres era raro—, pero el cuarto fue el que le llamó la atención. Leyó la primera línea:

El blog de Crazy Davey

Grace sabía vagamente que un «blog» era una especie de diario público, donde la gente escribía sus pensamientos sueltos. A otras personas, por alguna extraña razón, les gustaba leerlos. Antes un diario era algo íntimo. Ahora consistía en intentar expresar algo lo bastante estridente para llegar a las masas.

En la breve muestra bajo el vínculo se leía:

«... John Lawson al teclado y Sean Allworth, que era sensacional con la guitarra...»

En realidad Jack se llamaba John. Sean se parecía bastante a Shane. Grace entró en la página. Era larguísima. Retrocedió y marcó con el ratón «caché». Al volver a la página, las palabras Lawson y Allworth saldrían resaltadas. Fue bajando y encontró una entrada de dos años antes:

26 de abril
Hola, chicos. Terese y yo nos fuimos a Vermont a pasar el fin de semana. Nos alojamos en la pensión Westerly. Fue genial. Tenían una chimenea y por la noche jugamos a las damas...

Crazy Davey siguió interminablemente. Grace meneó la cabeza. ¿Quién demonios leía esas bobadas? Se saltó otros tres párrafos.

Esa noche fui con Rick, un viejo amigo de la facultad, al Wino's. Es un antiguo bar de la Universidad de Vermont. Lo frecuentábamos cuando éramos estudiantes. Y agarraos: jugamos a la Ruleta del Condón como en los viejos tiempos. ¿La conocéis? Cada uno tiene que adivinar un color: hay Rojo Caliente, Negro

Semental, Amarillo Limón, Naranja Naranja. Vale, los dos últimos los he dicho en broma, pero ya me entendéis. Había una máquina expendedora de condones en el lavabo. ¡Y sigue allí! Así que cada uno tiene que poner un pavo en la mesa. Y uno coge una moneda de veinticinco centavos, compra un condón y lo lleva a la mesa. Entonces vas y lo abres y, ¡zas!, si es de tu color, ganas. Esta vez lo adivinó Rick. Nos invitó a una jarra. Esa noche la orquesta era malísima. Me acordé de un grupo que oí cuando estaba en primero que se llamaba Allaw. Había dos tías y dos tíos. Me acuerdo de que una de las tías tocaba la batería. Los tíos eran John Lawson al teclado y Sean Allworth, que era sensacional con la guitarra. Por eso se llamaban así, creo. Allworth y Lawson. Al combinar los dos apellidos, da Allaw. Rick nunca oyó hablar de ellos. En cualquier caso, nos acabamos la jarra. Llegaron un par de tías buenas pero pasaron de nosotros. Empezamos a sentirnos viejos...

Y eso era todo. No había nada más.

Grace tecleó «Allaw» en el buscador. Y nada.

Probó más combinaciones. En vano. Sólo salía esa única vez en el blog. Crazy Davey había escrito mal el nombre de Shane, además de su apellido. Jack siempre se había llamado Jack, o al menos desde que lo conocía Grace, pero quizás en aquella época empleaba el nombre de John. O quizá Crazy Davey no se acordaba bien o lo había visto escrito.

Sin embargo, Crazy Davey había mencionado a cuatro personas: dos chicas y dos chicos. En la foto había cinco personas, pero la mujer, la que salía muy borrosa cerca del borde de la foto, tal vez no era un miembro del grupo. ¿Y qué había dicho Scott sobre la última llamada de su hermana?

«Pensé que quería hablarme de lo último en que andaba metida: la aromaterapia, su nuevo grupo de rock...»

Grupo de rock. ¿Sería eso? ¿Era la foto de un grupo de rock?

Buscó en la página de Crazy Davey un número de teléfono o un nombre completo. Sólo salía una dirección de correo electrónico. Grace marcó el vínculo con el ratón y tecleó rápidamente: «Necesito su ayuda. Tengo que hacerle una pregunta muy importante sobre

Allaw, el grupo de música que vio de estudiante. Por favor, llámeme a cobro revertido».

Añadió su número de teléfono y envió el mensaje.

«Así pues, ¿qué significa esto?», se preguntó.

Intentó encajar todas las piezas de distintas maneras. Nada tenía sentido. Pocos minutos después, una limusina se detuvo en el camino de entrada. Grace miró por la ventana. Había llegado Carl Vespa.

Tenía otro chófer, un hombre fornido con el pelo cortado al uno y expresión ceñuda, que no parecía ni la mitad de peligroso que Cram. Grace añadió el blog a su carpeta de Favoritos antes de recorrer el pasillo para abrir la puerta.

Vespa entró sin saludar. Seguía elegante, con una chaqueta blazer que parecía confeccionada por los dioses, pero por lo demás presentaba un aspecto extrañamente desaliñado. Siempre iba despeinado —ésa era su imagen habitual—, pero existe una fina línea entre ir despeinado y no arreglarse el pelo en absoluto. Él había traspasado esa línea. Tenía los ojos inyectados en sangre. Las arrugas que convergían en las comisuras de los labios eran más profundas, más pronunciadas.

—¿Qué ocurre?

—¿Hay algún sitio donde podamos hablar? —preguntó Vespa.

—Los niños están con Cram en la cocina. Podemos ir al salón.

Vespa asintió. Desde lejos les llegó la risa sonora de Max. Al oírla, Vespa se puso tenso.

—Tu hijo tiene seis años, ¿no?

—Sí.

Vespa sonrió. Grace no sabía qué le rondaba por la cabeza, pero su sonrisa la conmovió.

—A los seis años, a Ryan le dio por los cromos de béisbol.

—Pues a Max le ha dado por Yu-Gi-Oh!

—¿Yu-Gi-qué?

Grace meneó la cabeza dando a entender que no valía la pena explicarlo.

—Ryan solía jugar a un juego con los cromos. Los dividía por equipos y luego los extendía sobre la alfombra como si fuera un campo de béisbol. Ya sabes, el jugador de la tercera base —en aquel entonces era Graig Nettles— en la tercera base, tres jugadores en medio del campo; incluso tenía a los lanzadores de reserva en la zona de calentamiento a la derecha.

Le resplandecía la cara al recordarlo. Miró a Grace. Ella le sonrió, con la mayor delicadeza posible; aun así, no pudo disimular su ánimo. A Vespa se le demudó el rostro.

—Va a salir en libertad condicional.

Grace no dijo nada.

—Wade Larue. Van a soltarlo antes. Mañana.

—Ah.

—¿Qué te parece?

—Lleva en la cárcel casi quince años —dijo ella.

—Murieron dieciocho personas.

Grace no quería hablar de eso con él. Ese número —el dieciocho— no significaba nada. Sólo importaba uno. Ryan. Desde la cocina Max volvió a reír. El sonido atravesó la habitación. El rostro de Vespa permaneció impasible, pero Grace vio que algo sucedía en su interior. Un torbellino. Vespa no dijo nada. No era necesario. Lo que pensaba en ese momento era evidente: ¿Y si hubiera sido Max o Emma? ¿Grace también habría pensado que era sólo un perdedor que se había drogado y dejado llevar por el pánico? ¿Lo habría perdonado tan fácilmente?

—¿Te acuerdas del guardia de seguridad, Gordon MacKenzie? —preguntó Vespa.

Grace asintió. Había sido el héroe de la noche porque encontró la manera de abrir dos de las salidas de emergencias cerradas con llave.

—Murió hace unas semanas. De un tumor cerebral.

—Lo sé.

Los artículos sobre el aniversario habían concedido a Gordon MacKenzie un lugar destacado.

—¿Crees en la vida después de la muerte, Grace?

—No lo sé.

—¿Y tus padres? ¿Los verás algún día?

—No lo sé.

—Vamos, Grace, quiero saber qué piensas.

Vespa clavó su mirada en la de ella. Grace se movió inquieta en su asiento.

—Por teléfono me has preguntado si Jack tenía una hermana.
—Sandra Koval.
—¿Por qué me lo has preguntado?
—Luego te lo diré —contestó Vespa—. Quiero saber qué piensas. ¿Adónde vamos cuando morimos, Grace?
Grace se dio cuenta de que no serviría de nada discutir con él. Desprendía una vibración desagradable, una sensación de malestar. No se lo preguntaba por curiosidad, como amigo, como figura paterna. Su voz transmitía un desafío. Incluso ira. Grace se preguntó si había bebido.
—Hay una cita de Shakespeare —dijo ella—. De *Hamlet*. Dice que la muerte es... y creo que son las palabras textuales... un país sin descubrir de cuyo territorio no retorna ningún viajero.
Vespa hizo una mueca.
—En otras palabras, no tenemos ni idea.
—Así es, más o menos —convino Grace.
—Ya sabes que eso es una estupidez.
Grace no dijo nada.
—Ya sabes que no hay nada. Que yo no volveré a ver a Ryan. Sólo que a la gente le cuesta mucho aceptarlo. Los débiles se inventan a dioses invisibles y jardines y reuniones en el paraíso. Y luego hay otros, como tú, que no se tragan esas bobadas, pero, aun así, os resulta demasiado doloroso aceptar la verdad. Por lo tanto, tendéis a racionalizar con eso de «¿Cómo vamos a saberlo?». Pero sí lo sabes, Grace, ¿verdad?
—Lo siento, Carl.
—¿Qué sientes?
—Siento que sufras. Pero, por favor, no me digas qué crees.
Algo ocurrió en los ojos de Vespa. Se dilataron un momento y fue casi como si hubiera estallado algo en su interior.
—¿Cómo conociste a tu marido?
—¿Qué?
—¿Cómo conociste a Jack?
—¿Y eso qué tiene que ver con nada?
Vespa se acercó un paso. Un paso amenazador. La miró desde lo alto, y por primera vez Grace supo que todas las historias, todos los rumores sobre él, sobre lo que hacía, eran verdad.

—¿Cómo os conocisteis?

Grace intentó no encogerse.

—Ya lo sabes.

—¿En Francia?

—Sí.

La miró con dureza.

—¿Qué ocurre, Carl?

—Wade Larue va a salir a la calle.

—Eso has dicho.

—Mañana su abogada dará una rueda de prensa en Nueva York. Irán las familias. Quiero que vayas.

Grace esperó. Sabía que había algo más.

—Su abogada estuvo brillante. Deslumbró a la comisión que dictaminó la libertad condicional. Seguro que también deslumbrará a la prensa.

Se interrumpió y esperó. Por un instante Grace se sintió confusa, pero de pronto una sensación de frío surgió en el centro de su pecho y se extendió por sus miembros. Carl Vespa se dio cuenta. Asintió y retrocedió.

—Háblame de Sandra Koval —dijo él—. Porque, la verdad, no entiendo cómo es posible que tu cuñada, precisamente, acabara representando a alguien como Wade Larue.

36

Indira Khariwalla esperaba al visitante.

Su despacho estaba a oscuras. Ya había acabado el trabajo del día. A Indira le gustaba sentarse con las luces apagadas. El problema de Occidente, estaba convencida de ello, era el exceso de estímulos. También ella se sentía expuesta a ellos, claro. Ése era el problema. Nadie se libraba. Occidente seducía con sus estímulos, con un aluvión constante de luz, color y sonido. Continuamente. Así que siempre que podía, sobre todo al final de la jornada, a Indira le gustaba sentarse a oscuras. No para meditar, como cabría suponer por su origen. Tampoco se sentaba en la posición del loto, con el pulgar y el dedo índice de cada mano formando un círculo.

No, simplemente a oscuras.

A las diez de la noche llamaron suavemente a la puerta.

—Pasa.

Scott Duncan entró en la habitación. No se molestó en encender la luz. Indira se alegró. Facilitaría las cosas.

—¿Qué era tan importante? —preguntó él.

—Rocky Conwell ha sido asesinado —dijo Indira.

—Lo he oído por la radio. ¿Quién es?

—El hombre al que contraté para que siguiera a Jack Lawson.

Scott Duncan no dijo nada.

—¿Sabes quién es Stu Perlmutter? —prosiguió ella.

—¿El policía?

—Sí. Ayer vino a verme. Me preguntó por Conwell.

—¿Alegaste el secreto profesional de un abogado para con su clicnte?

—Sí. Quiere pedir un mandamiento a un juez para obligarme a contestarle.

Scott Duncan se volvió.

—¿Scott?

—No te preocupes —dijo él—. No sabes nada.

Indira no estaba tan segura.

—¿Qué vas a hacer?

Duncan salió del despacho. Tendió la mano por detrás de él, cogió el pomo y empezó a cerrar la puerta.

—Cortar esto de raíz —contestó él.

37

La rueda de prensa era a las diez de la mañana. Grace primero llevó a los niños a la escuela. Condujo Cram. Vestía una camisa de franela holgada por encima del pantalón. Ocultaba debajo una pistola, Grace lo sabía. Los niños se bajaron del coche. Se despidieron de Cram y se alejaron a paso rápido. Cram accionó la palanca de cambio.

—No arranque todavía —dijo Grace.

Esperó a que los niños entraran sanos y salvos en la escuela. A continuación, indicó a Cram con un gesto que ya podían ponerse en marcha.

—No se preocupe —dijo Cram—. Tengo a un hombre vigilando.

Grace se volvió hacia él.

—¿Puedo preguntarle algo?

—Adelante.

—¿Cuánto tiempo hace que trabaja para el señor Vespa?

—Usted estaba allí cuando murió Ryan, ¿verdad?

La pregunta la desconcertó.

—Sí.

—Era mi ahijado.

Las calles estaban tranquilas. Grace lo miró. No sabía qué hacer. No podía confiar en ellos: no con sus hijos de por medio, no después de haber visto el semblante de Vespa la noche anterior. Pero ¿qué opción le quedaba? Tal vez podía volver a intentarlo con la policía, pero ¿realmente estaría dispuesta o capacitada para protegerlos? Y Scott Duncan... en fin, él mismo había reconocido que su alianza sólo llegaba hasta cierto punto.

Como si le adivinara el pensamiento, Cram dijo:

—El señor Vespa confía en usted.

—¿Y si decidiera que ya no confía en mí?

—Él nunca le haría daño.

—¿Tan seguro está?

—El señor Vespa se reunirá con nosotros en la ciudad. En la rueda de prensa. ¿Quiere escuchar la radio?

Teniendo en cuenta la hora, no había mucho tráfico. El puente de George Washington seguía lleno de policías, una resaca del 11 de Septiembre de la que Grace no se había repuesto. La rueda de prensa se celebraba en el hotel Crowne Plaza, cerca de Times Square. Vespa le contó que se había hablado de hacerla en Boston —habría sido más apropiado—, pero alguien próximo a Larue consideró que tal vez sería demasiado peturbador volver a un lugar tan cercano a donde sucedieron los hechos. También esperaban que se presentaran menos miembros de las familias si se celebraba en Nueva York.

Cram la dejó en la acera y fue al aparcamiento colindante. Grace se quedó un momento en la calle e intentó tranquilizarse. Sonó el móvil. Miró el identificador de llamadas. No conocía el número. El prefijo era 617. Si no se equivocaba, correspondía a la zona de Boston.

—¿Diga?

—Hola. Soy David Roff.

Estaba a un paso de Times Square en Nueva York y, claro, rodeada de gente. Nadie parecía hablar. No sonaban bocinas. Pero el estruendo en sus oídos era ensordecedor.

—¿Quién?

—Ah, bueno, tal vez me reconozca más fácilmente por el nombre de Crazy Davey. De mi blog. He recibido su mensaje. ¿La llamo en mal momento?

—No, en absoluto. —Grace se dio cuenta de que gritaba para hacerse oír. Se tapó la otra oreja con un dedo—. Gracias por llamar.

—Ya sé que me dijo que la llamara a cobro revertido, pero pago una cuota fija a mi compañía telefónica por las llamadas interurbanas, así que he pensado que daba igual.

—Se lo agradezco.

—Parecía tratarse de algo importante.
—Lo es. En su blog habla de un grupo que se llamaba Allaw.
—Sí.
—Estoy intentando averiguar cualquier dato sobre ellos.
—Sí, ya me lo imaginaba, pero me temo que no puedo ayudarla. Sólo los vi esa noche. Unos amigos y yo cogimos una borrachera y nos quedamos allí toda la noche. Conocimos a unas chicas, bailamos y también bebimos un montón. Después hablamos con los músicos. Por eso me acuerdo tan bien.
—Me llamo Grace Lawson. Mi marido era Jack.
—¿Lawson? Era el solista, ¿no? Me acuerdo de él.
—¿Eran buenos?
—¿El grupo? La verdad es que no me acuerdo, pero creo que sí. Recuerdo que me lo pasé en grande y pillé una curda. Tuve tal resaca que todavía me estremezco al pensarlo. ¿Es que le está preparando una sorpresa?
—¿Una sorpresa?
—Sí, una fiesta sorpresa o un álbum de recuerdos de sus viejos tiempos.
—Sólo busco información acerca de los miembros del grupo.
—Ojalá pudiera ayudarla. No creo que durasen mucho. Nunca más volví a saber nada de ellos, aunque me consta que hicieron otro bolo en la Lost Tavern, en Manchester. No sé nada más, lo siento.
—Muchas gracias por llamar.
—De nada. Ah, espere. Esto podría ser una anécdota divertida para un álbum de recuerdos.
—¿Qué?
—En cuanto al bolo de Allaw en Manchester, fueron teloneros de Still Night.
Oleadas de peatones pasaban a su lado. Grace se apretó contra una pared, intentando evitar a la muchedumbre.
—No conozco a Still Night.
—Bueno, supongo que sólo los conocerían los muy entendidos. Still Night tampoco duró mucho. Al menos no con esa formación. —Se oyó una ráfaga de estática, pero las siguientes palabras de Crazy Davey llegaron a Grace con absoluta claridad—: El cantante era Jimmy X.

Grace sintió que sus dedos languidecían en torno al teléfono.

—¿Oiga?

—Sigo aquí —dijo Grace.

—Ya sabe quién es Jimmy X, ¿no? ¿*Pale Ink*? ¿La Matanza de Boston?

—Sí. —Su voz parecía muy lejana—. Ya me acuerdo.

Cram salió del aparcamiento. Al percibir la expresión de Grace, apretó el paso. Grace dio las gracias a Crazy Davey y colgó. Ya tenía su número de teléfono en el móvil. Siempre podía volver a llamarlo.

—¿Pasa algo?

Grace intentó en vano sacudirse aquella sensación de frío que la había invadido. Consiguió contestar:

—No.

—¿Quién era?

—¿Acaso es mi secretario?

—Tranquila. —Levantó las manos—. Sólo preguntaba.

Entraron en el Crowne Plaza. Grace trató de asimilar lo que acababa de oír. Una coincidencia. Sólo era eso. Una extraña coincidencia. Su marido había tocado en un grupo de música en la universidad. Igual que muchas otras personas. Resultaba que una vez coincidió con Jimmy X en un local. Y una vez más ¿qué importancia tenía eso? Estaban los dos simultáneamente en el mismo lugar. Debió de suceder al menos un año, quizá dos, antes de la Matanza de Boston. Y tal vez Jack no le había comentado nada porque pensó que era irrelevante y, en cualquier caso, tal vez perturbador para su mujer. Estaba traumatizada por culpa de un concierto de Jimmy X. La había dejado parcialmente lisiada. Así que a lo mejor no le había parecido conveniente mencionarle esa relación superficial.

No tenía la menor importancia, ¿no?

Sólo que Jack nunca había mencionado que había tocado en un grupo. Sólo que los miembros de Allaw estaban todos muertos o habían desaparecido.

Intentó reunir algunas de las piezas. En primer lugar, ¿cuándo habían asesinado a Geri Duncan exactamente? Grace estaba en rehabilitación cuando leyó el artículo sobre el incendio. Eso significaba que debió de suceder pocos meses después de la matanza. Grace tendría que comprobar la fecha. Tendría que comprobar toda la línea cronológica porque —debía admitir— era imposible que la conexión Allaw-Jimmy X fuera casualidad.

Pero ¿cuál era la relación? Nada tenía sentido.

Lo repasó todo una vez más. Su marido toca en un grupo. Un día, el grupo coincide con otro en el que canta Jimmy X. Un año o dos después —según si Jack estaba en primero o segundo—, el entonces famoso Jimmy X toca en un concierto al que asiste ella, la joven Grace. Esa noche, ella resulta herida en un tumulto. Pasan tres años. Ella conoce a Jack Lawson en otro continente y los dos se enamoran.

No concordaba.

Sonó una campanilla al detenerse el ascensor en la planta baja.

—¿Seguro que está bien?

—De fábula —contestó ella.

—Todavía faltan veinte minutos para que empiece la rueda de prensa. He pensado que quizá sería mejor que fuese usted sola e intentase abordar antes a su cuñada.

—Es usted una fuente de ideas, Cram.

Las puertas se abrieron.

—Tercera planta —dijo él.

Grace entró y dejó que el ascensor la engullera. Estaba sola. No disponía de mucho tiempo. Sacó el móvil y la tarjeta que le había dado Jimmy X. Marcó el número y apretó el botón de llamada. Enseguida saltó el contestador. Grace esperó a que sonara el pitido:

—Sé que Still Night tocó con Allaw. Llámame.

Dejó su número de teléfono y colgó. El ascensor se detuvo. Al salir, encontró uno de esos carteles negros con letras blancas intercambiables, esos que indican en qué sala se celebra el bar mitzvah de Ratzenberg o la boda de Smith-Jones. Éste decía: «Rueda de prensa de Burton-Crimstein». Publicidad del bufete. Siguió la flecha hasta una puerta, respiró hondo y la abrió.

Aquello fue como una escena de una película de abogados: ese momento álgido en que la testigo irrumpe inesperadamente en la sala. Cuando Grace entró, se produjo ese tipo de grito ahogado colectivo. La sala se sumió en el silencio. Grace se sintió desorientada. Miró alrededor y la cabeza empezó a darle vueltas. Retrocedió un paso. Las caras de dolor, más viejas pero no por ello más en paz, se arremolinaron alrededor. Allí estaban otra vez: los Garrison, los Reed, los Weider. Recordó los primeros días en el hospital. Lo había visto todo a través de la nebulosa de los somníferos, como a través de una cortina de agua. Ahora, de pronto, se sentía igual. Se acercaron a ella en silencio. La abrazaron. Ninguno pronunció una sola palabra. No hacía falta. Grace aceptó los abrazos. Todavía sentía la tristeza que emanaba de ellos.

Vio a la viuda del teniente Gordon MacKenzie. Algunos decían que fue él quien rescató a Grace. Como la mayoría de los verdaderos héroes, Gordon MacKenzie rara vez hablaba de ello. Sostenía que no se acordaba de qué había hecho con exactitud, que sí, que había abierto las puertas y sacado a la gente, pero fue una reacción más que algo que se asemejara a la valentía.

Grace dio a la señora MacKenzie un abrazo más largo.

—Siento su pérdida —dijo Grace.

—Encontró a Dios. —La señora MacKenzie no la soltó—. Ahora está con Él.

Como en realidad no sabía qué contestar, Grace simplemente asintió. La soltó y miró por encima del hombro de la mujer. Sandra Koval había entrado en la sala por el lado opuesto. Vio a Grace casi al mismo tiempo y ocurrió algo extraño. Su cuñada sonrió, casi como si esperara verla. Grace se alejó de la señora MacKenzie. Sandra ladeó la cabeza, indicándole que se acercara. Había un cordón de terciopelo. Un guardia de seguridad le interceptó el paso.

—No hay problema, Frank —dijo Sandra. El guardia dejó pasar a Grace.

Sandra salió primero. Recorrió un pasillo a toda prisa. Grace la siguió cojeando, sin poder alcanzarla. Daba igual. Sandra se detuvo y abrió una puerta. Entraron en una enorme sala de baile. Varios camareros estaban ocupados con la cubertería. Sandra la llevó a un rincón. Cogió dos sillas y las puso de frente.

—No pareces sorprendida de verme —observó Grace.

Sandra se encogió de hombros.

—Supuse que seguirías el caso por las noticias.

—Pues no lo seguía.

—Da igual, supongo. Hasta hace dos días no sabías quién era yo.

—¿Qué está pasando, Sandra?

No contestó de inmediato. El sonido de los cubiertos al entrechocarse proporcionaba la música de fondo. Sandra explayó la mirada hacia los camareros en el centro de la sala.

—¿Por qué representas a Wade Larue?

—Se lo acusó de un delito. Soy abogada penalista. Me dedico a eso.

—No seas condescendiente conmigo.

—Quieres saber cómo me topé con este cliente en concreto, ¿es eso?

Grace no contestó.

—¿Acaso no es obvio? —preguntó Sandra.

—Para mí no lo es.

—Tú, Grace. —Sonrió—. Tú eres la razón por la que represento al señor Larue.

Grace abrió la boca, la cerró y volvió a abrirla.

—¿De qué estás hablando?

—Tú en realidad nunca has sabido nada de mí. Sólo te constaba que Jack tenía una hermana. Pero yo sí lo sabía todo sobre ti.

—Sigo sin entenderte.

—Es muy sencillo, Grace. Tú te casaste con mi hermano.

—¿Y qué?

—Cuando me enteré de que ibas a ser mi cuñada, sentí curiosidad. Quise saber quién eras. Es lógico, ¿no? Así que le pedí a uno de mis investigadores que se informara sobre ti. Tus cuadros son una maravilla, por cierto. Compré dos. Anónimamente. Los tengo en mi casa de Los Ángeles. En realidad, son espectaculares. A mi hija mayor, Karen, de diecisiete años, le encantan. Quiere ser pintora.

—No veo qué tiene que ver eso con Wade Larue.

—¿Ah, no? —Hablaba con un tono extrañamente alegre—. Me he dedicado al derecho penal desde que acabé la carrera. Empecé a trabajar con Burton y Crimstein en Boston. Yo vivía allí, Grace. Estaba al corriente de la Matanza de Boston. Y de pronto mi hermano se enamoró de una de las principales protagonistas de la matanza. Eso avivó más aún mi curiosidad. Empecé a informarme sobre el caso, ¿y sabes de qué me di cuenta?

—¿De qué?

—De que Wade Larue había recibido una condena injusta por culpa de un abogado incompetente.

—Wade Larue fue el responsable de la muerte de dieciocho personas.

—Disparó una pistola, Grace. Ni siquiera hirió a nadie. Se fue la luz. La gente empezó a chillar. Él estaba bajo los efectos del alcohol y las drogas. Se dejó llevar por el pánico. Creyó, o al menos imaginó, que estaba en peligro inminente. Le era imposible, absolutamente imposible, saber que aquello acabaría así. Su primer abogado tenía que haber pactado un acuerdo. Le habrían concedido la libertad condicional, y como mucho le habrían caído dieciocho meses. Pero en realidad nadie quiso llevar el caso. A Larue lo mandaron a la cárcel a pudrirse. Así que, sí, Grace, me informé sobre él por ti. A Wade Larue le habían gastado una mala pasada. Su anterior abogado lo jodió y luego se esfumó.

—¿Así que te hiciste cargo del caso?

Sandra Koval asintió.

—Sin cobrar. Fui a verlo hace dos años. Empezamos a preparar la vista para solicitar la libertad condicional.

En ese momento Grace cayó en la cuenta.

—Jack lo sabía, ¿no?

—Eso no lo sé. No nos hablamos, Grace.

—¿Insistes en que no hablasteis esa noche? Nueve minutos, Sandra. Según la compañía telefónica, la llamada duró nueve minutos.

—La llamada de Jack no tuvo nada que ver con Wade Larue.

—¿Y por qué fue?

—Por esa foto.

—¿Qué pasa con ella?

Sandra se inclinó hacia delante.

—Antes contéstame tú a una pregunta. Y ahora necesito la verdad. ¿De dónde sacaste esa foto?

—Ya te lo he dicho. Estaba en el paquete entre mis fotos.

Sandra movió la cabeza en un gesto de incredulidad.

—¿Y crees que el dependiente de Photomat la metió allí?

—Ya no lo sé. Pero no me has contestado. ¿Por qué esa foto indujo a Jack a llamarte?

Sandra vaciló.

—Sé lo de Geri Duncan —dijo Grace.
—¿Qué sabes de Geri Duncan?
—Que es la chica de la foto. Y que la asesinaron.
Sandra se enderezó.
—Murió en un incendio. Fue un accidente.
Grace negó con la cabeza.
—Fue un incendio provocado.
—¿Eso quién te lo ha dicho?
—Su hermano.
—Un momento, ¿cómo es que conoces a su hermano?
—Estaba embarazada, ¿sabes? Geri Duncan. Cuando murió en ese incendio, esperaba un hijo.
Sandra calló y la miró horrorizada.
—Grace, ¿qué estás haciendo?
—Intento encontrar a mi marido.
—¿Y crees que así lo vas a conseguir?
—Ayer me dijiste que no conocías a ninguna de las personas de la foto. Pero acabas de reconocer que conocías a Geri Duncan, que murió en un incendio.
Sandra cerró los ojos.
—¿Conocías a Shane Alworth o a Sheila Lambert?
—No, en realidad no —contestó Sandra en voz baja.
—En realidad, no. ¿Así que los nombres no te son del todo desconocidos?
—Shane Alworth era un compañero de clase de Jack. Sheila Lambert, creo, era una amiga de otra universidad o algo así. ¿Y eso qué tiene que ver?
—¿Sabías que los cuatro tocaban en un grupo musical?
—Durante un mes o algo así. ¿Y qué tiene que ver eso también?
—La quinta persona de la foto. La que está de espaldas. ¿Sabes quién es?
—No.
—¿Eres tú, Sandra?
Miró a Grace.
—¿Yo?
—Sí. ¿Eres tú?
De pronto una expresión extraña se dibujó en el rostro de Sandra.

—No, Grace, no soy yo.
—¿Jack mató a Geri Duncan?
Las palabras salieron solas. Sandra abrió los ojos desorbitadamente, como si la hubieran abofeteado.
—¿Estás loca?
—Quiero la verdad.
—Jack no tuvo nada que ver con su muerte. Ya estaba en el extranjero.
—Entonces, ¿por qué lo afectó tanto la foto?
Sandra vaciló.
—¿Por qué, maldita sea? —insistió Grace.
—Porque hasta entonces no supo que Geri había muerto.
Grace se mostró confusa.
—¿Eran amantes?
—Amantes —repitió, como si nunca hubiera oído la palabra—. Es un término demasiado maduro para lo que eran.
—¿Ella no salía con Shane Alworth?
—Supongo. Pero eran todos unos críos.
—¿Jack tonteaba con la novia de su amigo?
—No sé hasta qué punto Jack y Shane eran amigos. Pero sí, Jack se acostaba con ella.
A Grace empezó a darle vueltas la cabeza.
—Y Geri Duncan se quedó embarazada.
—De eso no sé nada.
—Pero sabes que está muerta —dijo Grace.
—Sí.
—Y sabes que Jack huyó.
—Antes de morir ella.
—¿Antes de quedarse embarazada?
—Ya te lo he dicho. No sabía que estaba embarazada.
—Y Shane Alworth y Sheila Lambert, también han desaparecido los dos. ¿Me estás diciendo que es todo casualidad, Sandra?
—No lo sé.
—¿Y qué te dijo Jack cuando te llamó?
Sandra dejó escapar un profundo suspiro. Agachó la cabeza. Se quedó un momento callada.
—¿Sandra?

—Oye, esa foto tiene, ¿cuánto? ¿Quince, dieciséis años? Cuando se la diste así, de sopetón, ¿cómo creías que iba a reaccionar, viendo la cara de Geri tachada con una cruz? Jack se fue de inmediato al ordenador. Hizo una búsqueda por Internet; creo que usó la hemeroteca del *Boston Globe*. Se enteró de que llevaba todo este tiempo muerta. Por eso me llamó. Quería saber qué le pasó. Se lo dije.

—¿Qué le dijiste?

—Lo que sabía. Que murió en un incendio.

—¿Y por qué eso hizo huir a Jack?

—No lo sé.

—¿Y por qué huyó al extranjero para empezar?

—Tienes que dejarlo estar.

—¿Qué les pasó, Sandra?

Sandra negó con la cabeza.

—Olvídate de que soy su abogada y de que es información confidencial. Simplemente no es mi lugar. Jack es mi hermano.

Grace tendió la mano y cogió la de Sandra.

—Creo que Jack tiene problemas.

—En ese caso, lo que sé no puede ayudarlo.

—Hoy han amenazado a mis hijos.

Sandra cerró los ojos.

—¿Me has oído?

Un hombre trajeado asomó la cabeza.

—Ya es la hora, Sandra —dijo.

Sandra asintió y le dio las gracias. Apartó las manos, se puso en pie y se alisó las arrugas del traje.

—Tienes que dejarlo estar, Grace. Tienes que volver a tu casa. Tienes que proteger a tu familia. Es lo que Jack querría que hicieras.

38

La amenaza en el supermercado no había surtido efecto.

A Wu no le extrañó. Se había criado en un ambiente que hacía hincapié en el poder de los hombres y la subordinación de las mujeres, pero Wu siempre había creído que eso era más un deseo que una realidad. Las mujeres eran más duras. Más impredecibles. Soportaban más el dolor físico; lo sabía por experiencia personal. Cuando se trataba de proteger a los seres queridos, eran mucho más firmes. Los hombres se sacrificaban por machismo, por estupidez o por la creencia ciega de que saldrían ganando. Las mujeres se sacrificaban sin autoengañarse.

Ya de buen principio no había estado de acuerdo en la conveniencia de amenazarla. Las amenazas creaban enemigos e incertidumbre. Eliminar a Grace Lawson antes habría sido fácil. Eliminarla ahora sería más arriesgado.

Wu tendría que volver y resolver el asunto por su cuenta.

Estaba en la ducha de Beatrice Smith, tiñéndose el pelo para recuperar su color original. Wu solía llevarlo rubio. Lo hacía por dos razones. La primera era básica: le gustaba cómo le quedaba. Tal vez fuese vanidad, pero cuando Wu se miraba en el espejo, tenía la impresión de que el pelo rubio estilo surfista, en punta y engominado, le quedaba bien. La segunda razón, el color —un amarillo chillón— era útil porque era lo que recordaba la gente. Cuando volvía a teñirse el pelo para recuperar su color natural, el moreno asiático, y se lo alisaba, cuando se quitaba la ropa moderna para ponerse algo más formal y unas gafas de montura ancha, en fin, la transformación era muy eficaz.

Cogió a Jack Lawson por el cuello y lo arrastró al sótano. Lawson no opuso resistencia. Apenas estaba consciente. No estaba bien. Su psique, ya antes muy alterada, tal vez se había hundido por completo. No sobreviviría mucho más.

Era un sótano húmedo, a medio construir. Wu se acordó de la última vez que había estado en un lugar parecido, en San Mateo, California. Las instrucciones habían sido precisas. Lo habían contratado para torturar a un hombre durante exactamente ocho horas —por qué ocho, Wu nunca lo supo— y luego romperle los huesos de las piernas y los brazos. Wu había manipulado los huesos rotos de manera que los extremos partidos quedaran junto a los haces de nervios o cerca de la superficie de la piel. Cualquier movimiento, por pequeño que fuera, le produciría un dolor atroz. Wu cerró el sótano con llave y dejó al hombre solo. Iba a verlo una vez al día. El hombre le suplicaba, pero Wu lo miraba en silencio. El hombre tardó once días en morir de hambre.

Wu encontró una tubería resistente y la empleó para atar a Lawson a ella con una cadena. También le ató los brazos por detrás de la espalda, alrededor de una columna. Volvió a ponerle la mordaza.

A continuación decidió comprobar las ataduras.

—Tenías que haber conseguido todas las copias de esa foto —susurró Wu.

Jack Lawson abrió los ojos.

—Ahora tendré que ir a ver a tu mujer.

Sus miradas se cruzaron. Pasó un segundo, no más, y de pronto Lawson cobró vida. Empezó a sacudirse. Wu lo miró. Sí, eso sería una buena prueba. Lawson forcejeó varios minutos, como un pez que agonizaba en el anzuelo. No cedió ninguna atadura.

Wu lo dejó solo, allí forcejeando, para ir en busca de Grace Lawson.

39

Grace no quería quedarse a la rueda de prensa.

Estar en la misma sala con todos aquellos deudos... No le gustaba emplear la palabra «aura», pero parecía la más adecuada. En la sala se percibía una mala aura. Ojos afligidos la miraban con palpable anhelo. Grace lo entendía, claro. Ella ya no era el conducto de sus hijos perdidos; ya había pasado demasiado tiempo para eso. Ahora era la superviviente. Estaba allí, viva y coleando, mientras sus hijos se pudrían en la tumba. Aparentemente aún había cariño, pero en el fondo Grace detectó la rabia por la injusticia de lo sucedido. Ella vivía; sus hijos no. Los años nada habían reparado. Ahora que Grace tenía sus propios hijos, lo entendió de una manera que le habría sido imposible quince años antes.

Estaba a punto de salir disimuladamente por la puerta de atrás cuando una mano la sujetó por la muñeca. Se volvió y vio que era Carl Vespa.

—¿Adónde vas? —preguntó él.

—A casa.

—Yo te llevo.

—No hace falta. Puedo alquilar un coche.

Sujetándola aún por la muñeca, le apretó por un instante y Grace vio de nuevo que algo estallaba detrás de su mirada.

—Quédate —dijo él.

No era un ruego. Ella le examinó el rostro, pero reflejaba una curiosa serenidad. Demasiada serenidad. Su actitud —tan distinta de su entorno, tan diferente de la furia que había visto la noche anterior— volvió a asustarla. ¿Ése era realmente el hombre en cuyas manos había puesto la vida de sus hijos?

Se sentó a su lado y miró a Sandra Koval y Wade Larue subir al estrado. Sandra se acercó el micrófono y empezó con los tópicos de siempre sobre el perdón y la rehabilitación y los nuevos comienzos. Grace observó cómo se ensombrecían los rostros alrededor. Algunos lloraban. Otros apretaban los labios. Unos cuantos temblaban visiblemente.

Carl Vespa no hizo ninguna de esas cosas.

Cruzó las piernas y se reclinó. Lo contemplaba todo con una naturalidad que asustó a Grace más que la peor mueca de disgusto. Cinco minutos después de iniciar Sandra Koval su intervención, Vespa dirigió la mirada hacia Grace. Sabía que ella había estado atenta a él. De pronto hizo algo que la estremeció.

Le guiñó un ojo.

—Venga —dijo él—. Vámonos de aquí.

Mientras Sandra hablaba, Carl Vespa se levantó y se encaminó hacia la puerta. La gente volvió la cabeza y se produjo un breve silencio. Grace lo siguió. Bajaron en el ascensor sin mediar palabra. La limusina estaba en la puerta. El hombre fornido ocupaba el asiento del conductor.

—¿Dónde está Cram? —preguntó Grace.

—Ha ido a hacer un recado —contestó Vespa, y a Grace le pareció advertir un asomo de sonrisa—. Háblame de tu encuentro con la señora Koval.

Grace le contó la conversación con su cuñada. Vespa permaneció callado, mirando por la ventana, golpeteándose la barbilla con el índice. Cuando Grace acabó, él preguntó:

—¿Eso es todo?

—Sí.

—¿Seguro?

A Grace no le gustó el tono de la pregunta.

—¿Y qué hay de tu último...? —Vespa alzó la mirada, buscando la palabra—. ¿De tu último visitante?

—¿Te refieres a Scott Duncan?

Vespa tenía en los labios una sonrisa muy extraña.

—Ya sabes, claro, que Scott Duncan trabaja en la fiscalía.

—Trabajaba —corrigió ella.

—Sí, trabajaba. —Hablaba en un tono demasiado relajado—. ¿Y qué quería?

—Ya te lo he dicho.

—¿Ah, sí? —Se movió en el asiento, pero seguía sin mirarla—. ¿Me lo has contado todo?

—¿Qué quieres decir?

—Es sólo una pregunta. ¿Ha sido ese tal Duncan tu única visita reciente?

A Grace no le gustó el cariz que tomaba la conversación. Vaciló.

—¿No quieres hablarme de nadie más? —continuó Vespa.

Grace intentó examinarle el rostro en busca de alguna pista, pero él miraba hacia el otro lado. ¿De qué hablaba? Reflexionó, repasó los últimos días...

¿Jimmy X?

¿Se había enterado Vespa de que Jimmy se había presentado en su casa después del concierto? Era posible, desde luego. Si había encontrado a Jimmy, no era descabellado suponer que tenía a alguien siguiéndolo. Así pues, ¿qué debía hacer Grace? ¿Si decía algo ahora empeoraría las cosas? Tal vez no sabía lo de Jimmy. Tal vez si abría la boca ahora sólo causaría más problemas.

«Responde con vaguedad, y a ver qué pasa», pensó.

—Ya sé que te he pedido ayuda —dijo lentamente—. Pero creo que a partir de ahora quiero llevar esto por mi cuenta.

Vespa se volvió por fin hacia ella y la miró de frente.

—¿Ah, sí?

Grace esperó.

—¿Y eso por qué, Grace?

—¿La verdad?

—Preferiblemente.

—Me estás asustando.

—¿Crees que te haría daño?

—No.

—¿Entonces?

—Sólo creo que será lo mejor...

—¿Qué le has dicho de mí?

La pregunta la cogió desprevenida.
—¿A Scott Duncan?
—¿Le has hablado de mí a alguien más?
—¿Cómo? No.
—Entonces, ¿qué le has dicho a Scott Duncan de mí?
—Nada. —Grace intentó pensar—. En cualquier caso, ¿qué podía decirle?
—Buena respuesta. —Asintió, más para sí que para Grace—. Pero no me has explicado por qué fue a verte el señor Duncan. —Vespa cruzó las manos y las apoyó en el regazo—. Me gustaría mucho conocer los detalles.
Grace no quería contárselo —no quería que él se involucrara más en el asunto—, pero era ineludible.
—Era por su hermana.
—¿Qué pasa con ella?
—¿Te acuerdas de la chica de la foto con la cara tachada?
—Sí.
—Se llamaba Geri Duncan. Era su hermana.
Vespa frunció el entrecejo.
—¿Y por eso fue a verte?
—Sí.
—¿Porque su hermana salía en la foto?
—Sí.
Vespa se reclinó en el asiento.
—¿Y qué le pasó a su hermana?
—Murió en un incendio hace quince años.
Para sorpresa de Grace, Vespa no hizo más preguntas. No pidió aclaraciones. Simplemente se volvió a mirar por la ventanilla y ya no habló hasta que el coche se detuvo en el camino de entrada. Grace intentó abrir la puerta para salir, pero tenía algún sistema de bloqueo, como el que usaba ella cuando los niños eran pequeños, y no pudo abrir desde dentro. El chófer fornido dio la vuelta y tiró de la manilla de la puerta. Grace quería preguntar a Carl Vespa qué pensaba hacer, si realmente los dejaría obrar por su cuenta, pero algo en su actitud no encajaba.
Llamarlo había sido un error. Pedirle ahora que se quedara al margen quizás hubiese empeorado las cosas.

—Dejaré a mis hombres hasta que recojas a los niños de la escuela —dijo, todavía sin mirarla—. Después te quedarás sola.

—Gracias.

—¿Grace?

Ella se volvió hacia él.

—No debes mentirme nunca —dijo él con voz gélida.

Grace tragó saliva. Quiso disentir, decirle que no le había mentido, pero temió dar la impresión de que se ponía demasiado a la defensiva, de que protestaba demasiado. Así que se limitó a asentir.

No hubo despedidas. Grace recorrió el camino sola. Ahora su paso vacilante no se debía sólo a la cojera.

¿Qué había hecho?

Pensó en cómo le convenía actuar a continuación. Su cuñada lo había dicho bien: «Protege a los niños». Si Grace estuviera en el lugar de Jack, si hubiera desaparecido por la razón que fuese, es lo que ella habría querido. «Olvídate de mí —le diría—. Pon a los niños a salvo.»

Así que ahora, le gustara o no, Grace abandonaba la operación rescate. Jack se quedaba solo.

Haría las maletas. Esperaría hasta las tres, la hora de salida de la escuela, recogería a los niños y se irían a Pensilvania. Buscaría un hotel donde no hiciera falta tarjeta de crédito. O una pensión. O una habitación de alquiler. Lo que fuese. Llamaría a la policía, tal vez incluso a ese tal Perlmutter. Le diría lo que estaba pasando. Pero antes necesitaba a sus hijos. En cuanto estuvieran a salvo, en cuanto los tuviera en su coche y en la carretera, se sentiría bien.

Llegó a la puerta. Había un paquete en el portal. Se agachó y lo recogió. La caja tenía el logo de *New Hampshire Post*. El remite rezaba: «Bobby Dodd, residencia geriátrica asistida Starshine».

Eran las carpetas de Bob Dodd.

40

Wade Larue estaba sentado al lado de su abogada, Sandra Koval.

Toda la ropa que llevaba era nueva. La sala no olía a cárcel, esa espantosa mezcla de descomposición y desinfectante, de celadores gordos y orina, de manchas que no se quitan nunca, y eso de por sí era un cambio extraño. La cárcel se convierte en tu mundo, y salir de ella es un sueño imposible, como imaginar la vida en otro planeta. A Wade Larue lo habían encerrado a los veintidós años. Ahora tenía treinta y siete. Eso significaba que se había pasado casi toda su vida de adulto entre rejas. Ese olor, ese espantoso olor, era lo único que conocía. Sí, todavía era joven. Tenía, como repetía Sandra Koval como un mantra, toda una vida por delante.

Pero no era eso lo que sentía en ese momento.

La vida de Wade Larue se había ido al traste por culpa de una obra de teatro escolar. En el pueblo de Maine donde se crió, todo el mundo coincidía en que Wade tenía talento para la interpretación. Era un estudiante pésimo. No era muy buen atleta. Pero se le daba bien cantar y bailar y, sobre todo, tenía lo que un crítico local llamó —eso después de ver a Wade encarnar a Nathan Detroit en *Ellos y ellas* en el segundo curso del instituto— «un carisma sobrenatural». Wade poseía ese don especial, ese imponderable que distinguía a los aspirantes a actor con talento de los buenos de verdad.

Antes del último curso del instituto, el señor Pearson, el director de teatro de la escuela, llamó a Wade a su despacho para hablarle de su «sueño imposible». El señor Pearson siempre había querido representar *El hombre de La Mancha*, pero nunca había tenido un alumno, al menos hasta entonces, capaz de encarnar el papel de don Quijote. Ahora, por primera vez, quería intentarlo con Wade.

Pero al llegar septiembre el señor Pearson se fue del instituto y el señor Arnett ocupó su cargo. Hizo las pertinentes pruebas —lo que para Wade Larue era una simple formalidad—, pero el señor Arnett adoptó una actitud hostil con él. Para sorpresa de todo el pueblo, al final eligió a Kenny Thomas, que no tenía el menor talento, para el papel de don Quijote. El padre de Kenny era corredor de apuestas y se decía que el señor Arnett le debía veinte mil dólares. Eso lo explicaba todo. A Wade le ofrecieron el papel del barbero —¡una sola canción!— y al final abandonó la obra.

Prueba de la ingenuidad de Wade es que creyó que al abandonar la obra el pueblo se escandalizaría. Cada instituto tiene sus estereotipos. El delantero de fútbol guapo. El capitán de baloncesto. El presidente de la escuela. El actor principal de todas las obras de teatro de la escuela. Creyó que los habitantes del pueblo protestarían contra la injusticia cometida. Pero nadie dijo nada. Al principio, Wade pensó que era porque le tenían miedo al padre de Kenny y sus posibles relaciones con la mafia, pero la verdad era mucho más sencilla: les daba igual. ¿Por qué habría de importarles?

Es muy fácil entrar poco a poco en un territorio peligroso. La línea es muy delgada, muy frágil. Basta con pisarla, aunque sólo sea un segundo, y a veces, en fin, a veces ya no se puede dar marcha atrás. Tres semanas más tarde Wade Larue se emborrachó, entró en la escuela y destrozó los decorados de la obra. La policía lo cogió y lo expulsaron de la escuela.

Y así empezó la caída.

Wade acabó consumiendo demasiada droga, se fue a vivir a Boston para ayudar a vender y distribuir, se volvió paranoico, empezó a ir armado. Y ahora allí estaba, sentado en ese estrado, un criminal famoso acusado de la muerte de dieciocho personas.

Recordaba aquellas caras iracundas; las había visto durante el juicio, quince años antes. Wade conocía casi todos los nombres. En el juicio lo miraban con una mezcla de dolor y desconcierto, todavía aturdido por el golpe repentino. Entonces Wade los había entendido, incluso se había compadecido de ellos. Ahora, quince años después, las miradas eran más hostiles. Su dolor y desconcierto habían cristalizado en una forma más pura de ira y odio. En el juicio, Wade Larue había eludido las miradas. Pero ya no. Ahora mantenía la cabeza erguida. Los miraba a los ojos. Su compasión, su comprensión, habían sido diezmadas por la incapacidad de esa gente para el perdón. Él nunca había pretendido hacer daño a nadie. Ellos lo sabían. Él había pedido perdón. Había pagado un precio muy alto. Ellos, esas familias, preferían seguir odiando.

Al diablo con ellos.

Sandra Koval peroraba con elocuencia desde el asiento a su lado. Habló de las disculpas y el perdón, de pasar la página y de los cambios, de la comprensión y el deseo humano de una segunda oportunidad. Larue dejó de escucharla. Vio a Grace Lawson sentada al lado de Carl Vespa. Tendría que haberse asustado al ver a Vespa en carne y hueso, pero no, estaba ya más allá de eso. En cuanto entró en la cárcel, Wade recibió varias palizas, propinadas primero por hombres que trabajaban para Vespa y después por quienes querían congraciarse con él. Celadores incluidos. Le había sido imposible huir del constante miedo. El miedo, como el olor, se había convertido en una parte natural de él, en su mundo. Tal vez eso explicaba por qué ahora era inmune a él.

Larue hizo amigos en Walden, pero la cárcel no ayuda a formar el carácter, pese a lo que contaba Sandra Koval a su público en esos momentos. La cárcel lo despoja a uno hasta dejarlo en su estado más escueto, el estado de la naturaleza, y lo que se hace para sobrevivir nunca es bonito. Da igual. Ya estaba fuera. Eso formaba parte del pasado. Ahora había que seguir adelante.

Pero todavía no.

En la sala, el silencio era tal que producía una sensación de vacío, como si incluso el aire hubiera sido aspirado. Las familias estaban todas allí sentadas, impertérritas tanto física como emocionalmente. Pero no se percibía en ellas la menor energía. Eran entidades vacías, seres desolados e impotentes. No podían hacerle daño. Ya no.

Sin previo aviso, Carl Vespa se puso en pie. Por un segundo —sólo un segundo— Sandra Koval se desconcertó. Grace Lawson también se puso en pie. Wade Larue no entendía qué hacían juntos. No tenía sentido. Se preguntó si eso cambiaba algo, si pronto conocería a Grace Lawson.

¿Acaso importaba?

Cuando Sandra Koval acabó, se inclinó hacia él y susurró:

—Vamos, Wade. Puedes salir por la puerta de atrás.

Diez minutos después, en las calles de Manhattan, Wade Larue estaba libre por primera vez en quince años.

Miró los rascacielos. Times Square era su primera meta. Habría un gran gentío y mucho ruido: personas reales, no reclusos. Larue no quería estar solo. No anhelaba ver hierba verde o árboles: eso ya lo veía desde su celda en la aislada zona de Walden. Quería luces, bullicio y gente, gente de verdad, no presos, y sí, tal vez, la compañía de una buena (o mejor mala) mujer.

Pero eso tendría que esperar. Wade Larue miró su reloj. Ya casi era la hora.

Enfiló hacia el oeste por la Calle 43. Todavía estaba a tiempo de echarse atrás. Se encontraba dolorosamente cerca de la terminal de autobús de Port Authority. Podía subirse a un autobús, cualquiera, y partir de cero en algún lugar. Podía cambiarse el nombre, tal vez un poco la cara, y probar suerte en un teatro local. Todavía era joven. Todavía tenía talento. Todavía tenía el carisma sobrenatural.

Pronto, pensó.

Necesitaba resolver ese asunto. Dejarlo atrás. Al ponerlo en libertad, uno de los consejeros de la cárcel le soltó el clásico sermón acerca de que aquello era un buen principio o un mal final, que todo dependía de él. El consejero tenía razón. Ese día iba a dejarlo todo atrás o morir. Wade dudaba que hubiera una vía intermedia.

Más adelante vio un sedán negro. Reconoció al hombre apoyado en él, con los brazos cruzados. Era la boca lo que no podía olvidarse, con los dientes fuera de sitio, amontonados. Ese hombre había sido el primero en darle una paliza a Larue hacía ya muchos años. Quería saber qué había pasado la noche de la Matanza de Boston. Larue le había dicho la verdad: no lo sabía.

Ahora sí lo sabía.

—Hola, Wade.

—Cram.

Cram abrió la puerta. Wade Larue se sentó en el asiento de atrás. Cinco minutos después circulaban por la autopista de West Side, en la recta final del juego.

41

Eric Wu observó la limusina detenerse ante la casa de los Lawson.

Un hombre corpulento con aspecto de cualquier cosa menos de chófer salió del coche, se ciñó la chaqueta para poder abrocharse el botón y abrió la puerta de atrás. Salió Grace Lawson. Se dirigió hacia la puerta sin despedirse ni mirar atrás. El hombre corpulento la vio recoger un paquete y entrar. Luego se metió en el coche y se fue.

Wu se preguntó quién sería ese hombre corpulento. Grace Lawson, según le habían dicho, tal vez tenía protección. La habían amenazado. Habían amenazado a sus hijos. El chófer fornido no era policía, de eso Wu estaba seguro. Pero tampoco era un conductor normal y corriente.

Mejor andarse con cuidado.

Manteniéndose a una distancia prudencial, Wu empezó a circundar la casa. El cielo estaba despejado y el follaje era exuberante. Había muchos escondites. Wu no tenía prismáticos —le habrían facilitado las cosas—, pero daba igual. Enseguida localizó a un hombre. Estaba apostado detrás del garaje, independiente de la casa. Wu se acercó sigilosamente. El hombre hablaba por un walkie-talkie. Wu aguzó el oído. Sólo le llegaron retazos, pero fue suficiente. También había alguien dentro de la casa. Y probablemente otro hombre cerca, en la acera de enfrente.

Eso no le gustó.

De todos modos, ya se las arreglaría. Lo sabía. Pero tendría que actuar rápido. Primero tenía que averiguar dónde estaba exactamente el segundo hombre. Eliminaría a uno con las manos y al otro con la pistola. Tendría que asaltar la casa. Podía hacerlo. Habría muchos cadáveres. El hombre que estaba dentro quizás entonces estuviese ya prevenido. Pero podía hacerlo.

Wu consultó la hora. Las tres menos veinte.

Mientras regresaba a la calle, se abrió la puerta de atrás y salió Grace. Llevaba una maleta. Wu se detuvo y la miró. Grace la puso en el maletero. Volvió a entrar. Salió con otra maleta y un paquete: el mismo, pensó Wu, que la había visto recoger en la puerta de su casa.

Wu volvió a toda prisa al coche que usaba; irónicamente, era el Ford Windstar de Grace, aunque había cambiado la matrícula en el centro comercial de Palisades y colocado unos adhesivos en el parachoques para despistar. La gente recordaba más los adhesivos en los parachoques que las matrículas e incluso las marcas. Había uno de un padre orgulloso de su hijo, un alumno con matrículas de honor. Otro, de los Knicks de Nueva York, decía: UN EQUIPO, UN NUEVA YORK.

Grace Lawson se sentó ante el volante de su coche y arrancó. Bien, pensó Wu. Le sería mucho más fácil cogerla donde se detuviera. Las instrucciones eran claras. Debía averiguar qué sabía. Luego deshacerse del cuerpo. Puso la marcha pero pisó el freno. Quería ver si alguien más la seguía. Nadie salió detrás de ella. Wu se mantuvo a cierta distancia.

Nadie más iba detrás de ella.

Los hombres habían recibido orden de proteger la casa, supuso, no a ella. Wu se sintió intrigado por las maletas y se preguntó adónde iría, cuánto duraría el viaje. Se sorprendió cuando Grace se desvió por calles secundarias. Se sorprendió todavía más cuando se detuvo junto al patio de una escuela.

Claro. Eran casi las tres. Había ido a recoger a sus hijos.

Volvió a pensar en las maletas y en lo que podrían significar. ¿Tenía la intención de recoger a los niños e irse de viaje? Si era así, a lo mejor se iba muy lejos. A lo mejor no se detenía hasta pasadas varias horas.

Wu no quería esperar varias horas.

O bien volvía directa a casa, a la protección de los dos hombres apostados fuera y del que estaba dentro. Eso tampoco le convenía. Tendría los mismos problemas que antes, y encima, en cualquiera de los dos casos, estarían los niños de por medio. Wu no era sanguinario ni sentimental. Era pragmático. Llevarse a una mujer cuyo marido ya había huido podía despertar sospechas e incluso involucrar a la policía, pero si a eso se añadían cadáveres, posiblemente dos niños muertos, la atención se volvería casi insoportable.

No, comprendió Wu. Lo mejor sería llevarse a Grace Lawson allí mismo. Antes de que los niños salieran de la escuela.

Eso significaba que no tenía mucho tiempo.

Las madres empezaron a agolparse y mezclarse, pero Grace Lawson se quedó en su coche. Parecía leer algo. Eran las tres menos diez. Eso significaba que Wu disponía de diez minutos. En ese momento se acordó de la anterior amenaza. Le habían dicho a Grace que se llevarían a sus hijos. En ese caso, era muy posible que también hubiera hombres vigilando la escuela.

Tenía que comprobarlo de inmediato.

No tardó mucho. La furgoneta estaba aparcada a una manzana, al final de una calle sin salida. Demasiado evidente. Wu se planteó la posibilidad de que hubiera más de una. Miró rápidamente alrededor y no vio nada. De todos modos, no tenía tiempo. Debía actuar. Faltaban cinco minutos para que acabaran las clases. En cuanto aparecieran los niños, las cosas se complicarían de manera exponencial.

Wu llevaba ahora el pelo moreno y unas gafas de montura dorada. Vestía ropa deportiva y amplia. Intentó adoptar una actitud tímida mientras caminaba hacia la furgoneta. Miró alrededor como si estuviera perdido. Fue derecho hacia la puerta de atrás y, justo cuando estaba a punto de abrirla, un hombre calvo con la frente empapada en sudor asomó la cabeza.

—¿Qué quieres, amigo?

El hombre vestía un chándal de velvetón azul. No llevaba camiseta debajo de la chaqueta, y se le veía el vello del pecho. Era corpulento y recio. Wu tendió la mano derecha y cogió al hombre por la nuca. Levantó el otro brazo y le hundió la nuez con el codo izquierdo. La garganta simplemente cedió. Se le partió la tráquea como una frágil rama. El hombre se desplomó, sacudiéndose como un pescado en un muelle. Wu lo empujó hacia el interior de la furgoneta y entró.

Dentro encontró el mismo walkie-talkie, unos prismáticos y una pistola. Wu se metió el arma bajo el cinturón. El hombre seguía agitándose. No viviría mucho tiempo.

Faltaban tres minutos para que sonara el timbre de la escuela.

Wu cerró la puerta de la furgoneta al salir y se alejó a toda prisa. Volvió a la calle donde había aparcado Grace Lawson. Las madres se hallaban junto a la valla esperando a los niños. Grace Lawson ya había salido del coche y estaba sola. Eso facilitaría las cosas.

Wu se dirigió hacia ella.

Al otro lado del patio, Charlaine Swain pensaba en las reacciones en cadena y en las piezas de dominó que caían.

Si Mike y ella no hubiesen tenido problemas.

Si ella no hubiese iniciado esa danza perversa con Freddy Sykes.

Si ella no hubiese mirado por la ventana cuando Eric Wu estaba allí.

Si ella no hubiese abierto el guardallaves y llamado a la policía.

Pero en ese momento, mientras pasaba junto al patio de la escuela, las piezas de dominó caían más en el presente: si Mike no hubiese despertado, si no hubiese insistido en que se ocupara de los niños, si Perlmutter no le hubiese preguntado por Grace Lawson..., en fin, sin todo eso Charlaine no habría dirigido la mirada hacia donde estaba Grace Lawson.

Pero Mike había insistido. Le había recordado que los niños la necesitaban. Así que allí estaba. Recogiendo a Clay en la escuela. Y efectivamente Perlmutter había preguntado a Charlaine si conocía a Jack Lawson. De modo que cuando Charlaine llegó al patio de la escuela, fue normal, si no inevitable, que mirara alrededor en busca de la mujer de ese hombre.

Por eso Charlaine miraba en ese momento a Grace Lawson.

Incluso sintió la tentación de acercarse —¿acaso no había sido esa una de las razones por las que había ido a buscar a Clay?—, pero cuando vio que Grace cogía el móvil y empezaba a hablar, Charlaine decidió mantener las distancias.

—Hola, Charlaine.

Una mujer, una madre popular y parlanchina que antes ni se dignaba darle la hora a Charlaine, se había detenido ante ella con cara de aparente preocupación. El periódico no había mencionado el nombre de Mike, sólo el tiroteo, pero en un pueblo pequeño las noticias vuelan.

—Me he enterado de lo de Mike. ¿Está bien?

—Perfectamente.

—¿Qué pasó?

Otra mujer se acercó sigilosamente por la derecha. Otras dos se encaminaron hacia ella. Y luego dos más. Ahora venían ya de todas direcciones, esas madres que se acercaban, que se interponían en su camino, casi tapándole la vista.

Casi.

Por un instante Charlaine no pudo moverse. Se quedó petrificada al verlo acercarse a Grace Lawson.

Había cambiado de aspecto. Ahora llevaba gafas. Ya no tenía el pelo rubio. Pero no cabía duda. Era el mismo hombre.

Era Eric Wu.

A más de trescientos metros, Charlaine se estremeció cuando Wu apoyó la mano en el hombro de Grace. Lo vio agacharse y susurrarle algo al oído.

Y entonces vio que el cuerpo entero de Grace Lawson se ponía rígido.

Grace se sintió intrigada por el hombre asiático que caminaba hacia ella.

Supuso que simplemente pasaría de largo. Era demasiado joven para ser un padre. Grace conocía a casi todos los profesores. No era uno de ellos. Debía de ser un nuevo profesor en prácticas. Seguro que era eso. En realidad tampoco se fijó mucho en él. Tenía la cabeza en otras cosas.

En cualquier caso, llevaba ropa suficiente para unos cuantos días. Grace tenía una prima que vivía cerca de Penn State, justo en medio de Pensilvania. Tal vez podía ir allí. Grace no la había llamado para avisar. No quería dejar ningún rastro.

Tras meter la ropa en las maletas, había cerrado la puerta de su dormitorio. Cogió la pequeña pistola que Cram le había dado y la dejó en la cama. Se quedó un buen rato mirándola. Siempre se había opuesto con vehemencia a las armas. Como la mayoría de las personas racionales, temía las consecuencias de tener un arma así en una casa. Pero Cram lo había expresado de manera sucinta el día anterior: ¿Acaso sus hijos no habían sido amenazados?

El comodín.

Grace se ciñó la pistolera de nilón al tobillo de la pierna ilesa. Le resultaba incómoda y le picaba la piel. Se puso unos vaqueros un poco acampanados. La pistola estaba tapada, pero la pernera dejaba espacio suficiente. Se veía un bulto bajo la tela, pero no más que si llevara botas.

Cogió el paquete de Bob Dodd procedente de su despacho en el *New Hampshire Post* y se marchó a la escuela. Como disponía de unos minutos, se quedó en el coche y empezó a inspeccionar el contenido del paquete. Grace no tenía ni idea de qué esperaba encontrar. Había varios objetos típicos de escritorio: una pequeña bandera americana, un tazón de Ziggy, un sello con el remitente, un pequeño pisapapeles de plexiglás. Había bolígrafos, lápices, gomas, sujetapapeles, líquido corrector, tachuelas, notas Post-it, grapas.

Grace quería saltarse todo eso y zambullirse en las carpetas, pero tampoco éstas contenían gran cosa. Dodd debía de trabajar básicamente con el ordenador. Encontró unos cuantos disquetes, sin etiqueta. A lo mejor alguno de ellos le proporcionaba una pista. Lo comprobaría en cuanto tuviera acceso a un ordenador.

En cuanto a los papeles, sólo había recortes de periódico. Artículos escritos por Bob Dodd. Grace los hojeó. Cora tenía razón. Las historias eran en su mayoría revelaciones de escasa importancia. La gente escribía una carta quejándose de algo. Bob Dodd lo investigaba. Desde luego no era el tipo de historia que podía conducir a un asesinato, pero ¿quién sabía? A veces las cosas pequeñas tenían grandes repercusiones.

Estaba a punto de desistir —en realidad ya había desistido— cuando encontró la foto en el fondo. El marco estaba boca abajo. Más por curiosidad que por otra cosa, le dio la vuelta y miró. Era una típica foto de vacaciones. Bob Dodd y su mujer Jillian estaban en una playa, los dos sonriendo con resplandecientes dientes blancos, los dos con camisas hawaianas. Jillian era pelirroja. Tenía los ojos muy separados. Grace de pronto entendió el papel de Bob Dodd en todo aquello. No guardaba la menor relación con el hecho de que fuera periodista.

Su mujer, Jillian Dodd, era Sheila Lambert.

Grace cerró los ojos y se frotó el caballete de la nariz. A continuación volvió a meterlo todo en el paquete. Lo puso en el asiento de atrás y salió del coche. Necesitaba tiempo para pensar y recomponerlo todo.

Los cuatro miembros de Allaw: todo revertía a ellos. Sheila Lambert, ahora lo sabía Grace, se había quedado en el país. Se había cambiado el nombre y casado. Jack había huido a un pueblo de Francia. Shane Alworth estaba muerto o en paradero desconocido; tal vez, como dijo su madre, ayudaba a los pobres en México. Geri Duncan había sido asesinada.

Grace miró el reloj. El timbre sonaría en pocos minutos. Sintió la vibración del móvil en el cinturón.

—¿Diga?

—Señora Lawson, soy el capitán Perlmutter.

—Ah, capitán. ¿En qué puedo ayudarlo?

—Necesito hacerle unas preguntas.

—Ahora mismo estoy en la escuela, recogiendo a mis hijos.

—¿Quiere que vaya a su casa? Podemos vernos allí.

—Saldrán dentro de un par de minutos. Ya pasaré yo por la comisaría. —La invadió una sensación de alivio. Esa idea descabellada de huir a Pensilvania tal vez fuera una exageración. A lo mejor Perlmutter sabía algo. A lo mejor, con lo que ella sabía ahora sobre la foto, por fin él la creería—. ¿Le parece bien?

—Perfecto. Aquí la espero.

En cuanto Grace cerró el móvil, sintió una mano en el hombro. Se volvió. La mano pertenecía al joven asiático. Éste inclinó la cabeza hacia su oído.

—Tengo a su marido —susurró.

42

—¿Charlaine? ¿Te pasa algo?

Era la madre popular y parlanchina. Charlaine no le hizo caso.

«Bien, Charlaine, piensa», se dijo.

¿Qué haría la heroína tonta?, se preguntó. Hasta ese momento había actuado de ese modo: imaginando qué habría hecho la mujer desvalida... para hacer todo lo contrario.

«Vamos, vamos...»

Charlaine intentó luchar contra el miedo que casi la paralizaba. No esperaba volver a ver a ese hombre. La policía lo buscaba. Eric Wu había herido a Mike. Había agredido a Freddy y lo había mantenido prisionero. La policía tenía sus huellas dactilares. Sabían quién era. Volverían a meterlo en la cárcel. Así pues, ¿qué hacía allí?

«¿Y eso qué más da, Charlaine? Haz algo.»

La respuesta no requería muchas luces: debía llamar a la policía.

Metió la mano en el bolso y sacó su Motorola. Las madres seguían ladrando como perros falderos. Charlaine abrió el móvil.

Estaba sin batería.

Típico, y sin embargo tenía su explicación. Lo había usado en la persecución. Lo había llevado encendido durante todo ese tiempo. El teléfono tenía dos años. Al maldito aparato se le agotaba la batería cada dos por tres. Volvió a dirigir la mirada hacia el otro extremo del patio. Eric Wu hablaba con Grace Lawson. Los dos empezaron a alejarse.

La misma mujer volvió a preguntar:
—¿Pasa algo, Charlaine?
—Necesito usar tu móvil —dijo—. Ahora.

Grace se quedó mirando al hombre.
—Si me sigue, la llevaré a donde está su marido. Lo verá. Volverá dentro de una hora. Pero el timbre de la escuela sonará dentro de un minuto. Si no viene conmigo, sacaré una pistola. Dispararé a sus hijos. Dispararé a bulto contra cualquier niño. ¿Entendido?
Grace no podía hablar.
—No tiene mucho tiempo.
Recuperó la voz.
—Iré con usted.
—Usted conduce. Sólo tiene que caminar tranquilamente a mi lado. Le ruego que no cometa el error de intentar hacer una señal a alguien. Porque lo mataré. ¿Entendido?
—Sí.
—Tal vez se pregunte por el hombre encargado de protegerla —prosiguió—. Le puedo asegurar que ya no interferirá.
—¿Quién es usted? —preguntó Grace.
—El timbre está a punto de sonar. —Apartó la mirada con un asomo de sonrisa en los labios—. ¿Quiere que yo continúe aquí cuando salgan sus hijos?
«Grita —pensó Grace—. Grita como una loca y echa a correr.» Pero vio el bulto de la pistola. Vio los ojos del hombre. Eso no era ningún farol. Hablaba en serio. Era capaz de matar.
Y tenía a su marido.
Empezaron a caminar hacia su coche, uno al lado del otro, como dos amigos. Grace dirigió la mirada hacia el patio. Vio a Cora. Cora la miró con expresión de perplejidad. Grace no quiso arriesgarse. Volvió la cara.
Grace siguió andando. Llegaron a su coche. Justo cuando acababa de abrir las puertas con el mando sonó el timbre.

La mujer parlanchina buscó en el bolso.

—Tenemos un plan de llamadas espantoso. A veces Hal es muy tacaño. Sólo nos alcanza para las llamadas de la primera semana y luego tenemos que vigilar el resto del mes.

Charlaine miró a las demás mujeres. Como no quería asustarlas, intentó hablar con naturalidad.

—Por favor, ¿alguien puede dejarme su móvil?

Tenía la mirada fija en Wu y Lawson. Ya habían cruzado la calle y estaban al lado del coche de Grace. Vio que Grace abría las puertas con un mando. Grace se detuvo junto a la puerta del conductor, Wu junto a la del acompañante. Grace Lawson no hizo el menor ademán de huir. Charlaine no le veía bien la cara, pero no parecía coaccionada.

Sonó el timbre.

Todas las madres se volvieron hacia las puertas, una reacción pavloviana, y esperaron a que salieran sus hijos.

—Toma, Charlaine.

Una de las madres, sin apartar la mirada de la puerta de la escuela, le dio su móvil a Charlaine. Ella intentó no cogerlo con precipitación. Justo cuando se lo acercaba a la oreja, miró una vez más a Grace y Wu. Se detuvo en seco.

Wu la miraba fijamente.

Cuando Wu volvió a ver a esa mujer, lo primero que hizo fue llevarse la mano a la pistola.

Iba a dispararle. Allí mismo. En ese preciso instante. Delante de todo el mundo.

Wu no era supersticioso. Comprendió que era lógico que esa mujer estuviera allí. Tenía hijos. Vivía en la zona. Allí debía de haber entre doscientas y trescientas madres. No era extraño que se encontrara entre ellas.

Aun así quería matarla.

Desde el punto de vista supersticioso, quería matar a ese demonio.

Desde el punto de vista práctico, así le impediría llamar a la policía. También sembraría el pánico, lo que le permitiría escapar. Si le disparaba, todo el mundo se precipitaría hacia la mujer herida. Sería una distracción perfecta.

Pero eso también planteaba problemas.

En primer lugar, la mujer estaba al menos a treinta metros. Eric Wu conocía sus puntos fuertes y sus puntos débiles. En un encuentro cuerpo a cuerpo no tenía parangón. Con una pistola, no pasaba de ser un tirador aceptable. Podía herirla solamente o, peor aún, errar. Sí, seguro que sembraría el pánico, pero si no caía nadie, tal vez no fuera ése el tipo de distracción que le convenía.

Su verdadero objetivo —la razón por la que estaba allí— era Grace Lawson. Ahora ya la tenía. Le obedecía. Se mostraba dócil porque todavía se aferraba a la esperanza de que su familia sobreviviría. Si Grace Lawson lo veía disparar, teniendo en cuenta que ella estaba fuera de su alcance, cabía la posibilidad de que sucumbiera al pánico y huyera.

—Entre —ordenó.

Grace Lawson abrió la puerta del coche. Eric Wu miró a la mujer en el otro extremo del patio. Cuando sus miradas se cruzaron, movió la cabeza en un lento gesto de negación y se señaló la cintura. Quería que lo entendiera. Ella ya lo había contrariado antes y él había disparado. Volvería a hacerlo.

Esperó a que la mujer bajara el teléfono. Sin apartar la mirada de ella, Wu entró en el coche. Arrancaron y se alejaron por Morningside Drive.

43

Perlmutter estaba sentado frente a Scott Duncan. Se hallaban en el despacho del capitán en la comisaría. El aire acondicionado se había estropeado. Docenas de policías con uniforme completo todo el día y sin aire acondicionado: aquello empezaba a apestar.

—Así que está en excedencia en la fiscalía —dijo Perlmutter.

—Exacto —contestó Duncan—. Ahora ejerzo de manera privada.

—Entiendo. Y su cliente contrató a Indira Khariwalla; perdón, usted contrató a la señora Khariwalla en nombre de un cliente.

—Eso no lo niego ni lo confirmo.

—Y tampoco me dirá si su cliente quería que siguieran a Jack Lawson.

—Exacto.

Perlmutter abrió las manos.

—¿Y qué quiere exactamente, señor Duncan?

—Quiero saber qué han averiguado acerca de la desaparición de Jack Lawson.

Perlmutter sonrió.

—Vale, a ver si me queda claro. Se supone que tengo que contarle todo lo que sé sobre la investigación de un asesinato y una desaparición, a pesar de que es muy posible que su cliente tenga algo que ver. Y usted, en cambio, no puede soltar prenda. ¿Es eso?

—No, no es exactamente así.

—Pues tendrá que echarme una mano.

—Esto no tiene nada que ver con un cliente. —Duncan cruzó las piernas, apoyando el tobillo en la rodilla—. Tengo un interés personal en el caso Lawson.

—¿Y eso?

—La señora Lawson le enseñó una foto.

—Sí, me acuerdo.

—La chica con el aspa en la cara —explicó— era mi hermana.

Perlmutter se reclinó y soltó un suave silbido.

—Tal vez deba empezar por el principio.

—Es una historia muy larga.

—Mentiría si le dijese que tengo todo el día.

Como para demostrarlo, la puerta se abrió de golpe. Daley asomó la cabeza.

—Línea dos.

—¿Qué pasa?

—Es Charlaine Swain. Dice que acaba de ver a Eric Wu en el patio de la escuela.

Carl Vespa miraba el cuadro.

Era de Grace. Vespa tenía ocho cuadros de ella, aunque éste era el que más lo conmovía. Era, sospechaba, un retrato de los últimos momentos de Ryan. Los recuerdos de Grace de esa noche estaban borrosos. Aunque ella eludía la grandilocuencia, había tenido esa visión —ese cuadro aparentemente normal de un joven que parecía al borde de una pesadilla— en una especie de trance artístico. Grace Lawson decía que soñaba con esa noche. Según ella, ése era el único lugar donde existían los recuerdos.

Vespa reflexionaba.

Su casa estaba en Englewood, Nueva Jersey. En otro tiempo las residencias de la calle pertenecían a familias de rancio abolengo. Ahora Eddie Murphy vivía al final de la calle. Un famoso delantero de los Nets de Nueva Jersey vivía dos casas más abajo. La finca de Vespa, antaño propiedad de un Vanderbilt, era amplia y estaba aislada. En 1988, Sharon, su ex mujer, había tirado abajo el edificio de piedra de principios de siglo y construido algo que a ella le pareció moderno. No había envejecido bien. La casa parecía un conjunto de cubos de cristal apilados al azar. Tenía demasiadas ventanas. En verano hacía un calor sofocante. Parecía un invernadero.

Ahora Sharon también se había ido. No quiso quedarse con la casa cuando se divorciaron. En realidad no quiso quedarse con casi nada. Vespa no intentó convencerla de lo contrario. Ryan había sido su principal vínculo, muerto más que vivo. Eso nunca fue sano.

Vespa comprobó el monitor de seguridad del camino de entrada. El sedán había llegado.

Sharon y él habían querido más hijos, pero no pudo ser. Vespa producía un número reducido de espermatozoides. No se lo dijo a nadie, claro, insinuando así sutilmente que la culpa la tenía Sharon. Aunque fuera terrible decirlo ahora, Vespa creía que si hubiese habido más hijos, si Ryan hubiese tenido al menos un hermano, la tragedia habría sido, si no más fácil, al menos soportable. El problema con las tragedias es que uno tiene que seguir adelante. No le queda más remedio. Por más que quiera, no puede detenerse en mitad del camino y esperar a que amaine el temporal. Si tiene más hijos, lo entiende enseguida. Puede que su vida se haya acabado, pero tiene que levantarse de la cama para los demás.

Dicho en términos más sencillos, Vespa ya no tenía ninguna razón para levantarse de la cama.

Salió y esperó a que se detuviera el sedán. Cram se bajó primero, con un móvil pegado a la oreja. Lo siguió Wade Larue. No parecía asustado. Parecía curiosamente en paz, contemplando los exuberantes alrededores. Cram murmuró algo a Larue —Vespa no oyó lo que dijo— y luego subió por la escalinata. Wade Larue se alejó como si se replegara.

—Tenemos un problema —dijo Cram.

Vespa esperó a la vez que seguía a Wade Larue con la mirada.

—Richie no contesta por la radio.

—¿Dónde estaba apostado?

—En una furgoneta al lado de la escuela.

—¿Dónde está Grace?

—No lo sabemos.

Vespa miró a Cram.

—Eran las tres. Sabíamos que había ido a recoger a Emma y

Max. Richie tenía que seguirla desde allí. Llegó a la escuela, eso lo sabemos. Richie lo comunicó por radio. Desde entonces, nada.

—¿Has enviado a alguien?

—Simon fue a ver la furgoneta.

—¿Y?

—Sigue allí, aparcada en el mismo lugar. Pero ahora la zona está llena de policías.

—¿Y los niños?

—Todavía no lo sabemos. Simon dice que cree que los ha visto en el patio de la escuela. Pero no quiere acercarse estando allí la policía.

Vespa cerró los puños.

—Tenemos que encontrar a Grace.

Cram no dijo nada.

—¿Qué?

Cram se encogió de hombros.

—Creo que te equivocas, eso es todo.

Ninguno de los dos dijo nada más. Permanecieron inmóviles, mirando a Wade Larue. Éste se paseaba por el jardín, fumando un cigarrillo. Desde la parte más alta de la finca se disfrutaba de una vista magnífica del puente de George Washington y, por detrás, los lejanos rascacielos de Manhattan. Desde allí Vespa y Cram, al desplomarse las Torres Gemelas, habían contemplado las nubes de humo que se elevaban como si surgiesen del Hades. Vespa conocía a Cram desde hacía treinta y ocho años. No sabía de nadie que lo superara con una pistola o una navaja. Le bastaba con una mirada para asustar a la gente. Los hombres más viles, los psicópatas más violentos, pedían piedad antes de que Cram siquiera los tocara. Pero aquel día, de pie en el jardín, mientras veían en silencio disiparse el humo, incluso Cram se había venido abajo y había roto a llorar.

Miraron a Wade Larue.

—¿Has hablado con él? —preguntó Vespa.

Cram negó con la cabeza.

—Ni una palabra.

—Se lo ve muy tranquilo.

Cram no dijo nada. Vespa se dirigió hacia Larue. Cram se quedó donde estaba. Larue no se volvió. Vespa se detuvo a unos tres metros y preguntó:

—¿Querías verme?
Larue siguió mirando el puente.
—Una vista hermosa —dijo.
—No estás aquí para admirarla.
Se encogió de hombros.
—Eso no significa que no pueda hacerlo.
Vespa esperó. Wade Larue no se dio la vuelta.
—Has confesado.
—Sí.
—¿Dijiste la verdad? —preguntó Vespa.
—¿En ese momento? No.
—¿Eso qué significa? ¿En ese momento?
—Quiere saber si disparé esos dos tiros esa noche. —Wade Larue por fin se volvió y miró a Vespa de frente—. ¿Por qué?
—Quiero saber si mataste a mi hijo.
—En cualquier caso yo no le disparé.
—Ya sabes a qué me refiero.
—¿Puedo preguntarle una cosa?
Vespa esperó.
—¿Esto lo hace por usted? ¿O por su hijo?
Vespa se quedó pensativo.
—No es por mí.
—¿Es por su hijo, pues?
—Está muerto. No le servirá de nada.
—Entonces ¿por quién es?
—Da igual.
—A mí no me da igual. Si no es por su hijo, ¿por qué todavía necesita vengarse?
—Hay que hacerlo.
Larue asintió.
—El mundo necesita equilibrio —prosiguió Vespa.
—¿El yin y el yang?
—Algo así. Murieron dieciocho personas. Alguien tiene que pagar.
—¿Y si no el mundo se desequilibra?
—Sí.
Larue sacó un paquete de tabaco. Le ofreció un cigarrillo a Vespa. Vespa negó con la cabeza.

—¿Disparaste tú esa noche? —preguntó Vespa.

—Sí.

Fue entonces cuando Vespa estalló. Era su temperamento. Podía pasar de un estado de indiferencia a una ira incontenible sin transición alguna. Se le disparaba la adrenalina, como un termómetro que sube de temperatura en unos dibujos animados. Apretó el puño y le asestó un golpe a Larue en plena cara. Larue cayó de espaldas. Se sentó y se llevó la mano a la nariz. Sangraba. Sonrió a Vespa.

—¿Eso le ha dado equilibrio?

Vespa jadeaba.

—Es un principio.

—Yin y yang —dijo Larue—. Me gusta esa teoría. —Se limpió la cara con el antebrazo—. La cuestión es si ese equilibrio universal se transmite de generación en generación.

—¿Qué quieres decir con eso?

Larue sonrió. Tenía sangre en los dientes.

—Creo que ya está enterado.

—Voy a matarte. Ya lo sabes.

—¿Porque obré mal? ¿Para pagar el precio?

—Sí.

Larue se puso en pie.

—¿Y usted, señor Vespa?

Vespa apretó el puño, pero los efectos de la adrenalina empezaban a disminuir.

—Usted ha obrado mal. ¿Ha pagado el precio? —Larue ladeó la cabeza—. ¿O lo pagó su hijo por usted?

Vespa asestó un fuerte puñetazo a Larue en el estómago. Larue se dobló. Vespa le golpeó en la cabeza. Larue volvió a caerse. Vespa le pateó la cara. Ahora Larue estaba tumbado boca arriba. Vespa se acercó. Aunque Larue sangraba por la boca, seguía riéndose. Las únicas lágrimas estaban en el rostro de Vespa, no en el de Larue.

—¿De qué te ríes?

—Yo era como usted. Deseaba vengarme.

—¿De qué?

—Por estar en esa celda.

—Tú tuviste la culpa.

Larue se incorporó.

—Sí y no.

Vespa retrocedió un paso. Miró hacia atrás. Cram, inmóvil, observaba.

—Dijiste que querías hablar.

—Esperaré a que acabe de pegarme.

—Dime por qué me llamó.

Wade Larue comprobó si tenía sangre en la boca. Casi pareció alegrarse al verla.

—Yo quería venganza. No sabe hasta qué punto. Pero ahora, hoy, al salir, al quedar libre por fin... ya no la quiero. Me he pasado quince años en la cárcel. Pero ahora mi condena ha acabado. Su condena... bueno, la verdad es que la suya nunca acabará, ¿no es así, señor Vespa?

—¿Qué quieres?

Larue se puso en pie. Se acercó a Vespa.

—Está sufriendo mucho. —Ahora hablaba con voz suave, tan íntima como una caricia—. Quiero que lo sepa todo, señor Vespa. Quiero que sepa la verdad. Esto tiene que acabar. Hoy. De una manera u otra. Quiero vivir mi vida. No quiero estar mirando por encima del hombro. Así que voy a contarle lo que sé. Voy a contárselo todo. Y después podrá decidir lo que tiene que hacer.

—Creía haberte oído decir que disparaste esos tiros.

Larue no le hizo caso.

—¿Se acuerda del teniente Gordon MacKenzie?

La pregunta sorprendió a Vespa.

—El guardia de seguridad. Claro.

—Fue a verme a la cárcel.

—¿Cuándo?

—Hace tres meses.

—¿Por qué?

Larue sonrió.

—Una vez más, por eso del equilibrio. Por enmendar las cosas. Usted lo llama yin y yang. MacKenzie lo llamó Dios.

—No lo entiendo.

—Gordon MacKenzie estaba muriéndose. —Larue apoyó la mano en el hombro de Vespa—. Así que antes de irse, tenía que confesar sus pecados.

44

Grace llevaba la pistola en la funda sujeta al tobillo.

Arrancó el coche. El asiático iba sentado a su lado.

—Siga recto y luego gire a la izquierda.

Grace tenía miedo, claro, pero también sentía una calma extraña. Supuso que tenía que ver con el hecho de estar en el ojo del huracán. Por fin ocurría algo. Ahora tenía la posibilidad de encontrar respuestas. Intentó definir las prioridades.

Primero: tenía que alejarlo de los niños.

Eso era lo más importante. Emma y Max estarían bien. Los profesores se quedaban fuera hasta que recogían a todos los niños. Al ver que ella no aparecía, suspirarían con impaciencia y los llevarían a la secretaría. La vieja sargenta de la recepción, la señora Dinsmont, desaprobaría el comportamiento de la madre irresponsable chasqueando la lengua con fruición y haría esperar a los niños. Unos seis meses antes, Grace había llegado tarde a causa de unas obras en la carretera. Corroída por la culpa, imaginó que Max la esperaba como en una escena de *Oliver Twist*. Sin embargo, cuando llegó, Max estaba en la secretaría dibujando un dinosaurio. Quería quedarse.

Ya no se veía la escuela.

—Gire a la derecha.

Grace obedeció.

Su captor, si se le podía llamar así, había dicho que la llevaba a reunirse con Jack. Grace no sabía si era verdad, pero por alguna razón sospechaba que sí. Estaba segura, por supuesto, de que él no lo hacía por bondad. La habían advertido. Se había acercado demasiado. Ese hombre era peligroso; no necesitaba ver la pistola en la cintura para saberlo. Desprendía un chisporroteo, una electricidad, y Grace sabía, lo sabía sin más, que ese hombre causaba estragos a su paso.

Pero Grace necesitaba desesperadamente ver adónde conducía esa situación. Llevaba la pistola sujeta al tobillo. Si mantenía la calma, si tenía cuidado, podría jugar con el factor sorpresa. Eso era algo. Así que de momento le seguiría la corriente. De todos modos, no le quedaba más remedio.

Le preocupaba el manejo de la pistola y la funda. ¿Podría sacar la pistola fácilmente? ¿Se dispararía realmente al apretar el gatillo? ¿De verdad bastaba con apuntar y disparar? Y aunque pudiera sacar la pistola de la funda a tiempo —cosa que dudaba por la manera en que ese hombre la vigilaba—, ¿qué haría? ¿Apuntarle y exigirle que la llevara a donde estaba Jack?

No podía imaginar que eso diese resultado.

Tampoco podía dispararle sin más. No porque eso le supusiera un dilema ético ni por la duda de si tendría valor suficiente para apretar el gatillo. Él, ese hombre, podía ser su única conexión con Jack. Si lo mataba, ¿en qué posición quedaba ella? Habría silenciado a su única pista, tal vez la única posibilidad, para encontrar a Jack.

«Más vale esperar y ver qué pasa», se dijo, como si pudiera elegir.

—¿Quién es usted? —preguntó Grace.

El hombre permaneció impertérrito. Cogió el bolso de Grace y vació su contenido en el regazo. Lo revisó todo, revolviendo los objetos y tirándolos al asiento de atrás. Encontró el móvil, le quitó la batería y lo arrojó atrás.

Ella siguió acribillándole a preguntas —dónde está mi marido, qué quiere de nosotros—, pero él siguió sin contestar. Cuando llegaron a un semáforo en rojo, el hombre hizo algo que ella no esperaba.

Le apoyó la mano en la rodilla de la pierna coja.

—Se hizo daño en la pierna —dijo.

Grace no supo qué contestar. El hombre la tocaba con suavidad, apenas rozándola. Y de pronto, sin previo aviso, le clavó los dedos como garras de acero. De hecho, los hundió bajo la rótula. Grace se dobló. Las yemas de los dedos del hombre desaparecieron en el hueco donde la rodilla se une a la tibia. El dolor fue tan repentino, tan intenso, que Grace ni siquiera pudo gritar. Tendió la mano y le cogió los dedos, intentó apartarlos de su rodilla, pero no cedieron en absoluto. Su mano era como un bloque de cemento.

Su voz era apenas un susurro.

—Si aprieto un poco más y luego tiro...

La cabeza le daba vueltas. Estaba a punto de perder el conocimiento.

—... podría arrancarle la rótula directamente.

Cuando el semáforo se puso en verde, la soltó. Grace casi se desplomó de alivio. Todo había transcurrido en no más de cinco segundos. El hombre la miró. Había un asomo de sonrisa en su rostro.

—Y ahora me gustaría que dejara de hablar, ¿entendido?

Grace asintió.

El hombre miró hacia delante.

—Siga conduciendo.

Perlmutter ordenó que se alertase a todos los coches patrulla. Charlaine Swain había tenido el buen tino de apuntar la marca y la matrícula. El coche estaba a nombre de Grace Lawson, como era de prever. Perlmutter iba en un coche particular, rumbo a la escuela. Lo acompañaba Scott Duncan.

—¿Y quién es ese Eric Wu? —preguntó Duncan.

Perlmutter se preguntó qué debía contarle, pero no vio ninguna razón para retener esa información.

—De momento sabemos que entró en una casa, agredió al propietario dejándolo temporalmente paralizado, disparó a otro hombre y creo que mató a Rocky Conwell, el hombre que seguía a Lawson.

Duncan no dijo nada.

Otros dos coches patrulla estaban ya allí. A Perlmutter eso no le gustó: coches de la policía en la escuela. Al menos habían tenido el sentido común de no encender las sirenas. Algo era algo. Los padres que recogían a sus hijos reaccionaron de dos maneras. Algunos llevaron a los niños al coche a toda prisa, con la mano alrededor de los hombros, como si los protegieran de los posibles disparos. Otros se dejaron llevar por la curiosidad. Caminaban con parsimonia, ajenos a todo, como si se negaran a creer que pudiera haber peligro en un entorno tan inocente.

Charlaine Swain estaba allí. Perlmutter y Duncan se acercaron a ella a paso rápido. Un joven policía de uniforme llamado Dempsey le hacía preguntas y tomaba nota. Perlmutter lo despachó y preguntó:

—¿Qué ha ocurrido?

Charlaine le explicó que había ido a la escuela y buscado a Grace Lawson por lo que él, Perlmutter, le había dicho. Y le contó que había visto a Eric Wu con Grace.

—¿No ha habido ninguna amenaza evidente? —preguntó.

—No —contestó Charlaine.

—De modo que es posible que haya ido con él por su propia voluntad.

Charlaine Swain dirigió una rápida mirada a Scott Duncan y luego volvió a fijarla en Perlmutter.

—No, no ha ido por su propia voluntad.

—¿Cómo lo sabe?

—Porque Grace ha venido sola a recoger a los niños —contestó Charlaine.

—¿Y qué?

—No los habría dejado así, sin más, por su propia voluntad. Oiga, no he podido llamarlos en cuanto lo he visto. Ese hombre ha sido capaz de dejarme paralizada desde el otro lado del patio.

—No sé si la entiendo —dijo Perlmutter.

—Si Wu ha podido hacer eso desde lejos —explicó Charlaine—, imagine lo que ha sido capaz de hacerle a Grace Lawson cuando estaba al lado de ella, susurrándole al oído.

Otro agente de uniforme, llamado Jackson, se acercó corriendo a Perlmutter. Tenía los ojos desorbitados y Perlmutter se dio cuenta de que hacía un esfuerzo para no dejarse llevar por el pánico. Los padres también lo percibieron. Se apartaron.

—Hemos encontrado algo —dijo Jackson.

—¿Qué?

Se acercó más para que nadie lo oyera.

—Una furgoneta aparcada a dos manzanas. Creo que debería venir a ver esto.

Debería usar la pistola ya.

Grace sentía un dolor atroz en la rodilla. Era como si le hubiera estallado una bomba en la articulación. Tenía los ojos húmedos de contener las lágrimas. Se preguntó si podría caminar cuando se detuvieran.

Miraba de reojo al hombre que le había hecho tanto daño. Cada vez que lo hacía, veía que la observaba, todavía con esa expresión burlona. Grace intentó pensar, poner en orden sus pensamientos, pero la asaltaba sin cesar el recuerdo de la mano en su rodilla.

Le había causado ese dolor con absoluta naturalidad. Habría sido distinto si hubiese mostrado alguna emoción, cualquiera, ya fuera éxtasis o repulsión, pero no hubo nada de eso. Como si lastimar a alguien fuera un simple trámite burocrático. Sin el menor esfuerzo. Su fanfarronada, si podía llamarse así, no habían sido palabras huecas: de haber querido, habría podido sacarle la rótula como el tapón de una botella.

Habían atravesado la frontera estatal y ya estaban en Nueva York. Iban por la Interestatal 287 en dirección norte, hacia el puente de Tappan Zee. Grace no se atrevió a hablar. Sus pensamientos, como es natural, volvían siempre a los niños. Emma y Max ya debían de haber salido de la escuela. La habrían buscado. ¿Los habrían llevado a la secretaría? Cora había visto a Grace en el patio. También otras madres, eso sin duda. ¿Harían o dirían algo?

Todo eso era irrelevante y, sobre todo, una pérdida de energía mental. Ella no podía hacer nada. Ahora debía concentrarse en lo que tenía entre manos.

«Piensa en la pistola», se dijo.

Grace intentó imaginar cómo lo haría. Bajaría las dos manos. Se levantaría la pernera con la mano izquierda y cogería el arma con la derecha. ¿Cómo estaba sujeta? Grace intentó recordar. Tenía una tira por encima, ¿no? La había abrochado. Esa tira sujetaba la pistola para que no se moviera. Tendría que desabrocharla. Si intentaba sacar la pistola directamente, quedaría atrapada.

«Muy bien. Acuérdate: primero tienes que desabrocharla. Luego tirar.»

Pensó en cuál sería el momento más oportuno. Ese hombre era muy fuerte. Eso ya lo había visto. Debía de estar muy habituado a la violencia. Grace tendría que esperar una oportunidad. Para empezar —y eso era evidente—, cuando diera el paso no podía estar conduciendo. Tendrían que estar en un semáforo en rojo o aparcados o... quizá le convenía esperar a salir del coche. Eso tal vez diera resultado.

En segundo lugar, tendría que distraer al hombre. La vigilaba muy atentamente. También él iba armado. Llevaba un arma en el cinturón. Podría empuñarla más rápido que ella. Así que debía asegurarse de que no la miraba, de que su atención, de algún modo, se desviaba.

—Coja esta salida.

El cartel rezaba: ARMONK. Sólo habían recorrido unos cinco o seis kilómetros de la 287. No iban a cruzar el puente de Tappan Zee. Grace había pensado que tal vez el puente le daría otra oportunidad. Allí había cabinas de peaje. Habría podido intentar escapar o hacer alguna señal al empleado, aunque dudaba que hubiese servido de algo. Si se hubiesen detenido junto a una cabina, su captor habría estado vigilándola. Seguro que habría apoyado la mano en su rodilla.

Giró a la derecha y cogió la vía de salida. Volvió a repasarlo todo mentalmente. Cuanto más lo pensaba, más se daba cuenta de que lo mejor era esperar a llegar a su destino. Para empezar, si de verdad la llevaba a donde estaba Jack, bueno, Jack estaría allí, ¿no? Eso parecía más lógico.

Pero sobre todo, cuando se detuviera el coche, los dos tendrían que salir. Sí, claro, eso era obvio, pero tendría una oportunidad. Él saldría por su lado. Ella por el suyo.

Ésa podría ser la distracción.

De nuevo empezó a repasarlo todo mentalmente. Abriría la puerta del coche. Al sacar las piernas, se levantaría la pernera. Tendría las piernas en el suelo y el coche la taparía. Él no la vería. Si calculaba bien el tiempo, en ese momento él estaría saliendo del coche. Le daría la espalda. Entonces ella podría sacar el arma.

—Coja la próxima a la derecha —dijo él—. Y la segunda a la izquierda.

Atravesaban una población que Grace no conocía. Había más árboles que en Kasselton. Las casas parecían más viejas, más vividas, más privadas.

—Métase por ese camino de entrada. El de la tercera casa a la izquierda.

Grace sujetaba el volante con firmeza. Cogió el camino de entrada. Él le ordenó que se detuviera delante de la casa.

Grace respiró hondo y esperó a que él abriera la puerta y saliera.

Perlmutter nunca había visto algo así.

El hombre de la furgoneta, un hombre obeso con un chándal típico de mafioso, estaba muerto. Sus últimos momentos no habían sido agradables. Tenía el cuello plano, totalmente plano, como si una apisonadora hubiera pasado por encima de su garganta, dejando la cabeza y el torso intactos.

Daley, que nunca se quedaba sin palabras, observó:

—Un grave problema de sobrepeso. —A continuación añadió—: Me suena su cara.

—Richie Jovan —dijo Perlmutter—. Trabaja para Carl Vespa.

—¿Vespa? —repitió Daley—. ¿Está metido en esto?

Perlmutter se encogió de hombros.

—Esto tiene que ser obra de Wu.

Scott Duncan palidecía.

—Pero ¿qué está pasando aquí?

—Es muy sencillo, señor Duncan. —Perlmutter se volvió hacia él—. Rocky Conwell trabajaba para Indira Khariwalla, una investigadora privada a la que usted contrató. El mismo hombre, Eric Wu, asesinó a Conwell, mató a este pobre desgraciado y la última vez que se le vio se iba de la escuela en un coche con Grace Lawson. —Perlmutter se acercó a él—. ¿Quiere contarnos usted qué está pasando?

Otro coche patrulla se detuvo de un frenazo. Salió Veronique Baltrus a toda prisa.

—Ya lo tengo.

—¿Qué tienes?

—Eric Wu en *yenta-match.com*. Usaba el nombre de Stephen Fleisher. —Caminó a paso rápido hacia ellos, con el pelo moreno recogido en un moño apretado—. *Yenta-match* empareja a viudos judíos. Wu flirteaba en línea con tres mujeres al mismo tiempo. Una es de Washington, D.C. Otra vive en Wheeling, Virginia Occidental. Y la última, una tal Beatrice Smith, reside en Armonk, Nueva York.

Perlmutter echó a correr. Seguro, pensó. Seguro que Wu había ido allí. Scott Duncan lo siguió. No tardaría más de veinte minutos en llegar a Armonk.

—Llama al Departamento de Policía de Armonk —gritó a Baltrus—. Diles que manden a todas las unidades disponibles de inmediato.

45

Grace esperó a que el hombre saliera.

Debido a los numerosos árboles del jardín, costaba ver la casa desde la calle. Por encima asomaban chapiteles y abajo había una espaciosa terraza. Grace vio una vieja barbacoa y una sarta de luces que parecían faroles antiguos, pero estaban viejos y gastados. Detrás había un juego de hamacas oxidadas, como ruinas de otra era. En su día allí se habían celebrado fiestas. Vivía una familia. Gente a la que le gustaba recibir amigos. La casa daba sensación de pueblo fantasma, como si en cualquier momento fueran a pasar por delante plantas rodadoras.

—Apague el motor.

Grace lo repasó todo otra vez: «Abre la puerta. Saca las piernas. Coge la pistola. Apunta... ¿Y entonces qué? ¿Le digo arriba las manos? ¿Le disparo en el pecho? ¿Qué hago?».

Giró la llave y esperó a que él saliera primero. El hombre acercó la mano al tirador de la puerta. Ella se preparó. Él miraba fijamente la puerta de la casa. Ella bajó un poco la mano.

¿Debía intentarlo ya?

«No. Espera a que él empiece a salir. No vaciles.» La menor vacilación y perdería la oportunidad.

El hombre se quedó inmóvil con la mano en el tirador. A continuación, se volvió, apretó el puño y golpeó a Grace con tal fuerza en las costillas inferiores que ella pensó que todo el tórax se le hundiría como el nido de un pájaro. Se oyó un ruido sordo y un crujido.

Sintió un estallido de dolor en el costado.

Creyó que su cuerpo entero se derrumbaría sin más. El hombre le sujetó la cabeza con una mano y, con la otra, le recorrió el costado del tórax. Detuvo el índice justo en el lugar donde acababa de golpearle, en la base del tórax.

Habló con suavidad.

—Por favor, dígame de dónde sacó esa foto.

Grace abrió la boca pero no salió de su garganta sonido alguno. Él asintió como si fuera eso lo que esperaba. La soltó. Abrió la puerta y salió. Grace estaba mareada del dolor.

«La pistola —pensó—. ¡Coge la maldita pistola!»

Pero él ya había rodeado el coche. Le abrió la puerta. La cogió por el cuello, con el pulgar por un lado y el índice por el otro. Apretó los puntos de presión y empezó a levantarla. Grace intentó seguirlo. Al moverse, sintió un intenso dolor en las costillas. Era como si alguien le hubiera clavado un destornillador entre dos huesos y lo desplazara hacia arriba y hacia abajo.

Él la sacó sujeta por el cuello. Para Grace, cada paso era una nueva aventura de dolor. Intentó no respirar. Cuando lo hacía, la más ligera dilatación de las costillas le producía la sensación de que se le rasgaban los tendones. El hombre la arrastró hacia la casa. La puerta estaba abierta. Giró el pomo, abrió y la obligó a entrar de un empujón. Ella cayó violentamente y estuvo a punto de desmayarse.

—Por favor, dígame cómo consiguió esa foto.

Se acercó a ella despacio. El miedo la despejó. Se apresuró a contestar.

—Fui a recoger un carrete en Photomat —empezó a explicar.

El hombre asintió como haría alguien que no escucha. Siguió acercándose. Grace continuó hablando e intentó retroceder. El rostro del asiático no expresaba nada; habría podido estar realizando cualquier tarea cotidiana, como plantar semillas, clavar un clavo, hacer un pedido, tallar madera.

Se colocó encima de ella. Grace intentó forcejear, pero él era asombrosamente fuerte. La levantó lo suficiente para ponerla boca abajo. Sus costillas golpearon contra el suelo. Un dolor distinto, un dolor nuevo, la traspasó. Empezó a ver borroso. Seguían en el vestíbulo. Él se sentó a horcajadas sobre ella. Grace lanzó patadas al aire, pero no lo alcanzó. Él la inmovilizó.

Grace no podía moverse.

—Por favor, dígame cómo consiguió la foto.

Grace sintió que las lágrimas le asomaban a los ojos, pero no se permitiría llorar. Era una estupidez. Una fantochada. Pero no lloraría. Volvió a decirlo, que había ido a Photomat y recogido el paquete de fotos. Todavía sentado encima de ella, con las rodillas a ambos lados de la cadera, acercó el índice a la base herida del tórax. Grace intentó sacudirse. Él encontró el punto de mayor dolor y apoyó allí la yema del dedo. Por un instante no hizo nada. Ella dio otra sacudida. Meneó la cabeza. Agitó las piernas. Él sólo esperó un segundo. Luego otro.

Y entonces hundió el dedo entre las dos costillas rotas.

Grace gritó.

Volvió a preguntar con la misma voz:

—Por favor, dígame cómo encontró esa foto.

Ahora sí lloró. Él esperó. Grace empezó a explicar lo mismo otra vez, cambiando las palabras, esperando que sonara más creíble, más convincente. Él no dijo nada.

Volvió a apoyar el índice entre las costillas.

Fue entonces cuando sonó el móvil.

El hombre suspiró. Apoyó las manos en la espalda de ella y se levantó. Las costillas volvieron a quejarse. Grace oyó un gimoteo y se dio cuenta de que procedía de ella. Se obligó a contenerse. Consiguió mirar por encima del hombro. Sin apartar la mirada de ella, él sacó el móvil del bolsillo y lo abrió.

—Sí.

Tenía una sola idea en la mente: «Coge la pistola».

Él la miraba fijamente. A ella casi le dio igual. Intentar coger la pistola en ese momento habría sido un suicidio, pero sus pensamientos se reducían a uno solo: «Huye del dolor. Da igual a costa de qué. Da igual el riesgo. Huye del dolor».

El hombre tenía el teléfono junto a la oreja.

Emma y Max. Las caras flotaron hacia ella en una especie de nebulosa. Grace alentó la visión. Y entonces ocurrió algo extraño.

Allí tumbada, todavía boca abajo, con la mejilla contra el suelo,

Grace sonrió. Sonrió de verdad. No por un sentimiento de afecto maternal, aunque eso pudo ser parte de la razón, sino por un recuerdo concreto.

Cuando estaba embarazada de Emma, le dijo a Jack que quería tener un parto natural y que no deseaba tomar ningún fármaco. Jack y ella asistieron diligentemente a las clases del método Lamaze cada lunes por la noche durante tres meses. Practicaron las técnicas de respiración. Jack se sentaba detrás de ella y le frotaba la barriga. Respiraba y ella lo imitaba. Jack incluso se compró una camiseta en la que se leía «Entrenador» por delante y «Equipo del bebé sano» por detrás. Llevaba un silbato colgado del cuello.

Cuando empezaron las contracciones, se fueron corriendo al hospital, perfectamente preparados, dispuestos a cosechar los beneficios de sus arduos esfuerzos. Una vez allí, Grace tuvo una contracción más fuerte que las demás. Empezaron a practicar los ejercicios de respiración. Primero los realizaba Jack y Grace lo imitaba. Funcionó perfectamente hasta el momento en que Grace empezó a... bueno, empezó a sentir dolor.

En ese momento, la insensatez de su plan —cuando la «respiración» se convirtió en un eufemismo para «analgésico»— se hizo evidente. Dio al traste con esa estúpida fanfarronada de «que hay que asumir el dolor», ya de entrada una idea absurdamente masculina, y por fin la razón, una razón serena, se impuso.

Entonces tendió la mano, cogió a Jack por cierta parte de su anatomía, y lo acercó para que la oyera. Le dijo que buscara un anestesiólogo. Inmediatamente. Jack dijo que lo haría en cuanto le soltara dicha parte de su anatomía. Ella obedeció. Él se fue corriendo y encontró un anestesiólogo. Pero para entonces ya era tarde. Las contracciones estaban demasiado avanzadas.

Y la razón por la que Grace sonreía ahora, unos ochos años después, era que el dolor de aquel día había sido al menos igual de intenso, probablemente más. Lo había soportado. Por su hija. Y luego, milagrosamente, había estado dispuesta a soportarlo también por Max.

«Así que adelante», pensó.

Tal vez deliraba. No, tal vez no. Seguro que deliraba. Pero le daba igual. Siguió sonriendo. Grace veía el hermoso rostro de Emma.

También veía el rostro de Max. Parpadeó y desaparecieron. Pero eso ya no le importó. Miró al hombre cruel que hablaba por teléfono.

«Adelante, hijo de puta. Adelante.»

El hombre concluyó la conversación telefónica. Volvió a acercarse a ella. Ella seguía boca abajo. Él volvió a sentarse encima a horcajadas. Grace cerró los ojos. Se le saltaron las lágrimas. Esperó.

El hombre le cogió las dos manos y se las colocó detrás de la espalda. Se las sujetó con cinta adhesiva y se puso en pie. Cogió a Grace para que se pusiera de rodillas, con las manos a la espalda. Le dolían las costillas, pero de momento el dolor era soportable.

Ella alzó la vista hacia él.

—No se mueva —dijo él.

Se volvió y la dejó sola. Ella aguzó el oído. Oyó que se abría una puerta y luego pasos.

Bajaba al sótano.

Estaba sola.

Grace forcejeó para soltarse los brazos, pero los tenía bien atados. Era imposible coger la pistola. Pensó en ponerse en pie y echar a correr, pero eso en el mejor de los casos no serviría de nada. La postura de los brazos, el dolor atroz en las costillas y, por supuesto, el hecho de que para colmo era coja... si se sumaba todo, no parecía una opción muy razonable.

Pero ¿podía pasar las manos por debajo de las piernas?

Si era capaz de eso, capaz de situar las manos, pese a tenerlas atadas, por delante del cuerpo, podría coger la pistola.

Era una posibilidad.

Grace no tenía ni idea de cuánto tiempo llevaba sola —no mucho, supuso—, pero tenía que intentarlo.

Forzó los hombros hacia atrás. Estiró los brazos tanto como pudo. Cada vez que se movía —cada vez que respiraba— era como si le ardieran las costillas. Resistió. Se puso en pie y se dobló por la cintura. Bajó las manos al máximo.

Ya era un avance.

Todavía de pie, dobló las rodillas y se encogió. Ya estaba más cerca. Volvió a oír pasos.

Maldita sea, el hombre estaba subiendo la escalera.

La sorprendería en pleno proceso, con las manos atadas bajo las nalgas.

«Date prisa, maldita sea.» O una cosa u otra. O seguía con las manos detrás de la espalda o acababa de intentarlo.

Decidió intentarlo. No parar.

Eso tenía que terminar ya.

Los pasos eran lentos. Más pesados. Parecía que el hombre arrastraba algo.

Grace redobló sus esfuerzos. Se le trabaron las manos. Dobló más la cintura y las rodillas. La cabeza le daba vueltas del dolor. Cerró los ojos y se balanceó. Estiró los brazos, dispuesta a dislocarse los hombros si eso servía para algo.

Los pasos cesaron. Se cerró una puerta. Ya estaba allí.

Se pasó los brazos por debajo de los pies. Dio resultado. Consiguió ponerlos delante.

Pero ya era tarde. El hombre había vuelto. Estaba en la habitación, a menos de dos metros. Vio lo que ella había hecho. Pero Grace no se dio cuenta. De hecho, ni se había fijado en el hombre. Miraba boquiabierta su mano derecha.

El hombre abrió la mano. Y a su lado cayó Jack.

46

Grace se abalanzó hacia él.

—¿Jack? ¿Jack?

Jack tenía los ojos cerrados y el pelo pegado a la frente. Aunque Grace seguía con las manos atadas, pudo cogerle la cara. Jack tenía la piel empapada en sudor y los labios secos y agrietados. Tenía las piernas inmovilizadas con cinta adhesiva y una esposa en torno a la muñeca derecha. Grace vio costras en la muñeca izquierda; también había estado esposada, y a juzgar por las señales, durante mucho tiempo.

Volvió a llamarlo. Nada. Acercó la oreja a su boca. Respiraba. Eso sí. Era una respiración superficial, pero respiraba. Grace se volvió y apoyó la cabeza de él en su regazo. El dolor en la costilla la traspasó, pero eso ahora daba igual. Él estaba tumbado de espaldas, y el regazo de ella le hacía las veces de almohada. Los pensamientos de Grace retrocedieron a los viñedos de Saint-Emilion. Entonces ya llevaban tres meses juntos, totalmente encaprichados el uno con el otro, en plena fase de «atravesar el parque corriendo con el corazón latiendo con fuerza cada vez que se veían». Grace había llevado paté, queso y, por supuesto, vino. Era un día soleado, con el cielo de ese azul que lo inducía a uno a creer en los ángeles. Se habían tumbado en una manta a cuadros rojos escoceses, él con la cabeza apoyada en su regazo igual que ahora mientras ella le acariciaba el pelo. Se había pasado más tiempo mirándolo a él que a las maravillas naturales de alrededor. Le recorría la cara con los dedos.

Grace le habló con suavidad, intentando contener el pánico.

—¿Jack?

Abrió los ojos. Tenía las pupilas muy dilatadas. Tardó un momento en fijar la mirada, y entonces la vio. Por un instante se dibujó una sonrisa en sus labios resecos. Grace se preguntó si también él recordaba el mismo picnic. Aunque con el corazón roto, consiguió devolverle la sonrisa. Hubo un momento de serenidad, sólo un momento, y luego la realidad volvió a imponerse. Jack abrió más los ojos, presa del pánico. La sonrisa se desvaneció. Se le contrajo el rostro de angustia.

—Dios mío.

—No pasa nada —dijo ella, aunque dadas las circunstancias, no habría podido decir mayor tontería.

Él se esforzó por no llorar.

—Lo siento mucho, Grace.

—Calla, no pasa nada.

Jack buscó alrededor con la mirada, sus ojos como faros, hasta encontrar a su captor.

—Ella no sabe nada —dijo al hombre—. Suéltela.

El hombre se acercó. Se agachó.

—Si vuelve a hablar —dijo a Jack—, le haré daño. No a usted. A ella. Le haré mucho daño. ¿Entendido?

Jack cerró los ojos y asintió.

El hombre volvió a levantarse. Dio una patada a Jack apartándolo del regazo de Grace, agarró a Grace por el pelo y la puso en pie. Con la otra mano sujetó a Jack por el cuello.

—Tenemos que ir a dar una vuelta —dijo.

47

Perlmutter y Duncan ya habían salido de la autopista de Garden State en la Interestatal 287, y cuando estaban a no más de diez kilómetros de la casa en Armonk, les llegó el aviso por radio:

—Han estado aquí, el Saab de Lawson sigue en el camino de entrada, pero ellos se han ido.

—¿Y Beatrice Smith?

—No se la ve por ningún lado. Acabamos de llegar. Seguimos registrando la casa.

Perlmutter se quedó pensando.

—Wu habrá supuesto que Charlaine Swain avisaría de que lo había visto. Sabrá que tiene que deshacerse del Saab. ¿Sabes si Beatrice Smith tenía un coche?

—No, todavía no.

—¿Hay algún otro coche en el garaje o en el camino de entrada?

—Un momento.

Perlmutter esperó. Duncan lo miró. Al cabo de diez segundos oyeron:

—No hay más coches.

—O sea, que se han llevado el de ella. Averigua la marca y la matrícula. Envía un aviso a todas las unidades de inmediato.

—Bien, entendido. Un momento, espere un momento, capitán. —El agente volvió a callar.

—Por lo visto —dijo Scott Duncan—, su experta en informática creía que Wu podía ser un asesino en serie.

—Le parecía una posibilidad.
—Pero usted no lo cree.
Perlmutter negó con la cabeza.
—Es un profesional. No escoge a las víctimas para divertirse. Sykes vivía solo. Beatrice Smith es una viuda. Wu necesita un lugar para vivir y actuar. Ésa es su manera de encontrarlos.
—Es un arma que se contrata, pues.
—Algo así.
—¿Se le ocurre para quién podría estar trabajando?
Perlmutter, al volante, se desvió por la salida de Armonk. Ya estaban a un par de kilómetros.
—Esperaba que usted o su cliente lo supieran.
La radio crepitó.
—¿Capitán? ¿Sigue ahí?
—Sí.
—Existe un coche matriculado a nombre de Beatrice Smith. Un Land Rover de color habano. Con matrícula 472-JXY.
—Da el aviso. No pueden estar lejos.

48

El Land Rover de color habano circulaba por carreteras secundarias. Grace no tenía ni idea de adónde iban. Jack estaba tumbado en el suelo del asiento de atrás. Había perdido el conocimiento. Tenía las piernas atadas con cinta adhesiva y las manos esposadas a la espalda. Grace seguía con las manos atadas por delante. Su captor, supuso, no había visto ninguna razón para volver a ponérselas tras la espalda.

Detrás Jack gimió como un animal herido. Grace miró a su captor, que tenía una mano en el volante y una plácida expresión en el rostro, como un padre que lleva a su familia de paseo un domingo. Estaba dolorida. Cada vez que respiraba se acordaba de lo que él le había hecho en las costillas. Tenía la rodilla como si se la hubiese destrozado la metralla.

—¿Qué le ha hecho? —preguntó.

Se puso rígida, esperando el golpe. Casi ni le importaba. Estaba más allá de eso. Pero el hombre no hizo nada. Tampoco se quedó callado. Señaló a Jack con el pulgar.

—No tanto como lo que él le hizo a usted —contestó.

Ella se puso tensa.

—¿Eso qué demonios significa?

Por primera vez, Grace vio una sonrisa sincera en su cara.

—Creo que ya lo sabe.

—No tengo ni la menor idea —replicó ella.

Él siguió sonriendo, y tal vez, en algún lugar dentro de ella, la desazón empezó a crecer. Intentó ahuyentarla, concentrarse en escapar de esa situación, en salvar a Jack. Preguntó:

—¿Adónde nos lleva?

No contestó.

—He dicho...

—Es usted una mujer valiente —la interrumpió él.

Ella no dijo nada.

—Su marido la quiere. Usted lo quiere a él. Eso facilita las cosas.

—¿Qué cosas?

Él la miró.

—Los dos están dispuestos a soportar el dolor. Pero ¿está dispuesta a dejar que yo le haga daño a su marido?

Ella no contestó.

—Como le he dicho ya a él: si vuelve a hablar, no le haré daño a usted; se lo haré a él.

El hombre tenía razón. Surtió efecto. Grace se calló. Miró por la ventana y vio pasar los árboles desdibujados. Iban por una carretera de dos carriles. Grace no tenía ni idea de dónde estaban. Era una zona rural. Eso sí lo veía. Cambiaron de carretera otras dos veces y por fin Grace supo dónde estaban: la autovía de Palisades en dirección sur, de regreso a Nueva Jersey.

La Glock seguía en la funda sujeta al tobillo.

Ahora sentía su presencia constantemente. El arma parecía llamarla, burlándose de ella, tan cerca y sin embargo tan fuera de su alcance.

Grace tendría que buscar una manera de cogerla. No le quedaba más remedio. Ese hombre iba a matarlos. De eso estaba segura. Antes quería sonsacarle información —por lo pronto, de dónde salió la foto—, pero en cuanto la tuviera, en cuanto se diera cuenta de que ella decía la verdad, los mataría a los dos.

Tenía que coger la pistola.

El hombre la miraba sin cesar. No le dejaba el menor resquicio. Grace reflexionó. ¿Esperaba a que él detuviera el coche? Eso ya lo había intentado antes, y no le había salido bien. ¿Se lanzaba sin más? ¿Se arriesgaba a sacarla allí mismo? Era una posibilidad, pero dudaba mucho que fuese lo bastante rápida. Tenía que levantarse la pernera del pantalón, desabrochar la tira de seguridad, coger la pistola, sacarla... ¿y todo eso antes de que él reaccionara?

Imposible.

Se planteó intentarlo lentamente. Podía bajar las manos un poco hacia el lado. Levantarse la pernera despacio. Fingir que se rascaba.

Grace se movió en el asiento y bajó la vista hacia la pierna. Y entonces sintió que el corazón le subía a la garganta...

La pernera se le había levantado.

La funda. Estaba a la vista.

El pánico se apoderó de ella. Dirigió una mirada furtiva a su captor, esperando que no la hubiera visto. Pero la había visto. Tenía los ojos abiertos de par en par. Le miraba la pierna.

Ahora o nunca.

Pero incluso mientras extendía los brazos, se dio cuenta de que no tenía la menor posibilidad. Le era absolutamente imposible alcanzar la pistola a tiempo. Su captor le apoyó otra vez la mano en la rodilla y apretó. El dolor la sacudió violentamente, dejándola casi inconsciente. Gritó. Con el cuerpo rígido, dejó caer las manos, ya inútiles.

Él la tenía.

Grace se volvió hacia él, lo miró a los ojos y no vio nada. Entonces, sin previo aviso, algo se movió detrás. Grace lanzó un grito ahogado.

Era Jack.

Había conseguido levantarse en el asiento trasero como una aparición. El hombre se volvió, más por curiosidad que por preocupación. Al fin y al cabo, Jack tenía las manos y los pies atados. Estaba exánime. ¿Qué daño podía hacer?

Con los ojos desorbitados y aspecto de animal, Jack echó la cabeza atrás y luego hacia delante con fuerza. Cogió al hombre desprevenido. La cabeza de Jack fue a topar contra su mejilla derecha. Se oyó un ruido sordo, hueco. El coche se detuvo de un frenazo. El hombre soltó la rodilla a Grace.

—¡Corre, Grace!

Era la voz de Jack. Grace se dispuso a coger la pistola. Desabrochó la tira de seguridad. Pero el hombre ya se había enderezado.

Con una mano agarró a Jack por el cuello. Dirigió la otra hacia la rodilla de Grace. Ella se apartó. Él volvió a intentarlo.

Grace sabía que no tenía tiempo de alcanzar la pistola. Jack ya no podría ayudarla. Había agotado todas sus fuerzas, se había sacrificado, para ese único testarazo.

Y todo para nada.

El hombre asestó otro golpe a Grace en las costillas. La atravesaron cuchillos al rojo vivo. Una sensación de náusea le recorrió el cuerpo. Sintió que se desvanecía...

No podría aguantar...

Jack intentó arremeter de nuevo. Pero para el asiático era poco más que una molestia; le apretó el cuello. Jack emitió un sonido y se quedó quieto.

El asiático se volvió otra vez hacia ella. Grace cogió el tirador de la puerta.

El hombre la agarró por el brazo.

Grace no podía moverse.

Jack, sin fuerzas, dejó caer la cabeza y la deslizó por el hombro del asiático. La detuvo en el antebrazo. Y allí, con los ojos cerrados, abrió la boca y mordió con fuerza.

El hombre dejó escapar un alarido y soltó a Grace. Empezó a sacudir el brazo, intentando zafarse de Jack. Éste apretó más los dientes, aferrándose como un bulldog. El asiático lo golpeó en la cabeza con la palma de la mano libre. Jack se desplomó.

Grace accionó el tirador y recostó el cuerpo contra la puerta.

Se cayó del coche y fue a dar en el pavimento. Se alejó rodando, dispuesta a cualquier cosa con tal de apartarse de su captor. De hecho, llegó rodando hasta el otro carril de la autovía. Un coche la esquivó.

«¡Coge la pistola!»

Tendió de nuevo la mano. La tira ya estaba desabrochada. Se volvió hacia el coche. El hombre estaba saliendo. Se levantó la camisa. Grace vio su pistola. Lo vio cogerla. La pistola de Grace salió de la funda.

Ya no cabía la menor duda. No había ningún dilema ético. No tenía sentido plantearse si debía gritar o avisar, decirle que se detuviera, pedirle que pusiera las manos detrás de la cabeza. Ya no era cuestión de indignación moral. Ni de cultura, humanidad, años de civilización o educación.

Grace apretó el gatillo. La pistola se disparó. Volvió a apretarlo. Y otra vez. El hombre se tambaleó. Volvió a apretar. El sonido de las sirenas aumentó de volumen. Y Grace disparó una vez más.

49

Acudieron dos ambulancias. Una se llevó a Jack antes de que Grace pudiese siquiera verlo. Dos auxiliares médicos la atendieron a ella. Se movían sin cesar, haciendo preguntas mientras trabajaban, pero ella no registró sus palabras. La sujetaron con correas a una camilla y la llevaron a la ambulancia. Perlmutter ya había llegado.

—¿Dónde están Emma y Max? —preguntó ella.

—En la comisaría. Están bien.

Una hora después Jack estaba en el quirófano. Fue lo único que le dijeron a Grace. Que estaba en el quirófano.

El joven médico realizó diversas pruebas a Grace. Efectivamente, tenía las costillas rotas, pero para eso poco podía hacerse. El médico le aplicó una venda elástica y le administró una inyección. El dolor empezó a remitir. Un traumatólogo le examinó la rodilla y se limitó a menear la cabeza.

Perlmutter fue a verla a su habitación y la asaeteó a preguntas. Grace las contestó casi todas. Respecto a ciertos temas se mostró intencionadamente vaga. No era que quisiese ocultar nada a la policía. O tal vez... bueno, tal vez sí.

Perlmutter también se mostró bastante vago. Su captor muerto se llamaba Eric Wu. Había estado en la cárcel. En Walden. Eso no sorprendió a Grace. Wade Larue también había cumplido condena en Walden. Todo guardaba relación. Esa vieja foto. El grupo de Jack, Allaw. La banda de Jimmy X. Wade Larue. Y sí, incluso Eric Wu.

Perlmutter eludió casi todas las preguntas de Grace. Ella no insistió. Scott Duncan también estaba en la habitación; se quedó en un rincón, sin hablar.

—¿Y ustedes cómo han sabido que yo estaba con Eric Wu? —inquirió Grace.

A Perlmutter no le importó contestar a esa pregunta.

—¿Conoce a Charlaine Swain?

—No.

—Su hijo Clay va a Willard.

—Ah, sí, ya sé quién es.

Perlmutter le contó a Grace el calvario por el que pasó la propia Charlaine Swain por culpa de Eric Wu. Se explayó al respecto, a propósito, pensó Grace, para poder callarse el resto. Sonó el móvil de Perlmutter. Se disculpó y salió al pasillo. Grace se quedó a solas con Scott Duncan.

—¿Qué piensan? —preguntó ella.

Scott se acercó.

—La teoría más extendida es que Eric Wu trabajaba para Wade Larue.

—¿Y cómo han llegado a esa conclusión?

—Saben que hoy has ido a la rueda de prensa de Larue, así que ésa es la primera razón. Wu y Larue no sólo coincidieron en Walden, sino que además compartieron celda unos tres meses.

—¿Y cuál es la segunda razón? —preguntó ella—. ¿Qué creen que pretendía Larue?

—Venganza.

—¿De quién?

—De ti, para empezar. Tú declaraste en contra de él.

—Declaré en su juicio, pero en realidad no declaré en contra de él. Ni siquiera recuerdo la desbandada.

—Da igual. Hay un fuerte vínculo entre Eric Wu y Wade Larue: hemos consultado los registros de llamadas de los teléfonos de la cárcel, y han estado en contacto. Y existe un fuerte vínculo entre Larue y tú.

—Pero si Wade Larue quería vengarse, ¿por qué no me secuestró a mí? ¿Por qué se llevó a Jack?

—Creen que quizá Larue quería hacerte daño a ti por medio de tu familia. Quería hacerte sufrir.

Grace movió la cabeza en un gesto de negación.

—¿Y qué se sabe de la aparición de esa foto extraña? ¿Cómo explican eso? ¿O el asesinato de tu hermana? ¿O Shane Alworth y Sheila Lambert? ¿O que mataran a Bob Dodd en New Hampshire?

—Es una teoría con muchas lagunas —contestó Duncan—. Pero recuerda que ellos no ven estas conexiones como nosotros, y eso por sí solo explica la mayor parte. Puede que mi hermana muriera asesinada hace quince años, pero eso no tiene nada que ver con lo de ahora. Tampoco lo de Bob Dodd, un periodista asesinado al estilo de la mafia. De momento lo ven todo de una manera muy sencilla: Wu sale de la cárcel. Secuestra a tu marido. A lo mejor habría secuestrado a más personas, ¿quién sabe?

—¿Y por qué no mató simplemente a Jack?

—Wu lo retenía hasta que soltaran a Wade Larue.

—Cosa que ha sucedido hoy.

—Exacto, hoy. Entonces Wu os secuestra a los dos. Cuando has huido, os llevaba a donde estaba Larue.

—¿Para qué? ¿Para que nos matara el propio Larue?

Duncan se encogió de hombros.

—Eso no tiene sentido, Scott. Eric Wu me ha roto las costillas porque quería saber cómo conseguí la foto. Ha parado de golpearme al recibir una llamada inesperada. Entonces nos ha metido de repente en el coche. Nada de eso estaba planeado.

—Perlmutter acaba de enterarse de todas esas cosas. Es posible que eso altere su teoría.

—A propósito, ¿dónde está Wade Larue?

—Por lo visto, nadie lo sabe. Están buscándolo.

Grace se recostó en la almohada. Le pesaban enormemente los huesos. Los ojos se le anegaron de lágrimas.

—¿Jack está muy grave?

—Sí.

—¿Vivirá?

—No lo saben.

—No dejes que me mientan.

—No lo haré, Grace. Pero intenta dormir, ¿vale?

En el pasillo, Perlmutter hablaba con el capitán del Departamento de Policía de Armonk, Anthony Dellapelle. Todavía estaban registrando la casa de Beatrice Smith.

—Acabamos de inspeccionar el sótano —dijo Dellapelle—. Alguien estuvo encerrado allí.

—Jack Lawson. Ya lo sabemos.

Dellapelle hizo una pausa y dijo:

—Es posible.

—¿Eso qué significa?

—Todavía hay unas esposas en una tubería.

—Wu lo soltó. Debió de dejarlas allí.

—Tal vez. También hay sangre, no mucha, pero bastante fresca.

—Lawson tenía unos cuantos cortes.

Se produjo un silencio.

—¿Qué pasa? —preguntó Perlmutter.

—¿Dónde estás ahora, Stu?

—En el hospital Valley.

—¿Cuánto tardarías en llegar aquí?

—Quince minutos con la sirena —contestó Perlmutter—. ¿Por qué?

—Hay algo más aquí abajo —explicó Dellapelle—. Algo que quizá quieras ver con tus propios ojos.

A medianoche Grace se levantó de la cama y salió al pasillo. Sus hijos le habían hecho una breve visita. Grace insistió en que la dejaran levantarse para recibirlos. Scott Duncan le llevó ropa de calle —un chándal Adidas— porque no quería que sus hijos la vieran con el camisón del hospital. Le inyectaron un potente analgésico para acallar los quejidos de las costillas. Grace quería que los niños vieran que estaba bien, a salvo, y que ellos también estaban a salvo. Mantuvo el tipo todo el tiempo, hasta que Emma le mostró su diario de poemas. Entonces se echó a llorar.

Sólo se puede ser fuerte durante un tiempo limitado.

Los niños dormirían en sus propias camas. Cora ocuparía la habitación de matrimonio. La hija de Cora, Vickie, dormiría en la cama al lado de la de Emma. Perlmutter había asignado, además, a una mujer policía para que se quedara en la casa toda la noche. Grace se alegró.

El hospital estaba a oscuras. Grace consiguió ponerse en pie. Tardó una eternidad. La quemazón en las costillas había vuelto. La rodilla, más que una articulación, parecía un puñado de cascotes de vidrio.

El pasillo estaba en silencio. Grace se había fijado una meta. Alguien intentaría detenerla, eso sin duda, pero en realidad tampoco le preocupaba. Estaba decidida.

—¿Grace?

Se volvió hacia la voz femenina, dispuesta a librar batalla. Pero no fue necesario. Grace reconoció a la mujer del patio de la escuela.

—Eres Charlaine Swain.

La mujer asintió. Se acercaron, mirándose a los ojos, compartiendo algo que ninguna de las dos podía expresar.

—Supongo que tengo que darte las gracias —dijo Grace.

—Y yo a ti —contestó Charlaine—. Tú lo has matado. Se ha acabado esa pesadilla para nosotros.

—¿Cómo está tu marido? —preguntó Grace.

—Se recuperará.

Grace asintió.

—Ya sé que el tuyo no evoluciona bien —comentó Charlaine.

Las dos estaban por encima de los tópicos falsos. Grace agradeció su sinceridad.

—Está en coma.

—¿Lo has visto?

—A eso iba ahora.

—¿A escondidas?

—Sí.

Charlaine asintió.

—Déjame ayudarte.

Grace se apoyó en Charlaine Swain. Era una mujer fuerte. El pasillo estaba desierto. A lo lejos oyeron un taconeo contra las baldosas. La iluminación era tenue. Pasaron junto a un mostrador de enfermeras vacío y entraron en un ascensor. Jack estaba en la tercera planta, en cuidados intensivos. A Grace le pareció extrañamente adecuado tener a Charlaine Swain a su lado. No sabía por qué.

Esa parte concreta de la unidad de cuidados intensivos tenía cuatro habitaciones con paredes de cristal, con una enfermera en medio para vigilarlas todas a la vez. En ese momento, sólo una de las habitaciones estaba ocupada.

Las dos se acercaron. Jack estaba en la cama. Lo primero que observó Grace fue que su poderoso marido, el corpulento hombre de un metro ochenta y siete a cuyo lado ella siempre se había sentido segura, se veía muy pequeño y frágil en esa cama. Sabía que era fruto de su imaginación. Sólo habían pasado dos días. Había perdido un poco de peso. Se había deshidratado por completo. Pero no era por eso.

Jack tenía los ojos cerrados. Le salía un tubo de la garganta y otro de la boca, los dos sujetos con cinta adhesiva blanca. Un tercer tubo entraba por la nariz y otro estaba conectado a una vía en el brazo derecho. Le habían puesto un gota a gota y se hallaba rodeado de máquinas, como en una pesadilla futurista.

Grace sintió que empezaba a desplomarse. Charlaine la sostuvo, Grace recuperó el equilibrio y se dirigió a la puerta.

—No puede entrar —advirtió la enfermera.

—Sólo quiere sentarse con él —dijo Charlaine—. Por favor.

La enfermera miró alrededor y luego otra vez a Grace.

—Dos minutos.

Grace soltó a Charlaine, y ésta le abrió la puerta. Grace entró sola. Se oían pitidos y campanillas y un sonido infernal, como gotas de agua succionadas con una pajita. Grace se sentó al lado de la cama. No le cogió la mano a Jack. No le dio un beso en la mejilla.

—Te encantará el último verso —dijo Grace.

Pelotita de béisbol,
¿quién es tu mejor amigo?
¿Es el bate,
que te pega en el ombligo?

Grace se rió y pasó la página, pero la siguiente —de hecho, el resto del diario— estaba en blanco.

50

Pocos minutos antes de morir, Wade Larue pensó que por fin había encontrado la paz.

Había renunciado a la venganza. Ya no necesitaba saber toda la verdad. Le bastaba con lo que sabía. Sabía en qué tenía la culpa y en qué no. Había llegado el momento de dejarla atrás.

Carl Vespa no tenía más opción. Nunca se recuperaría. Lo mismo le sucedía a ese espantoso remolino de rostros —esa imagen borrosa del dolor— que se había visto obligado a contemplar en la sala del juzgado y de nuevo en la rueda de prensa. Wade había perdido el tiempo. Pero el tiempo es relativo. La muerte no.

Le había dicho a Vespa todo lo que sabía. Vespa era un hombre malo, de eso no cabía duda. Ese hombre era capaz de una crueldad indescriptible. En los últimos quince años, Wade Larue había conocido a muchas personas así, pero pocas eran tan simples. Con la excepción de los psicópatas de manual, la mayoría, incluso los más malvados, tenían la capacidad de amar a alguien, de preocuparse por alguien, de establecer lazos. Eso no era contradictorio. Era sencillamente humano.

Larue habló. Vespa escuchó. En un momento dado en medio de la explicación, apareció Cram con una toalla y hielo. Se los pasó a Larue. Larue le dio las gracias. Cogió la toalla —el hielo era demasiado voluminoso— y se limpió la sangre de la cara. Los golpes de Vespa ya no le dolían. Larue había soportado mucho más a lo largo de los años. Cuando uno ha recibido muchas palizas, sigue uno de dos caminos: o bien las teme tanto que hará cualquier cosa por evitarlas, o simplemente las soporta y se da cuenta de que también eso pasará. En algún momento durante el encarcelamiento, Larue se había unido al segundo grupo.

Carl Vespa no pronunció palabra. No lo interrumpió ni pidió aclaraciones. Cuando Larue acabó, Vespa se quedó inmóvil, sin inmutarse, esperando más. No hubo más. Sin decir nada, Vespa se volvió y se marchó. Hizo una señal con la cabeza a Cram. Éste se dirigió hacia él. Larue levantó la cabeza. No correría. Ya no correría más.

—Venga, vámonos —dijo Cram.

Cram lo dejó en el centro de Manhattan. Larue se planteó llamar a Eric Wu, pero sabía que a esas alturas ya no tenía sentido. Enfiló hacia la terminal de autobuses de Port Authority. Estaba preparado para iniciar el resto de su vida. Se iba a Portland, en Oregón. No sabía muy bien por qué. Había leído algo sobre Portland en la cárcel y le pareció que se ajustaba a sus necesidades. Quería una ciudad grande de ambiente liberal. Por lo que había leído, Portland parecía una comunidad hippy convertida en una importante metrópoli. Allí podían tratarlo bien.

Tendría que cambiarse de nombre. Dejarse barba. Teñirse el pelo. No creía que le costara mucho cambiar, huir de los últimos quince años. Aunque fuera una ingenuidad por su parte, Wade Larue aún se creía con posibilidades de empezar una carrera de actor. Todavía tenía talento. Todavía tenía el carisma sobrenatural. Así que, ¿por qué no intentarlo? Y si no, se buscaría un empleo normal. No le daba miedo un poco de trabajo duro. Volvería a estar en una gran ciudad. Sería libre.

Pero Wade Larue no fue a la terminal de autobuses de Port Authority.

El pasado todavía tiraba de él. Aún no podía irse. Se detuvo a una manzana. Vio los autobuses que salían uno tras otro hacia el viaducto. Los miró un momento y luego se volvió hacia una fila de teléfonos públicos.

Tenía que hacer una última llamada. Tenía que saber una última verdad.

Ahora, una hora después, el cañón de una pistola le oprimía el suave hueco debajo de la oreja. Es curioso lo que uno piensa justo antes de morir. El suave hueco: ése era uno de los puntos de presión favoritos de Eric Wu. Wu le había explicado que saber dónde estaba no servía de gran cosa. No se podía simplemente poner el dedo y presionar. Eso podía doler, pero nunca incapacitaría a un adversario.

Eso fue todo. Esa penosa idea, en realidad más que penosa, fue lo último que pasó por la cabeza de Wade Larue antes de que la bala le penetrara en el cerebro y acabara con su vida.

51

Dellapelle llevó a Perlmutter al sótano. Aunque había bastante luz, Dellapelle usó la linterna. La apuntó hacia el suelo.

—Allí.

Perlmutter se quedó mirando el cemento y sintió un escalofrío.

—¿Estás pensando lo mismo que yo? —preguntó Dellapelle.

—Que es posible... —Perlmutter se interrumpió, intentando encajar aquello en la ecuación—... que es posible que Jack Lawson no fuera el único retenido aquí.

Dellapelle asintió.

—¿Y dónde está la otra persona?

Perlmutter no dijo nada. Simplemente se quedó mirando el suelo. Efectivamente, alguien había estado retenido. Alguien que encontró un guijarro y trazó dos palabras en el suelo, ambas en mayúsculas. De hecho era un hombre, otra persona de esa foto extraña, un nombre que acababa de oír de labios de Grace Lawson: SHANE ALWORTH.

Charlaine Swain se quedó para ayudar a Grace a volver a su habitación. El silencio no las incomodaba. A Grace le extrañó. Le extrañaban muchas cosas. Se preguntaba por qué Jack había huido a Francia hacía tantos años. Se preguntaba por qué nunca había tocado el fondo fiduciario, por qué dejó que su hermana y su padre controlaran su porcentaje. Se preguntaba por qué había huido poco después de la Matanza de Boston. Se preguntaba por qué Geri Duncan había acabado muerta dos meses después. Y se preguntaba, quizá por encima de todo, si conocer a Jack ese día, si enamorarse de él, había sido algo más que una simple coincidencia.

Ya no se preguntaba si estaba todo relacionado. Sabía que sí. Cuando llegaron a la habitación de Grace, Charlaine la ayudó a acostarse. Se volvió para irse.

—¿Quieres quedarte unos minutos? —preguntó Grace.

Charlaine asintió.

—Me gustaría.

Conversaron. Empezaron por lo que tenían en común —los niños—, pero era evidente que ninguna de las dos quería seguir con ese tema mucho tiempo. Les pasó una hora volando. Grace ni siquiera sabía muy bien de qué habían hablado. Sólo sabía que se sentía agradecida.

A eso de las dos de la mañana sonó el teléfono al lado de Grace. Por un instante las dos se quedaron mirándolo. A continuación Grace tendió la mano y lo cogió.

—¿Diga?

—Recibí tu mensaje. Sobre Allaw y Still Night.

Grace reconoció la voz. Era Jimmy X.

—¿Dónde estás?

—En el hospital, abajo. No me dejan subir.

—Bajo enseguida.

El vestíbulo del hospital estaba en silencio.

Grace no sabía muy bien cómo manejar la situación. Jimmy X estaba sentado con los antebrazos apoyados en los muslos. No alzó la vista cuando ella se acercó a él cojeando. La recepcionista leía una revista. El guardia de seguridad silbaba suavemente. Grace se preguntó si el guardia podría protegerla. De pronto echó de menos la pistola.

Se detuvo delante de Jimmy X y aguardó inmóvil. Él levantó la vista. Sus miradas se cruzaron y en ese momento Grace lo supo. No conocía los detalles. Apenas conocía los hechos a grandes rasgos. Pero lo supo.

Su voz era casi una súplica.

—¿Cómo te has enterado de lo de Allaw?

—Por mi marido.

Jimmy se mostró confuso.

—Mi marido es Jack Lawson.

Él se quedó boquiabierto.

—¿John?

—Así se llamaba entonces, supongo. Ahora mismo está aquí, arriba. Es posible que muera.

—Dios mío. —Jimmy se tapó la cara con las manos.

—¿Sabes qué me ha molestado siempre?

Él no contestó.

—Que huyeras. No suele ocurrir que una estrella del rock lo deje todo así. Corren rumores sobre Elvis o Jim Morrison, pero eso es porque están muertos. Hubo la película, *Eddie and the Cruisers*, pero eso era una película. En realidad, bueno, como ya te dije, los Who no huyeron después de lo de Cincinnati. Los Stones tampoco después de lo de Altamont Speedway. Así que, ¿por qué, Jimmy? ¿Por qué huiste?

Él seguía con la cabeza gacha.

—Conozco la conexión entre tú y Allaw. Sólo es cuestión de tiempo que alguien ate cabos.

Grace esperó. Él se apartó las manos de la cara y se las frotó. Miró al guardia de seguridad. Grace estuvo a punto de retroceder un paso, pero se mantuvo firme.

—¿Sabes por qué los conciertos de rock empezaban tan tarde? —preguntó Jimmy.

La pregunta la desconcertó.

—¿Qué?

—He dicho...

—Ya he oído lo que has dicho. No, no sé por qué.

—Es porque estamos tan ciegos... borrachos, drogados, lo que sea... que nuestros representantes necesitan tiempo para que nos despejemos lo suficiente y podamos actuar.

—¿Y con eso qué quieres decir?

—Esa noche iba pasadísimo de cocaína y alcohol. —Desvió la mirada, con los ojos inyectados en sangre—. Por eso nos retrasamos tanto. Por eso la multitud se impacientó tanto. Si hubiese estado sobrio, si hubiese salido al escenario puntualmente... —Calló y se encogió de hombros como diciendo «¿Quién sabe?».

Grace no quería más excusas.

—Háblame de Allaw.

—No me lo puedo creer. —Meneó la cabeza—. ¿John Lawson es tu marido? ¿Y eso cómo fue?

Grace no tenía una respuesta. Se preguntó si la tendría alguna vez. El corazón, lo sabía, era un territorio extraño. ¿Podía ser eso parte de la atracción inicial, algo inconsciente, saber que los dos habían sobrevivido a esa terrible noche? Recordó el momento en que conoció a Jack en la playa. ¿Había sido el destino, algo predeterminado, o algo planeado? ¿Quiso Jack conocer a la mujer que había acabado encarnando la Matanza de Boston?

—¿Estuvo mi marido en el concierto esa noche? —preguntó ella.

—¿Cómo? ¿No lo sabías?

—Mira, Jimmy, podemos jugar a esto de dos maneras distintas. Una es que yo pretenda saberlo todo y quiera sólo una confirmación. Pero no es así. Es posible que nunca sepa la verdad si no me la cuentas tú. Tal vez puedas mantener tu secreto. Pero yo seguiré indagando. También Carl Vespa y los Garrison y los Reed y los Weider.

Él alzó la vista, su cara como la de un niño.

—Pero la otra manera, y creo que esto es lo más importante, se reduce a que tú ya no puedes convivir contigo mismo. Fuiste a mi casa en busca de una absolución. Sabes que ya ha llegado el momento.

Él agachó la cabeza. Grace oyó los sollozos. Se le sacudía todo el cuerpo. Grace no dijo nada. No apoyó una mano en su hombro. El guardia de seguridad los observó. La recepcionista apartó la mirada de la revista. Pero eso fue todo. Era un hospital. En ese ambiente no resultaba extraño ver llorar a adultos. Ambos desviaron la mirada. Al cabo de un minuto los sollozos de Jimmy empezaron a remitir. Ya no le temblaban los hombros.

—Nos conocimos en un bolo en Manchester —explicó Jimmy, frotándose la nariz con la manga—. Yo iba con un grupo que se llamaba Still Night. Tocaban cuatro bandas. Una de ellas era Allaw. Así conocí a tu marido. Estuvimos juntos en los camerinos, colocándonos. Él era encantador, pero tienes que entenderlo: la música lo era todo para mí. Yo quería componer *Born to Run*, ¿sabes?

Quería cambiar todo el panorama musical. Comía, dormía, soñaba, cagaba música. Lawson no se lo tomaba muy en serio. Simplemente se lo pasaba bien con el grupo, y nada más. Tenían unas cuantas canciones decentes, pero las voces y los arreglos eran de aficionados. Lawson no se hacía grandes ilusiones con el éxito y esas cosas.

El guardia de seguridad volvió a silbar. La recepcionista se enfrascó de nuevo en la lectura de la revista. Un coche se detuvo ante la puerta. El guardia salió y señaló la entrada de urgencias.

—Allaw se separó pocos meses después, creo. También Still Night. Pero Lawson y yo seguimos en contacto. Cuando creé la banda de Jimmy X, casi pensé en invitarlo a formar parte del grupo.

—¿Y por qué no lo hiciste?

—Pensé que, como músico, no era bastante bueno.

Jimmy se puso en pie de una manera tan repentina que sobresaltó a Grace. Ella retrocedió. Mantenía la vista fija en él, intentando mirarlo a los ojos, como si sólo así pudiera obligarlo a permanecer inmóvil.

—Sí, tu marido estaba en el concierto esa noche. Le conseguí cinco entradas para el foso. Fue con antiguos miembros de su grupo. Incluso llevó a un par de ellos a los camerinos.

En ese momento se interrumpió. Los dos se quedaron quietos. Él apartó la mirada y por un momento Grace temió perderlo.

—¿Te acuerdas de quiénes eran? —preguntó ella.

—¿Los antiguos miembros del grupo?

—Sí.

—Dos chicas. Una era pelirroja.

Sheila Lambert.

—¿Y la otra era Geri Duncan?

—Nunca supe cómo se llamaba.

—¿Y Shane Alworth? ¿Estaba él allí?

—¿Ése era el de los teclados?

—Sí.

—No en los camerinos. Sólo vi a Lawson y a las dos chicas.

Cerró los ojos.

—¿Y qué pasó, Jimmy?

Se le ensombreció el rostro; de pronto parecía mayor.

—Yo iba muy ciego. Oía el gentío. Veinte mil personas. Coreaban mi nombre. Aplaudían. Cualquier cosa con tal de que empezara el concierto. Pero yo apenas podía moverme. Entró mi representante. Le dije que necesitaba más tiempo. Salió. Me quedé solo. Y entonces aparecieron Lawson y las dos chicas.

Jimmy parpadeó y miró a Grace.

—¿Hay una cafetería por aquí?

—Está cerrada.

—Me iría bien un café.

—Lástima.

Jimmy empezó a caminar de un lado al otro.

—¿Qué pasó cuando entraron en el camerino? —preguntó Grace.

—No sé cómo los dejaron pasar. Yo no les di pases. Pero de pronto apareció Lawson en plan «Oye, ¿qué tal?». Yo me alegré de verlo, supongo. Pero entonces, no sé, algo se torció.

—¿Qué fue?

—Lawson. Enloqueció. No sé, igual iba más colocado que yo. Empezó a empujarme, a amenazarme. Me acusó de ladrón a gritos.

—¿De ladrón?

Jimmy asintió.

—Era todo absurdo. Dijo... —Por fin se detuvo y la miró a los ojos—. Dijo que yo había robado su canción.

—¿Qué canción?

—*Pale Ink*.

Grace no podía moverse. El temblor empezó a recorrerle el lado izquierdo. Sintió una palpitación en el pecho.

—Lawson y el otro tío, Alworth, compusieron una canción para Allaw titulada *Invisible Ink*. Básicamente ése era el único parecido entre las dos canciones, el título. Ya conoces la letra de *Pale Ink*, ¿no?

Ella asintió. Ni siquiera intentó hablar.

—Supongo que el tema de *Invisible Ink* era parecido. Las dos canciones trataban de lo frágil que era la memoria. Pero nada más. Se lo dije a John. Pero él estaba como loco. Todo cuanto decía lo enfurecía más. No paraba de empujarme. Además, una de las chicas, una muy morena, lo incitaba. Empezó a decir que me romperían las piernas o algo así. Grité para pedir ayuda. Lawson me dio un puñetazo. ¿Recuerdas que se dijo que yo había resultado herido en medio del tumulto?

Ella volvió a asentir.

—Pues no era verdad. Fue tu marido. Me golpeó en la mandíbula, y luego se abalanzó sobre mí. Intenté quitármelo de encima. A gritos, empezó a decir que iba a matarme. Era, no sé, era todo como surrealista. Amenazó con rajarme.

Las palpitaciones se extendieron por su cuerpo y se enfriaron. Grace contenía el aliento. No podía ser. Por favor, simplemente no podía ser.

—Llegó un momento en que estaba tan descontrolado que una de las chicas, la pelirroja, le dijo que se tranquilizara. No vale la pena, dijo. Le pidió que lo dejara. Pero él no le hizo caso. Simplemente me sonrió y luego... luego sacó una navaja.

Grace meneó la cabeza.

—Dijo que iba a clavármela en el corazón. He dicho que estaba cieguísimo, ¿recuerdas? Pues al oír eso se me pasó el colocón por completo. ¿Quieres que a alguien se le pase un colocón? Pues amenázalo con clavarle una navaja en el pecho. —Volvió a callar.

—¿Y qué hiciste?

¿Había hablado ella? Grace no estaba segura. La voz sonaba igual que la suya, pero parecía venir de otro lugar, de un lugar metálico y lejano.

A Jimmy, absorto en los recuerdos, se le desencajó la cara.

—No iba a permitir que me apuñalara así como así. De modo que me abalancé sobre él. Se le cayó la navaja. Empezamos a forcejear. Las chicas gritaron. Se acercaron e intentaron separarnos. Y entonces, cuando estábamos en el suelo, oí un disparo.

Grace seguía meneando la cabeza. Jack no. Jack no estaba allí esa noche, imposible, de ninguna manera...

—Se oyó tan fuerte, ¿sabes? Como si la pistola estuviera detrás de mi oreja o algo así. Entonces se lió todo. Hubo gritos. Y luego se oyeron dos, tal vez tres, disparos más. No en la habitación. Venían de lejos. Y más gritos. Lawson paró de moverse. Había sangre en el suelo. Le habían dado en la espalda. Lo aparté y entonces vi a aquel guardia de seguridad, Gordon MacKenzie, que seguía apuntando con su pistola.

Grace cerró los ojos.

—Espera un momento. ¿Estás diciéndome que Gordon MacKenzie disparó el primer tiro?

Jimmy asintió.

—Oyó el jaleo, me oyó pedir ayuda y... —De nuevo se le apagó la voz—. Nos quedamos un momento mirándonos fijamente. Las chicas chillaban, pero para entonces la multitud ahogaba sus gritos. Ese sonido, no sé, la gente habla del sonido más terrible, dicen que tal vez sea el de un animal herido; pero nunca he oído nada que se acerque tanto al sonido del miedo y el pánico. Aunque eso tú ya lo sabes.

No lo sabía. El traumatismo cerebral le había borrado el recuerdo. Pero ella asintió para que él siguiera hablando.

—El caso es que MacKenzie se quedó allí un momento, atónito. Y luego echó a correr. Las dos chicas cogieron a Lawson y empezaron a sacarlo a rastras. —Se encogió de hombros—. El resto ya lo sabes, Grace.

Grace intentó asimilarlo todo. Intentó entender las implicaciones, encajarlo en su realidad. Ella había estado a unos cuantos metros de todo eso, del otro lado del escenario. Jack. Su marido. Él había estado allí mismo. ¿Cómo era posible?

—No —dijo ella.

—No ¿qué?

—No, no sé el resto, Jimmy.

Él no dijo nada.

—La historia no acabó ahí. Allaw tenía cuatro miembros. He estado comprobando las fechas. Dos meses después de la desbandada, alguien contrató a un asesino a sueldo para matar a una de las chicas del grupo, Geri Duncan. Mi marido, el que dices que te atacó, huyó al extranjero, se afeitó la barba y empezó a llamarse Jack. Según su madre, Shane Alworth también está en el extranjero, pero creo que miente. Sheila Lambert, la pelirroja, se cambió de nombre. Su marido fue asesinado hace poco y ella volvió a desaparecer.

Jimmy meneó la cabeza.

—De eso yo no sé nada.

—¿Crees que es todo simple casualidad?

—No, supongo que no —contestó Jimmy—. Tal vez les daba miedo lo que sucedería si la verdad salía a la luz. ¿Te acuerdas de esos primeros meses? Todo el mundo quería sangre. Habrían podido ir a la cárcel, o algo peor.

Grace movió la cabeza en un gesto de negación.
—¿Y tú, Jimmy?
—Y yo ¿qué?
—¿Por qué has mantenido eso en secreto tantos años?
No contestó.
—Si lo que me has dicho es verdad, tú no hiciste nada malo. Tú fuiste el agredido. ¿Por qué no se lo contaste a la policía?
Él abrió la boca, la cerró, volvió a intentarlo.
—Todo aquello me superó. También tuvo algo que ver Gordon MacKenzie. Quedó como el héroe, ¿no te acuerdas? Si el mundo se enteraba de que él disparó el primer tiro, ¿qué crees que le habría sucedido?
—¿Me estarás diciendo que has mentido todos estos años para proteger a Gordon MacKenzie?
No contestó.
—¿Por qué, Jimmy? ¿Por qué no dijiste nada? ¿Por qué huiste?
Empezó a mirar a derecha e izquierda.
—Oye, te he contado todo lo que sé. Ahora me marcho a mi casa.
Grace se acercó.
—Es verdad que robaste esa canción, ¿eh?
—¿Qué? No.
Pero Grace lo sabía.
—Por eso te sentiste responsable. Robaste esa canción. Si no lo hubieras hecho, no habría ocurrido nada.
Él siguió negando con la cabeza.
—No es eso.
—Por eso huiste. No fue sólo porque estuvieras colocado. Robaste esa canción con la que te hiciste famoso. Fue así como empezó todo. Oíste a Allaw tocar en Manchester. Te gustó la canción y la robaste.
Él negó con la cabeza, pero era un gesto vacío de contenido.
—Se parecía un poco...
Y otra idea asaltó a Grace con una punzada profunda y dura.
—¿Hasta dónde estarías dispuesto a llegar para mantener tu secreto, Jimmy?
Él la miró.
—*Pale Ink* se hizo todavía más famosa tras la desbandada. Se vendieron millones de discos. ¿Quién se ha quedado con ese dinero?

Él meneó la cabeza.

—Te equivocas, Grace.

—¿Sabías que yo estaba casada con Jack Lawson?

—¿Qué? Claro que no.

—¿Por eso viniste a casa esa noche? ¿Intentabas averiguar qué sabía yo?

Él siguió negando con la cabeza. Le resbalaban las lágrimas por las mejillas.

—Eso no es verdad. Yo nunca quise hacer daño a nadie.

—¿Quién mató a Geri Duncan?

—De eso yo no sé nada.

—¿Acaso iba a hablar? ¿Fue eso lo que pasó? Y después, al cabo de quince años, alguien fue a por Sheila Lambert, alias Jillian Dodd, pero su marido se interpuso. ¿Fue porque ella iba a hablar, Jimmy? ¿Porque sabía que habías vuelto?

—Tengo que irme.

Ella le interceptó el paso.

—No puedes volver a huir. Ya has huido bastante.

—Lo sé —dijo con voz suplicante—. Lo sé mejor que nadie.

La apartó de un empujón y se fue corriendo. Grace estuvo a punto de gritar «¡Párenlo! ¡Cójanlo!», pero dudó que el guardia pudiera hacer gran cosa. Jimmy ya estaba fuera y Grace casi lo había perdido de vista. Fue tras él cojeando.

Unos disparos —tres— resonaron en la noche. Se oyó un chirrido de neumáticos. La recepcionista soltó la revista y cogió el teléfono. El guardia de seguridad paró de silbar y se abalanzó hacia la puerta. Grace corrió tras él.

Cuando Grace salió, vio un coche que circulaba a toda velocidad por la vía de salida y desaparecía en la oscuridad. Grace no había visto quién iba en el coche. Pero creyó saberlo. El guardia de seguridad se agachó junto al cuerpo. Dos médicos salieron corriendo y casi derribaron a Grace. Pero era demasiado tarde.

Quince años después de la desbandada, la Matanza de Boston se cobraba a su víctima más escurridiza.

52

Tal vez, no tengamos que saber toda la verdad, se dijo Grace. Y tal vez la verdad no importe.

Al final quedaban muchas preguntas. Grace pensó que nunca conocería todas las respuestas. Ya habían muerto demasiados implicados.

Jimmy X, cuyo verdadero nombre era James Xavier Farmington, murió de tres heridas de bala en el pecho.

El cuerpo de Wade Larue fue encontrado cerca de la terminal de autobuses de Port Authority menos de veinticuatro horas después de haber salido de la cárcel. Le habían disparado un tiro en la cabeza a quemarropa. Sólo había una pista significativa: un periodista del *Daily News* de Nueva York había logrado seguir a Wade Larue después de la rueda de prensa en el Crowne Plaza. Según el periodista, Larue había subido a un sedán negro con un hombre que coincidía con la descripción de Cram. Fue la última vez que alguien vio vivo a Larue.

No hubo detenidos, pero la respuesta parecía evidente.

Grace intentó entender qué había hecho Carl Vespa. Habían pasado quince años, y su hijo seguía muerto. Era extraño plantearlo así, pero tal vez venía al caso. Para Vespa, no había cambiado nada. El tiempo no había bastado.

El capitán Perlmutter intentaría demostrar su culpabilidad para llevarlo a juicio. Pero a Vespa se le daba muy bien borrar sus huellas.

Perlmutter y Duncan se presentaron en el hospital después del asesinato de Jimmy. Grace se lo contó todo. Ya no tenía nada que esconder. Perlmutter comentó casi de pasada que alguien había trazado las palabras *Shane Alworth* en el suelo de cemento.

—¿Y eso qué significa? —preguntó Grace.

—Estamos analizando las pruebas, pero es posible que su marido no estuviera solo en ese sótano.

Tenía sentido, supuso Grace. Quince años después volvían todos. Todos los de la foto.

A las cuatro de la mañana, Grace volvió a su cama del hospital. Cuando se abrió la puerta, la habitación estaba a oscuras. Una silueta entró furtivamente. Creía que ella dormía. Por un momento Grace no dijo nada. Esperó a que él volviera a sentarse en la silla, igual que quince años atrás, antes de decir:

—Hola, Carl.

—¿Cómo estás? —preguntó Vespa.

—¿Has matado tú a Jimmy?

Se produjo un largo silencio. La sombra no se movió.

—Lo que sucedió esa noche —dijo al fin— fue culpa de él.

—Es difícil saberlo.

La cara de Vespa no era más que una sombra.

—Ves demasiados matices de gris.

Grace intentó incorporarse, pero el tórax no se lo permitió.

—¿Cómo te enteraste de lo de Jimmy?

—Por Wade Larue —contestó él.

—También lo mataste a él.

—¿Quieres hacer acusaciones, Grace, o quieres saber la verdad?

Grace estuvo a punto de preguntarle si sólo quería eso, la verdad, pero sabía la respuesta. La verdad nunca bastaría. La venganza y la justicia nunca bastarían.

—Wade Larue se puso en contacto conmigo el día antes de salir en libertad —explicó Vespa—. Quería hablar conmigo.

—¿Hablar de qué?

—No me lo dijo. Le pedí a Cram que lo recogiera en Manhattan. Vino a mi casa. Empezó con el rollo sensiblero de que entendía mi dolor. Dijo que de pronto estaba en paz consigo mismo, que ya no deseaba vengarse. Yo no quería saber nada de todo eso. Quería que fuera al grano.

—¿Y lo hizo?

—Sí. —La sombra volvía a permanecer inmóvil. Grace pensó en encender la luz y al final decidió no hacerlo—. Me contó que Gordon MacKenzie había ido a verlo a la cárcel tres meses antes. ¿Sabes por qué?

Grace asintió, ya que en ese momento lo entendió todo.

—MacKenzie tenía un cáncer terminal.

—Exacto. Todavía esperaba comprar un billete de último minuto a la Tierra Prometida. De pronto ya no podía vivir con lo que había hecho. —Vespa ladeó la cabeza y sonrió—. Es curioso que suceda algo así justo antes de morir, ¿no te parece? Si lo piensas, es tan oportuno que resulta irónico. El hombre confiesa cuando ya no tiene nada que perder, y oye, si te crees todas esas patrañas de que con la confesión viene el perdón, al final incluso sales ganando.

Grace sabía que más valía callar. No se movió.

—En cualquier caso, Gordon MacKenzie asumió la culpa. Él vigilaba la entrada de los camerinos. Se dejó distraer por una jovencita muy guapa. Dijo que Lawson y dos chicas pasaron sin que él se diera cuenta. Pero tú todo esto ya lo sabes, ¿no?

—Parte.

—¿Ya sabes que MacKenzie le disparó a tu marido?

—Sí.

—Y eso fue lo que desencadenó la desbandada. Después, cuando pasó todo, MacKenzie se reunió con Jimmy X. Los dos acordaron callarse. Les preocupaba un poco la herida de Jack y que esas chicas hablaran, pero esos tres también tenían mucho que perder.

—Así que todos callaron.

—Sí. MacKenzie se convirtió en héroe. A raíz de eso entró a trabajar en la policía de Boston. Lo ascendieron a capitán. Todo gracias a su heroicidad de esa noche.

—¿Y qué hizo Larue después de que MacKenzie confesara todo esto?

—¿Tú qué crees? Quiso que la verdad saliera a la luz. Quiso venganza y exoneración.

—¿Y por qué Larue no se lo contó a nadie?

—Sí lo contó. —Vespa sonrió—. Adivina a quién.

Grace lo adivinó.

—Se lo contó a su abogada.
Vespa tendió las manos.
—Premio para la señora.
—Pero ¿cómo hizo Sandra Koval para convencerlo de que se callara?
—Ah, ahí estuvo brillante. De algún modo, y en eso reconozcamos el mérito, se las ingenió para hacer lo que más convenía a su cliente y también a su hermano.
—¿Cómo?
—Le dijo a Larue que tendría más posibilidades de salir en libertad condicional si no contaba la verdad.
—No lo entiendo.
—No sabes gran cosa acerca de la libertad condicional, ¿verdad?
Ella se encogió de hombros.
—Verás, la comisión de la libertad condicional no desea oír que eres inocente. Quieren oírte entonar el *mea culpa*. Si quieres salir, tienes que agachar la cabeza, avergonzado. Obraste mal, les dices. Aceptas tu responsabilidad: ése es el primer paso hacia la rehabilitación. Si insistes en tu inocencia, acabas mal.
—¿Y MacKenzie no podía declarar?
—Para entonces estaba demasiado enfermo. Verás, la inocencia de Larue no era competencia de la comisión de libertad condicional. Si Larue elegía esa vía, tenía que pedir otro juicio. Tardaría meses, tal vez años. Según Sandra Koval, y en eso no mentía, Larue tenía más posibilidades de salir si reconocía su culpabilidad.
—Y tenía razón —dijo Grace.
—Sí.
—¿Y Larue nunca supo que Sandra y Jack eran hermanos?
Vespa extendió de nuevo las manos.
—¿Cómo iba a saberlo?
Grace meneó la cabeza.
—Pero verás, para Wade Larue la historia no acababa ahí. Quería venganza y exoneración. Sabía que tenía que esperar a salir de la cárcel. La cuestión era cómo. Sabía la verdad, pero ¿cómo iba a demostrarla? ¿Quién, y perdona la expresión, iba a sentir su ira? ¿Quién era realmente culpable de lo sucedido esa noche?

Grace asintió al encajar otro detalle.

—Así que fue a por Jack.

—Fue a por el que sacó la navaja, sí. De modo que Larue le pidió a su viejo colega de la cárcel Eric Wu que secuestrara a tu marido. Larue tenía planeado reunirse con Wu en cuanto saliera en libertad. Conseguiría que Jack contara la verdad, lo filmaría y luego, no lo sabía muy bien, pero probablemente lo mataría.

—¿Se exoneraría y luego cometería un asesinato?

Vespa se encogió de hombros.

—Estaba furioso, Grace. Quizás al final sólo le habría dado una paliza o roto las piernas. ¿Quién sabe?

—¿Y qué pasó?

—Wade Larue cambió de parecer.

Grace frunció el entrecejo.

—Tenías que haberlo oído hablar del tema. Tenía una mirada tan clara. Yo acababa de asestarle un puñetazo en la cara. Le había dado patadas y amenazado con matarlo. Pero la paz en su cara... siguió allí. En cuanto quedó libre, se dio cuenta de que podía dejarlo todo atrás.

—¿Qué podía dejar atrás?

—Pues eso. Su castigo quedaba atrás. Nunca podría ser realmente exonerado porque no estaba libre de culpa. Él disparó la pistola en medio de la multitud, y eso aumentó el nivel de histeria. Pero sobre todo fue por lo que me dijo: estaba realmente libre. Ya no quedaba nada que lo atara al pasado. Él ya no estaba en la cárcel, pero mi hijo siempre estaría muerto. ¿Lo entiendes?

—Creo que sí.

—Larue sólo quería vivir su vida. También tenía miedo de lo que yo pudiera hacerle. Así que quiso llegar a un acuerdo conmigo. Me contó la verdad. Me dio el número de teléfono de Wu. Y a cambio, yo lo dejaría en paz.

—¿O sea que fuiste tú quien llamó a Wu?

—De hecho, fue Larue quien llamó. Pero sí, yo hablé con él.

—¿Y le dijiste a Wu que nos llevara a donde estabas?

—No sabía que también te tenía a ti. Creía que sólo era Jack.

—¿Y qué pensabas hacer, Carl?

No contestó.

—¿También habrías matado a Jack?
—¿Acaso eso importa ahora?
—¿Y qué habrías hecho conmigo?
Tardó en contestar.
—Hubo cosas que me hicieron dudar —dijo.
—¿Sobre qué?
—Sobre ti.
Transcurrieron varios segundos. Se oyeron pasos fuera. Una camilla con una rueda chirriante pasó junto a la puerta. Grace oyó alejarse el ruido. Intentó respirar más despacio.
—Resulta que por poco te mueres en la Matanza de Boston, y luego acabas casándote con el responsable de todo. También sé que Jimmy X fue a tu casa después de que lo viéramos en aquel ensayo. Eso no me lo contaste. Y luego está el hecho de que recuerdes tan poco de lo sucedido. No sólo esa noche, sino casi una semana antes.
Grace intentaba respirar con regularidad.
—Pensaste...
—No sabía qué pensar. Pero ahora es posible que ya lo sepa. Creo que tu marido es un buen hombre que cometió un error espantoso. Creo que huyó después de la desbandada. Creo que se sintió culpable. Por eso quiso conocerte. Vio los artículos de prensa y quería saber si estabas bien. A lo mejor incluso pensaba disculparse. Así que te encontró en la playa en Francia. Y entonces se enamoró de ti.
Grace cerró los ojos y se reclinó.
—Ya se ha acabado, Grace.
Se quedaron callados. Ya no había nada más que decir. Minutos después, Vespa salió, silencioso como la noche.

53

Pero no se había acabado.

Pasaron cuatro días. Grace se encontraba mejor. Volvió a casa esa primera tarde. Cora y Vickie se quedaron con ellos. También pasó Cram por su casa ese primer día, pero Grace le pidió que se marchara. Él asintió y obedeció.

Los medios enloquecieron, por supuesto. Sólo conocían retazos, pero el hecho de que el famoso Jimmy X hubiera vuelto a aparecer para ser asesinado bastó para sumirlos en un estado de auténtico delirio. Perlmutter apostó un coche patrulla frente a la casa de Grace. Emma y Max siguieron yendo a la escuela. Grace se pasaba casi todo el día en el hospital con Jack. Charlaine Swain le hizo mucha compañía.

Grace pensó en la foto que lo había desencadenado todo. Dedujo que uno de los cuatro miembros de Allaw había encontrado la manera de meterla en el paquete con las demás. ¿Por qué? Eso costaba más saberlo. Tal vez uno de ellos se dio cuenta de que los dieciocho fantasmas no descansarían nunca.

Pero estaba también la cuestión del momento en que sucedió. ¿Por qué entonces? ¿Por qué después de quince años?

Posibilidades había muchas. Pudo deberse a la puesta en libertad de Wade Larue, a la muerte de Gordon MacKenzie, a la cobertura del aniversario en los medios. Pero lo más probable, lo que tenía más sentido, era que el retorno de Jimmy X lo hubiera desencadenado todo.

¿Quién tenía realmente la culpa de lo sucedido aquella noche trágica? ¿Fue Jimmy por robar la canción? ¿Jack por atacarlo? ¿Gordon MacKenzie por disparar un arma en esas circunstancias? ¿Wade Larue por llevar un arma sin permiso, dejarse llevar por el pánico y disparar más veces en medio de una multitud frenética? Grace no lo sabía. Pequeñas ondas. Toda esa carnicería no se había iniciado a partir de una gran conspiración. Se había iniciado a partir de dos grupos de rock sin importancia que tocaban en un tugurio de Manchester.

Todavía quedaban lagunas, por supuesto. Muchas. Pero tendrían que esperar.

Hay cosas más importantes que la verdad.

En ese momento, en ese preciso momento, Grace miraba a Jack. Permanecía inmóvil en la cama del hospital. Su médico, un hombre llamado Stan Walker, estaba sentado a su lado. El doctor Walker cruzó las manos y habló con su tono de voz más solemne. Grace escuchó. Emma y Max esperaban en el pasillo. Querían estar allí. Grace no sabía qué hacer. ¿Qué se suponía que era lo correcto en una situación así?

Deseaba poder preguntárselo a Jack.

No quería preguntarle por qué le había mentido durante tanto tiempo. No quería una explicación de lo que él había hecho esa terrible noche. No quería preguntarle cómo la había encontrado en la playa ese día, si la había buscado intencionadamente, si se habían enamorado por eso. No quería preguntarle a Jack nada de eso.

Sólo quería hacerle una última pregunta: ¿Deseaba que sus hijos estuvieran junto a su lecho cuando muriese?

Al final, Grace los dejó quedarse. Los cuatro se reunieron en familia por última vez. Emma lloró. Max se quedó quieto, con la mirada fija en el suelo embaldosado. Y luego Grace, con un suave tirón en el corazón, sintió que Jack se iba para siempre.

54

El funeral fue una imagen borrosa. Grace solía llevar lentillas. Ese día se las quitó y no se puso las gafas. Viéndolo desdibujado, todo le pareció más fácil. Se sentó en el primer banco y pensó en Jack. Ya no se lo imaginaba en los viñedos ni en la playa. La imagen que más recordaba, la imagen que siempre llevaría consigo, era la de Jack con Emma en brazos cuando nació, la manera en que sus grandes manos sostenían aquella pequeña maravilla, cogiéndola como si fuera a romperse, temeroso de hacerle daño, la manera en que se volvió hacia Grace y la miró absolutamente sobrecogido. Eso veía.

El resto, todo lo que sabía sobre su pasado, era ruido blanco.

Sandra Koval fue al funeral. Se quedó en el fondo. Se disculpó por la ausencia de su padre. Estaba muy mayor y enfermo. Grace dijo que lo entendía. Las dos mujeres no se abrazaron. Asistió Scott Duncan. También Stu Perlmutter y Cora. Grace no tenía la menor idea de cuánta gente se había presentado. Tampoco le importaba mucho. Se aferró a sus dos hijos y capeó el temporal como pudo.

Dos semanas después los niños volvieron a la escuela. Hubo problemas, claro. Tanto Emma como Max sufrieron ansiedad por la separación. Eso era normal, Grace lo sabía. Los acompañaba a pie a la escuela. Iba a buscarlos antes de que sonara el timbre. Los niños lo pasaban mal. Ése, como Grace bien sabía, era el precio que se pagaba cuando se tenía un padre bueno y cariñoso. Ese dolor nunca desaparece.

Pero había llegado el momento de acabar con todo eso.

La autopsia de Jack.

Algunos dirían que la autopsia, cuando la leyó y la entendió, fue lo que volvió a desbaratar el mundo de Grace. Pero en realidad no fue eso. La autopsia sólo fue una confirmación independiente de lo que ella ya sabía. Jack había sido su marido. Ella lo había querido. Habían estado juntos doce años. Tuvieron dos hijos. Y si bien era evidente que él había mantenido secretos, había cosas que un hombre no podía esconder.

Ciertas cosas tienen que quedarse en la superficie.

Grace eso lo sabía.

Conocía su cuerpo. Conocía su piel. Conocía cada músculo de su espalda. Así que en realidad no necesitaba una autopsia. No necesitaba ver los resultados del examen externo para decirle lo que ella ya sabía.

Jack no tenía ninguna cicatriz importante.

Y eso significaba que —pese a lo que había dicho Jimmy, pese a lo que Gordon MacKenzie le había contado a Wade Larue— Jack nunca había recibido una herida de bala.

Primero Grace fue a Photomat y encontró a Josh *el Pelusilla*. Después volvió a Bedminster, a la urbanización donde vivía la madre de Shane Alworth. Acto seguido intentó descifrar el papeleo referente al fideicomiso de la familia de Jack. Grace conocía a un abogado de Livingstone que trabajaba como representante deportivo en Manhattan. Había dispuesto varios fideicomisos para sus acaudalados atletas. Repasó los documentos y se lo explicó todo para que lo entendiera.

Y finalmente, una vez reunida toda la información, fue a ver a Sandra Koval, su cuñada, a las oficinas de Burton y Crimstein en la ciudad de Nueva York.

Esta vez Sandra Koval no la recibió en recepción. Grace miraba la galería de fotos, deteniéndose una vez más ante el retrato de la luchadora, Pequeña Pocahontas, cuando una mujer con una blusa de campesina la invitó a seguirla. Condujo a Grace por el pasillo hasta la misma sala de reuniones donde Sandra y ella habían hablado por primera vez hacía una eternidad.

—La señora Koval vendrá enseguida.

—Perfecto.

La dejó sola. La sala estaba exactamente igual que la última vez, sólo que ahora había un bloc de papel amarillo y un bolígrafo Bic delante de cada silla. Grace no quería sentarse. Mientras caminaba de un lado a otro, con su peculiar cojera, lo repasó todo una vez más. Sonó el móvil. Habló brevemente y lo apagó. Lo dejó apagado. Por si acaso.

—Hola, Grace.

Sandra Koval entró en la habitación como un frente meteorológico turbulento. Fue directa a la nevera, la abrió y miró dentro.

—¿Te apetece beber algo?

—No.

Con la cabeza todavía en la pequeña nevera, preguntó:

—¿Cómo están los niños?

Grace no contestó. Sandra Koval sacó una Perrier. Desenroscó el tapón y se sentó.

—¿Qué hay?

¿Debía probar la temperatura con la punta del pie o lanzarse sin más?

—No es verdad que tomaras a Wade Larue como cliente por mí —empezó sin preámbulos—. Lo tomaste porque querías estar cerca de él.

Sandra Koval se sirvió la Perrier en un vaso.

—Eso podría ser, hipotéticamente, cierto.

—¿Hipotéticamente?

—Sí. Puede que, en un mundo hipotético, yo haya representado a Wade Larue para proteger a cierto miembro de mi familia. Pero en caso de que hubiera sido así, me habría asegurado igualmente de que representaba a mi cliente de la mejor manera posible.

—¿Dos pájaros de un tiro?

—Tal vez.

—Y ese miembro de la familia, ¿sería tu hermano?

—Es posible.

—Es posible —repitió Grace—. Pero no fue eso lo que sucedió. Lo que tú pretendías no era proteger a tu hermano.

Sus miradas se cruzaron.

—Lo sé —dijo Grace.

—¿Ah, sí? —Sandra bebió un sorbo—. En ese caso, ¿por qué no me lo cuentas?

—Tenías... ¿cuántos años? ¿Veintisiete? Acababas de salir de la Facultad de Derecho y trabajabas de abogada criminalista, ¿no?

—Sí.

—Estabas casada. Tu hija tenía dos años. Tenías ante ti una carrera fulgurante. Y de pronto tu hermano lo estropeó todo. Tú estabas allí esa noche, Sandra. En el Boston Garden. La otra mujer que entró en los camerinos eras tú, no Geri Duncan.

—Ya veo —dijo ella sin el menor asomo de inquietud—. ¿Y eso cómo lo sabes?

—Jimmy X dijo que una mujer era pelirroja, y ésa era Sheila Lambert, y la otra, la que lo azuzaba, era morena. Geri Duncan era rubia. Tú, Sandra, eras la morena.

Se echó a reír.

—¿Y con eso qué pretendes demostrar?

—Nada por sí mismo. Ni siquiera sé si es relevante. Es probable que Geri Duncan también estuviera allí. Es posible que fuese ella quien distrajo a Gordon MacKenzie para que vosotros tres pudierais colaros en los camerinos.

Sandra Koval hizo un gesto vago con la mano.

—Sigue, esto se pone interesante.

—¿Quieres que vaya al grano?

—Te lo ruego.

—Según Jimmy X y Gordon MacKenzie, tu hermano recibió un disparo esa noche.

—Así es —corroboró Sandra—. Estuvo ingresado en un hospital tres semanas.

—¿En qué hospital?

No vaciló ni parpadeó ni reaccionó en lo más mínimo.

—El Mass General.

Grace movió la cabeza en un gesto de negación.

Sandra hizo una mueca.

—¿Vas a decirme que has indagado en todos los hospitales de la zona de Boston?

—No ha sido necesario —replicó Grace—. Jack no tenía ninguna cicatriz.

Silencio.

—Verás, la herida de bala habría dejado una cicatriz, Sandra. Es lo más lógico. Tu hermano recibió un disparo. Mi marido no tenía cicatriz. Eso sólo tiene una explicación. —Grace apoyó las manos en la mesa. Le temblaban.

—Yo nunca estuve casada con tu hermano.

Sandra Koval no dijo nada.

—Tu hermano, John Lawson, recibió un disparo ese día. Sheila Lambert y tú lo sacasteis a rastras del tumulto. Pero su herida era mortal. Al menos eso espero, porque de lo contrario significaría que tú lo mataste.

—¿Y por qué habría hecho algo así?

—Porque si lo llevabas al hospital, tendrían que denunciar el tiroteo. Si te presentabas con un cadáver, o si simplemente lo dejabas tirado en la calle, alguien investigaría y averiguaría dónde y cómo le dispararon. Tú, la prometedora abogada, estabas aterrorizada. Seguro que Sheila Lambert también. Cuando sucedió eso, el mundo entero enloqueció. El fiscal de Boston e incluso el propio Carl Vespa salieron por televisión reclamando sangre. Y todas las familias. Si te veías involucrada en eso, te detendrían o algo peor.

Sandra Koval permaneció callada.

—¿Llamaste a tu padre? ¿Le preguntaste qué debías hacer? ¿Te pusiste en contacto con algún criminal, alguno de tus antiguos clientes, para que te ayudara? ¿O simplemente te deshiciste del cadáver por tu cuenta?

Sandra se rió.

—Qué imaginación tienes, Grace. Y ahora, ¿puedo preguntarte una cosa?

—Claro.

—Si John Lawson murió hace quince años, ¿con quién te casaste?

—Yo me casé con *Jack* Lawson —contestó Grace—, que antes se llamaba Shane Alworth.

Eric Wu no había retenido a dos hombres en el sótano, comprendió Grace. Sólo a uno. A un hombre que se había sacrificado para salvarla. A un hombre que debía de saber que iba a morir y quería dejar constancia de una última verdad de la única manera que le quedaba.

Sandra Koval casi sonrió.

—Es una teoría increíble.

—Y fácil de probar.

Sandra se echó atrás y se cruzó de brazos.

—Hay algo que no entiendo de tu versión de los hechos. ¿Por qué no me limité a esconder el cadáver de mi hermano y fingí que había huido?

—Demasiada gente haría preguntas —dijo Grace.

—Pero eso fue lo que les pasó a Shane Alworth y Sheila Lambert. Desaparecieron sin más.

—Eso es verdad —reconoció Grace—. Y tal vez la respuesta tenga que ver con el fideicomiso familiar.

Al oírla, Sandra se quedó petrificada.

—¿El fideicomiso?

—Encontré los documentos del fideicomiso en el escritorio de Jack. Se los llevé a un amigo abogado. Se ve que tu abuelo creó seis fideicomisos. Tenía dos hijos y cuatro nietos. Olvídate por un momento del dinero. Hablemos del poder de voto. Todos teníais la misma participación, que se dividía en seis partes, pero tu padre tenía un cuatro por ciento más. De ese modo, tu lado de la familia controlaba el negocio, con un cincuenta y dos por ciento frente al otro cuarenta y ocho. Pero, y a mí estas cosas no se me dan muy bien, así que discúlpame, el abuelo quería que todo quedara en familia. Si cualquiera de vosotros moría antes de los veinticinco años, el poder de voto debía dividirse a partes iguales entre los cinco supervivientes. Si tu hermano moría la noche del concierto, por ejemplo, significaba que tu lado de la familia, tu padre y tú, ya no ocuparíais una posición mayoritaria.

—Estás loca.

—Es posible —dijo Grace—. Pero, dime, Sandra. ¿Por qué lo hiciste? ¿Fue por miedo a que te cogieran, o temías perder el control del negocio familiar? Tal vez por una mezcla de las dos cosas. En cualquier caso, sé que conseguiste que Shane Alworth ocupara el lugar de tu hermano. Será fácil demostrarlo. Desenterraremos viejas fotos. Podemos hacer una prueba del ADN. O sea, se ha acabado.

Sandra empezó a golpear la mesa con las yemas de los dedos.

—Si eso es verdad —dijo—, el hombre al que quisiste te mintió todos esos años.

—Eso es verdad al margen de todo —dijo Grace—. Por cierto, ¿cómo conseguiste que cooperara?

—Se supone que eso es una pregunta retórica, ¿no?

Grace se encogió de hombros y prosiguió:

—La señora Alworth me dijo que eran pobres de solemnidad. Su hermano Paul no podía pagarse la universidad. Ella vivía en un tugurio. Pero me atrevo a suponer que tú los amenazaste. Si un miembro de Allaw salía perjudicado por eso, todos se verían afectados. Es probable que él pensara que no le quedaba más remedio.

—Vamos, Grace. ¿De verdad crees que un pobretón como Shane Alworth podía hacerse pasar por mi hermano?

—¿Realmente habría sido tan difícil? Seguro que tu padre y tú lo ayudasteis. No habría sido ningún problema conseguir documentos de identidad. Ya tenías el certificado de nacimiento de tu hermano y todos los documentos necesarios. Bastaba con decir que le habían robado la cartera. Entonces era más fácil falsificar documentos. Se habría sacado un nuevo permiso de conducir, un pasaporte, lo que sea. Encontraste otro abogado especializado en fideicomisos en Boston... mi amigo se fijó en que ya no era el de Los Ángeles... alguien que no hubiera visto nunca a John Lawson. Si tú, tu padre y Shane ibais juntos a su despacho, con todos los documentos de identidad en regla, ¿quién lo pondría en duda? Tu hermano ya se había licenciado en la Universidad de Vermont, así que tampoco tenía que presentarse allí con una cara nueva. Shane ya podía irse al extranjero. Si alguien se encontraba con él, pues nada, diría que se llamaba Jack y que era otro John Lawson. Tampoco es un nombre muy raro.

Grace esperó.

Sandra cruzó los brazos.

—¿Y se supone que ahora es cuando debo venirme abajo y confesar?

—¿Tú? No, no lo creo. Pero vamos, ya sabes que se ha acabado. No será difícil demostrar que mi marido no era tu hermano.

Sandra Koval se tomó su tiempo.

—Eso es posible —admitió, ahora midiendo más sus palabras—. Pero no creo que haya ningún delito en eso.

—¿Por qué?

—Digamos, de nuevo hipotéticamente, que tienes razón. Digamos que es verdad que conseguí que tu marido se hiciera pasar por mi hermano. Eso ocurrió hace quince años. Hay una ley de prescripción de derechos. Puede que mis primos intenten enfrentarse a mí por el fideicomiso, pero no les conviene el escándalo. Lo resolveríamos. E incluso si lo que dices es verdad, mi delito no sería muy grave. Si yo estaba en el concierto esa noche... en fin, en los primeros días de toda esa locura, ¿quién me echaría la culpa por haberme asustado?

Grace habló en voz baja.

—Yo no te culparía por eso.

—Pues ya ves.

—Y al principio tampoco hiciste nada demasiado malo. Fuiste a ese concierto a pedir justicia para tu hermano. Te enfrentaste al hombre que robó una canción compuesta por tu hermano y su amigo. Eso no es ningún delito. Las cosas se torcieron. Tu hermano murió. No podías hacer nada para recuperarlo. Así que actuaste como te pareció mejor. Jugaste las terribles cartas que te tocaron.

Sandra Koval extendió los brazos.

—Entonces, ¿qué quieres ahora, Grace?

—Respuestas, supongo.

—Por lo visto, ya has recibido unas cuantas. —A continuación, levantó el dedo y añadió—: Eso en términos hipotéticos.

—Y tal vez quiera justicia.

—¿Qué justicia? Tú misma acabas de decir que lo que sucedió es comprensible.

—Esa parte —dijo Grace, todavía en voz baja—. Si hubiera acabado allí, sí, es probable que lo hubiera dejado estar. Pero no se acabó allí.

Sandra Koval se reclinó y esperó.

—Sheila Lambert también tuvo miedo. Sabía que lo mejor que

podía hacer era cambiar de nombre y desaparecer. Todos acordasteis dispersaros y callar. En cuanto a Geri Duncan, ella se quedó donde estaba. Eso no importó, al principio. Pero de pronto se enteró de que estaba embarazada.

Sandra sólo cerró los ojos.

—Cuando aceptó ser John Lawson, Shane, mi Jack, tuvo que romper todos los lazos e irse al extranjero. Geri Duncan no sabía adónde se había ido. Al cabo de un mes se enteró de que estaba embarazada. Quería encontrar al padre desesperadamente. Así que fue a verte. Sospecho que quería partir de cero. Quería contar la verdad y tener a su hijo haciendo borrón y cuenta nueva. Y tú ya conocías a mi marido. Jamás le habría dado la espalda si ella insistía en tener el hijo. A lo mejor él también habría querido hacer borrón y cuenta nueva. Y entonces, ¿qué habría sido de ti, Sandra?

Grace se miró las manos. Seguían temblando.

—Así que tuviste que silenciar a Geri. Eras abogada criminalista. Representabas a criminales. Y uno de ellos te ayudó a encontrar a un asesino a sueldo que se llamaba Monte Scanlon.

—No puedes demostrar nada de esto —dijo Sandra.

—Los años pasan —prosiguió Grace—. Ahora mi marido es Jack Lawson. —Grace se interrumpió y se acordó de cuando Carl Vespa le dijo que Jack Lawson la había buscado. Había algo allí que seguía sin encajar—. Tenemos hijos. Le digo a Jack que quiero volver a Estados Unidos. Él no quiere. Yo insisto. Tenemos hijos. Quiero volver a mi país. Es mi culpa, supongo. Ojalá me hubiera dicho la verdad...

—¿Y cómo habrías reaccionado, Grace?

Pensó por un momento.

—No lo sé.

Sandra Koval sonrió.

—Y supongo que él tampoco.

En eso tenía razón, Grace lo sabía, pero no era el momento para esa clase de reflexiones. Continuó:

—Al final nos fuimos a Nueva York. Pero ya no sé qué pasó después, Sandra, así que tendrás que ayudarme tú en eso. Creo que al celebrarse el aniversario y al salir en libertad Wade Larue, Sheila Lambert, o tal vez incluso Jack, decidió que había llegado el momento de decir la verdad. Jack nunca dormía bien. Tal vez los dos necesitaban descargar sus culpas, no lo sé. Pero tú eso no podías aceptarlo, claro. A ellos podían perdonarlos, pero no a ti. Tú mandaste asesinar a Geri Duncan.

—Y de nuevo te pregunto: ¿La prueba es...?

—Ya llegaremos a eso —dijo Grace—. Me mentiste desde el principio, pero sí me dijiste la verdad en una cosa.

—Ah, qué bien. —El sarcasmo era evidente—. ¿Y se puede saber en qué?

—Cuando Jack vio esa vieja foto en la cocina, buscó a Geri Duncan en el ordenador. Se enteró de que había muerto en un incendio, pero sospechó que no fue un accidente. Así que te llamó. Ésa fue la llamada de nueve minutos. Temiste que fuera a derrumbarse, así que pensaste que debías actuar rápido. Le dijiste a Jack que se lo explicarías todo pero no por teléfono. Concertaste un encuentro en la autopista de Nueva York. Después llamaste a Larue y le dijiste que era el momento perfecto para vengarse. Supusiste que Larue le pediría a Wu que matara a Jack, no que lo retuviera como hizo.

—No tengo por qué escuchar esto.

Pero Grace no se detuvo.

—Mi gran error fue mostrarte la foto ese primer día. Jack no sabía que yo había hecho una copia. Allí estaba, una foto de tu hermano muerto y su nueva identidad para que la viera el mundo entero. También tenías que hacerme callar a mí. Así que enviaste a ese hombre, al que llevaba la fiambrera de mi hija, para asustarme. Pero yo no le hice caso. Así que usaste a Wu. Tenía que averiguar qué sabía yo y luego matarme.

—Ya he oído suficiente. —Sandra Koval se puso en pie—. Sal de mi oficina.

—¿No tienes nada que añadir?

—Sigo esperando pruebas.

—En realidad no las tengo —dijo Grace—. Pero es posible que confieses.

Sandra respondió con una carcajada.

—Vamos, ¿te crees que no sé que llevas un micrófono oculto? No he dicho ni he hecho nada que pueda incriminarme.

—Mira por la ventana, Sandra.

—¿Qué?

—La ventana. Mira la acera. Ven, te lo enseñaré yo.

Grace se dirigió cojeando al ventanal y señaló la calle. Sandra Koval se acercó con cautela, como si se esperara que Grace fuera a tirarla por la ventana. Pero no era eso. No era eso en absoluto.

Cuando Sandra Koval bajó la vista, dejó escapar un grito ahogado. Abajo, en la acera, dando vueltas como dos leones, estaban Carl Vespa y Cram. Grace se apartó y fue hacia la puerta.

—¿Adónde vas? —preguntó Sandra.

—Ah, sí —dijo Grace. Anotó algo en un papel—. Éste es el número de teléfono del capitán Perlmutter. Puedes elegir. Puedes llamarlo y marcharte con él. O puedes arriesgarte a salir a la calle.

Dejó el papel en la mesa de reuniones. Y luego, sin mirar atrás, Grace salió de la sala.

EPÍLOGO

Sandra decidió llamar al capitán Stuart Perlmutter. A continuación, se preocupó de su defensa. La representaría Hester Crimstein, la leyenda personificada. No sería una acusación fácil, pero el fiscal pensó que, en vista de ciertas novedades, podía interponerla.

Una de esas novedades fue el regreso de la integrante pelirroja del grupo Allaw, Sheila Lambert. Cuando Sheila se enteró de la detención —y vio que los medios le pedían ayuda—, volvió a aparecer. El hombre que disparó contra su marido coincidía con la descripción del hombre que amenazó a Grace en el supermercado. Se llamaba Martin Brayboy. Lo habían detenido y había aceptado declarar para la acusación.

Sheila Lambert también contó a la acusación que Shane Alworth había asistido al concierto esa noche, pero en el último momento había decidido no ir al camerino a enfrentarse con Jimmy X. Sheila Lambert no sabía por qué había cambiado de parecer, pero suponía que Shane se dio cuenta de que John Lawson estaba demasiado colocado, demasiado desquiciado, demasiado dispuesto a estallar.

Se suponía que eso tenía que haber consolado a Grace, pero no estaba muy segura de que fuera así.

El capitán Stuart Perlmutter había aunado fuerzas con la antigua jefa de Scott Duncan, Linda Morgan, la fiscal. Dieron con uno de los hombres del círculo íntimo de Carl Vespa. Corría el rumor de que pronto lo detendrían, aunque sería difícil imputarle el asesinato de Jimmy X. Cram llamó a Grace una tarde. Le dijo que Vespa no iba a defenderse. Se pasaba gran parte del día en la cama.

—Es como ver una muerte lenta —le dijo.

En realidad, Grace no quería saber nada.

Charlaine Swain llevó a Mike a casa cuando salió del hospital. Reanudaron su vida con sus horarios habituales. Mike ha vuelto al trabajo. Ahora ven la televisión juntos en lugar de hacerlo en cuartos separados. Mike sigue acostándose temprano. Hacen algo más el amor, pero todo de una manera muy cohibida. Charlaine y Grace se han hecho muy amigas. Charlaine nunca se queja, pero Grace percibe su desesperación. Pronto algo se vendrá abajo, Grace lo intuye.

Freddy Sykes sigue recuperándose. Ha puesto su casa en venta y se va a comprar un apartamento en Fair Lawn, Nueva Jersey.

Cora siguió siendo Cora. Con eso está todo dicho.

Evelyn y Paul Alworth, la madre y el hermano de Jack —o en este caso debería decirse de Shane—, también salieron a la luz pública. A lo largo de los años Jack había empleado el dinero del fideicomiso para pagar la educación de Paul. Cuando empezó a trabajar en el Laboratorio Pentocol, Jack llevó a su madre a vivir en esa urbanización para que pudieran estar más cerca. Comían juntos en su apartamento al menos una vez a la semana. Tanto Evelyn como Paul deseaban realmente formar parte de la vida de los niños —al fin y al cabo eran la abuela y el tío de Emma y Max—, pero entendían que debían tomárselo con calma.

En cuanto a Emma y Max, respondieron a la tragedia de maneras muy distintas.

A Max le gusta hablar de su padre. Quiere saber dónde está, cómo es el cielo, si él realmente los ve. Quiere estar seguro de que su padre todavía puede presenciar los acontecimientos fundamentales de su joven vida. Grace intenta responderle de la mejor manera posible —intenta vendérselo, por así decirlo—, pero sus palabras tienen el hueco forzado de lo poco creíble. Max quiere que Grace invente con él rimas de «Jenny Jenkins» en la bañera, como hacía Jack, y cuando Grace lo intenta, Max se ríe y se parece tanto a su padre que Grace teme que le estalle el corazón en ese mismo instante.

Emma, la niña de los ojos de su padre, nunca habla de Jack. No hace preguntas. No mira fotos ni recuerda viejos tiempos. Grace intenta facilitar las necesidades de su hija, pero nunca sabe muy bien cómo hacerlo. Los psiquiatras hablan de abrirse. Grace, que ha sufrido suficientes tragedias, no lo ve tan claro. Se ha dado cuenta de que la negación, romper y compartimentar, tiene sus ventajas.

Curiosamente, Emma parece feliz. Le va bien en la escuela. Tiene muchos amigos. Pero Grace no se deja engañar. Emma ya no escribe poemas. Ni siquiera mira su diario. Ahora insiste en dormir con la puerta cerrada. Grace se detiene ante la puerta de su hija por la noche, a menudo muy tarde, y a veces cree oír suaves sollozos. Por la mañana, después de irse Emma a la escuela, Grace repasa la habitación de su hija.

La almohada está siempre mojada.

La gente obviamente supone que si Jack siguiera vivo, Grace tendría muchas preguntas que hacerle. Es verdad, pero ya no le importa lo que hizo un chico asustado y colocado de veinte años al enfrentarse a la devastación y sus secuelas. En retrospectiva, tenía que habérselo contado. Pero, por otro lado, ¿y si lo hubiera hecho? ¿Y si Jack se lo hubiera contado todo desde el principio? ¿O un mes después de conocerse? ¿O un año? ¿Cómo habría reaccionado ella? ¿Se habría quedado con él? Grace piensa en Emma y Max, en el simple hecho de que existen, y el camino seguido le produce un estremecimiento.

Así que tarde por la noche, cuando Grace está sola en la enorme cama y habla con Jack, sintiéndose muy rara porque en realidad no cree que él la oiga, sus preguntas son más básicas: Max quiere apuntarse al equipo de fútbol itinerante de Kasselton, pero ¿no es demasiado pequeño para semejante compromiso? La escuela quiere que Emma siga un programa intensivo de lengua, pero ¿eso no la someterá a demasiada presión? ¿Deberíamos ir igualmente a Disneylandia en febrero, sin ti, o será un recordatorio demasiado doloroso? ¿Y qué hago, Jack, con esas dichosas lágrimas en la almohada de Emma?

Preguntas así.

Scott Duncan fue a verla una semana después de la detención de Sandra. Cuando Grace abrió la puerta, él dijo:

—Encontré algo.

—¿Qué?

—Esto era de Geri —dijo Duncan.

Le dio una cinta vieja. Aunque no tenía etiqueta, alguien, en tinta negra y trazos tenues, había escrito: ALLAW.

Fueron en silencio a la leonera. Grace puso la cinta en el magnetófono y pulsó el botón de encendido.

Invisible Ink era la tercera canción.

Tenía cierto parecido con *Pale Ink*. ¿Acaso un tribunal habría dictaminado que Jimmy era culpable de plagio? No era evidente, pero Grace supuso que la respuesta, tras todos estos años, habría sido que no. Muchas canciones se parecían. También había una tenue línea que separaba la influencia del plagio. *Pale Ink*, le pareció, tal vez se hallara en un punto indefinido de esa línea borrosa.

Lo mismo sucedía con tantas cosas que acabaron mal: es decir, tantas estaban en un punto indefinido de una línea borrosa.

—¿Scott?

Él no se volvió hacia ella.

—¿No crees que ha llegado el momento de aclarar las cosas?

Él asintió lentamente.

Grace no sabía muy bien cómo plantearlo.

—Cuando te enteraste de que tu hermana fue asesinada, te pusiste a investigar apasionadamente. Dejaste tu trabajo. Fuiste a por todas.

—Sí.

—No te habría sido difícil averiguar que salía con alguien.

—Nada difícil —coincidió Duncan.

—Y te habrías enterado de que se llamaba Shane Alworth.

—Yo ya estaba al corriente de lo de Shane antes de todo esto. Salieron seis meses. Pero yo creía que Geri había muerto en un incendio. No tenía ninguna razón para intentar averiguar qué había sido de él.

—Ya. Pero más tarde, después de hablar con Monte Scanlon, la tuviste.

—Sí —contestó—. Fue lo primero que hice.

—Te enteraste de que desapareció justo cuando asesinaron a tu hermana.

—Exacto.

—Y eso te hizo sospechar.

—Por no decir algo peor.
—Supongo, no sé, que consultaste su expediente académico de la universidad, incluso su expediente de la escuela. Hablaste con su madre. No te habría sido muy difícil. No cuando era lo que estabas buscando.
Scott Duncan asintió.
—Así que ya sabías, antes de conocernos, que Jack era Shane Alworth.
—Sí —contestó—, lo sabía.
—¿Sospechabas que él había matado a tu hermana?
Duncan sonrió, pero sin la menor alegría.
—Un hombre sale con tu hermana. Rompe con ella. La asesinan. El hombre cambia de identidad y desaparece durante quince años. —Se encogió de hombros—. ¿Tú qué habrías pensado?
Grace asintió.
—Me dijiste que te gustaba sacudir jaulas. Que así se avanzaba en un caso.
—Sí.
—Y sabías que no podías preguntarle a Jack por tu hermana así, sin más. No tenías ninguna prueba contra él.
—Sí, también.
—Así que —siguió Grace— sacudiste la jaula.
Silencio.
—Hablé con Josh en Photomat —dijo Grace.
—Ah. ¿Cuánto le pagaste?
—Mil dólares.
Duncan resopló.
—Yo sólo le pagué quinientos.
—Por poner una foto en mi sobre.
—Sí.
Empezó otra canción. Ahora Allaw cantaba sobre las voces y el viento. Se les veía inmaduros, pero también parecían tener posibilidades.
—Me hiciste sospechar de Cora para que no presionara a Josh.
—Sí.
—Insististe en que fuéramos a visitar a la señora Alworth. Querías saber cómo reaccionaba al ver a los niños.

—Quería sacudir más jaulas —coincidió él—. ¿Viste la cara que puso cuando vio a Emma y Max?

La había visto. Simplemente no había sabido lo que significaba ni por qué esa mujer vivía en una urbanización situada justo en el camino de Jack al trabajo. Ahora, claro, lo sabía.

—Y como te viste obligado a pedir excedencia, no pudiste recurrir al FBI para pedir una vigilancia. Así que contrataste a una detective privada, la que empleó a Rocky Conwell. Y pusiste esa cámara en mi casa. Si ibas a sacudir la jaula, necesitabas ver cómo reaccionaba tu sospechoso.

—Es todo verdad.

Grace pensó en el resultado final.

—Murió mucha gente por lo que hiciste.

—Yo investigaba el asesinato de mi hermana. No pretenderás que me disculpe por eso.

La culpa, pensó ella otra vez. Hay tanta para repartir.

—Podías habérmelo dicho.

—No. No, Grace, jamás habría podido confiar en ti.

—Dijiste que nuestra alianza era temporal.

Él la miró. Ahora allí había algo oscuro.

—Eso —dijo él— era mentira. Nunca tuvimos una alianza.

Ella se sentó y bajó la música.

—No te acuerdas de la matanza, ¿verdad, Grace?

—Eso no tiene nada de raro —dijo ella—. No es amnesia ni nada por el estilo. Recibí un golpe tan fuerte en la cabeza que estuve en coma.

—Traumatismo craneal —dijo él con un gesto de asentimiento—. Lo sé. He visto muchos casos. Como le sucedió al corredor del Central Park, por ejemplo. En la mayoría de los casos, como en el tuyo, tampoco se recuerdan los días anteriores.

—¿Y?

—¿Cómo llegaste a ese foso de orquesta aquella noche?

Al oír la pregunta, que no venía en absoluto a cuento, Grace se irguió. Le examinó el rostro en busca de una señal delatora. No vio nada.

—¿Qué?

—Ryan Vespa... bueno, su padre compró una entrada en la reventa por cuatrocientos pavos. Los miembros de Allaw las consiguieron por medio del propio Jimmy. La única manera de estar allí era pagando una pasta o conociendo a alguien. —Se inclinó hacia delante—. ¿Cómo conseguiste estar en ese foso de orquesta, Grace?

—Mi novio consiguió entradas.

—¿Te refieres a Todd Woodcroft? ¿El que nunca fue a verte al hospital?

—Sí.

—¿Estás segura de eso? Porque antes decías que no te acordabas.

Grace abrió la boca para hablar y luego la cerró. Él se inclinó más hacia ella.

—Grace, he hablado con Todd Woodcroft. No fue al concierto.

A Grace algo se le agitó en el pecho. Un escalofrío le recorrió todo el cuerpo.

—Todd no fue a verte porque habías roto con él dos días antes del concierto. Pensó que habría sido extraño. ¿Y sabes una cosa, Grace? Ese mismo día Shane Alworth rompió con mi hermana. Geri no fue al concierto. Así que, ¿a quién crees que llevó Shane?

Grace se estremeció y sintió que el temblor se extendía por todo su cuerpo.

—No lo entiendo.

Duncan sacó la foto.

—Ésta es la Polaroid original que amplié y puse en tu sobre. Mi hermana anotó la fecha al dorso. La foto se sacó el día antes del concierto.

Ella movió la cabeza en un gesto de negación.

—Esa mujer misteriosa a la derecha, la que apenas se ve... Creíste que era Sandra Koval. Bien, pues es posible, Grace... sólo digo que es posible... que seas tú.

—No...

—Y es posible, puesto que buscamos a más culpables, es posible que tengamos que preguntarnos quién era la chica guapa que distrajo a Gordon MacKenzie para que los demás fueran a ver a Jimmy X. Sabemos que no fue mi hermana, ni Sheila Lambert, ni Sandra Koval.

Grace siguió moviendo la cabeza, pero de pronto recordó aquel día en la playa, la primera vez que vio a Jack, esa sensación, ese tirón repentino en las entrañas. ¿De dónde había venido? Es lo que uno siente...

... cuando tiene la sensación de conocer a esa persona.

El tipo de *déjà-vu* más extraño. Esa sensación de que ya estás conectada a alguien, de que ya has tenido ese primer arrebato de pasión. Los dos cogidos de la mano, y cuando empieza la agitación, sientes que se te contrae el estómago al apartarse su mano de la tuya...

—No —dijo Grace, ahora con más firmeza—. Te equivocas. No puede ser. Me habría acordado de eso.

Scott Duncan asintió.

—Es posible que tengas razón.

Se puso en pie y sacó la cinta del magnetófono. Se la dio.

—Es todo una conjetura descabellada. O sea, por lo que sabemos, puede que esa mujer misteriosa fuera la razón por la que Shane no fue a los camerinos. A lo mejor ella lo convenció. O a lo mejor él pensó que había algo más importante allí mismo, en ese foso de orquesta, de lo que podía encontrar en una canción. A lo mejor, incluso tres años después, se aseguró de que volvería a encontrarlo.

Después Scott Duncan se marchó. Grace se puso en pie y fue a su estudio. No había pintado nada desde la muerte de Jack. Puso la cinta en su aparato de música portátil y apretó el botón.

Cogió un pincel e intentó pintar. Quería pintarlo a él. Quería pintar a Jack: no a John, no a Shane. A Jack. Pensó que saldría una imagen confusa y borrosa, pero no fue eso lo que sucedió en absoluto. El pincel voló y danzó por el lienzo. Ella empezó a pensar otra vez que nunca podríamos saberlo todo acerca de los seres queridos. Y tal vez, bien pensado, ni siquiera todo acerca de nosotros mismos.

La cinta se acabó. La rebobinó y la oyó otra vez. Trabajó con un frenesí delirante y delicioso. Las lágrimas le resbalaban por las mejillas. No se las secó. En cierto momento consultó el reloj. Pronto tendría que dejarlo. Se acercaba la hora de salida de la escuela. Debía recoger a los niños. Emma tenía clase de piano. Max tenía entrenamiento de fútbol con su equipo itinerante.

Grace cogió el bolso y cerró la puerta con llave al salir.

AGRADECIMIENTOS

El autor desea dar las gracias a las siguientes personas por sus conocimientos técnicos: el doctor Mitchell F. Reiter, jefe del Departamento de Cirugía de la Columna Vertebral, UMDNJ (alias «Cuz»); el doctor David A. Gold; Christopher J. Christie, fiscal del estado de Nueva Jersey; el capitán Keith Killion del Departamento de Policía de Ridgewood; el doctor Steven Miller, director de Medicina de Urgencias Pediátricas del Children's Hospital of New York Presbyterian; John Elias, Anthony Dellapelle (el no ficticio), Jennifer van Dam, Linda Fairstein y Craig Coben (alias «Bro»). Como siempre, si hay errores, técnicos o de cualquier otro tipo, la culpa es de estas personas. Estoy harto de ser el cabeza de turco.

Quiero añadir un gesto de gratitud para Carole Baron, Mitch Hoffman, Lisa Johnson y a todos los de Dutton and Penguin Group USA; Jon Woods, Malcolm Edwards, Susan Lamb, Juliet Ewers, Nicky Jeanes, Emma Noble y la panda de Orion; Aaron Priest, Lisa Erbach Vance, Bryant y Hil (por ayudarme a superar el primer bache), Mike y Taylor (por ayudarme con el segundo) y Maggie Griffin.

Es posible que el nombre de algunos personajes de este libro coincida con el de personas que conozco; aun así, son totalmente ficticios. De hecho, la novela entera es una obra de ficción. Eso significa que invento historias.

Un agradecimiento especial para Charlotte Coben por los poemas de Emma. Como suele decirse, reservados todos los derechos.